미의 변천사

THE CHANGING FACE OF BEAUTY

Les Oreilles Percées.

미의 변천사
THE CHANGING FACE OF
BEAUTY

Sharon Romm 지음

김조용, 김창식, 안건영, 이병희 옮김

미의 변천사

2002년 8월 15일 첫째판 인쇄
2002년 8월 25일 첫째판 발행

저자: Sharon Romm, MD
역자: 김조용, 김창식, 안건영, 이병희
발행인: 장주연
편집디자인: 최진아
표지디자인: 정예선
발행처: 군자출판사
등록: 제 4-139호(1991. 6. 24)

본사: (110-717) 서울특별시 종로구 인의동 112-1 동원회관 BD 3층
Tel. (02) 762-9194/5, Fax. (02) 764-0209
광주지점: Tel. (062) 223-9492, Fax. (062) 223-9493
대구지점: Tel. (053) 428-2748, Fax. (053) 428-2749
부산지점: Tel. (051) 893-8989, Fax. (051) 893-8986

정가 30,000원

ISBN 89-7089-288-5

* 파본은 교환하여 드립니다.

THE CHANGING FACE OF BEAUTY

김조용/ 피부과
카톨릭 의과대학 졸업 및 외래교수
수원전문대학 피부관리학과 교수
대한 피부과 학회 정회원
대한 레이저학회 정회원
국제 미용 레이저 외과 학회 정회원
미국 피부과학회 회원
'미운 털 뿌리 뽑기' 공동저술
'굿 바이 여드름' 공동저술
현 돈암 고운세상 피부과 원장

김창식/ 성형외과
한림대학교 병원 성형외과 교수 역임
대한 성형외과 학회 정회원
대한 미용·성형외과 학회 정회원
대한 수부 재건외과 학회 정회원
대한 미세수술 학회 정회원
현 홍대 고운세상 성형외과 원장

안건영/ 피부과
중앙대학교 의과대학 졸업 및 외래교수
일본 준텐도 의과대학 피부과 연구강사
미국 피부과 학회 정회원
일본 피부과학회 준회원
제1차 국제 모발 연구학회 Young Investigator Award
'미운 털 뿌리 뽑기' 공동저술
'굿 바이 여드름' 공동저술
현 강남 고운세상 피부과 원장

이병희/ 성형외과
아주대학교 병원 성형외과 전공의 수료
대한 성형외과학회 정회원
대한 미용성형외과학회 정회원
미국 UCLA성형외과 두피안면클리닉 연수
현 강남 고운세상 성형외과 원장

목 차

THE CHANGING FACE OF BEAUTY

미의 변천사

THE CHANGING FACE OF BEAUTY

CHAPTER ONE

아름다움의 동태

DYNAMICS OF BEAUTY

인간이 처음으로 그들의 생각을 기록한 이래로, 아름다움에 대한 의문은 가장 강하고 보편적인 주제로 대두 되어왔다. 대부분의 사람들은 질문이 주어졌을 때 솔직하게 또는 마지못하여 답변하기를 아름다워지고 싶으며 매력적인 상대방을 소유하고 싶다고 얘기한다. 이러한 아름다움에 대한 추구는 형식에 구애되지 않는 대화의 주된 주제일 뿐만 아니라 최근에는 과학적인 연구의 촛점이 되고 있다.

19세기 후반 이후로 인간 행동의 대부분의 측면은 면밀히 논의되는 타겟이 되어왔고 아름다움의 개념 역시 예외는 아니었다. 마침, 사회학자들과 철학자들이 자각과 관련된 과정을 세분화 하였고, 사회적인 외관 모양의 중요성에 대해 탐구하기 시작했다. 정신치료사들은 과정을 세밀히 조사했다. 임상의사는 치료의 체형적 이미지에 대한 변화의 결과에 대하여 연구를 시작한 과정을 세밀히 조사했다.

이 연구는 힘든 출발을 했다. 20세기 초에는 종종 선의의 연구자가 아름다움에 관해 의문을 던졌고, 그리고나서 그것에 충분하게 대답하기보다는 약간 덜 명료하게 나타냈다. 초기의 전형적인 연구들은 1921년의 연구를 혼란스럽게 했다. 사회학자들은 왜 사람들이 친구들에게 매력을 느끼는가에 관한 결과를 알아보기 위해 조사에 착수했다. 긴 숙고 끝에 많은 참가자들은 아름다움의 필수적인 요소는 멋진 몸단장이라고 얘기했다. 이 연구는 실패로 판명 났다. 왜냐하면 사회학자들의 의문이 너무 모호했을 뿐 아니라, 그 문제는 참가자들이 그들 자신의 소견에 대한 결과를 그들에게 분석하게 했기 때문이다. 그 이후의 연구자들은 조사를 할 때 주관적인 답변을 요구하는 문제는 다시금 말아야 한다는 것을 배웠다.

아름다움에 대한 태도를 정의한다는데 있어 확신은 50년 동안이나 결여되어 왔다. 물론 진보는 있었지만 연구자들은 좀더 세밀한 질문을 만들어야하며 좀더 충분한 목적을 세워야 한다는 것을 깨달았다. 이들은 분리된 요소, 즉 선호되는 입의 모양, 눈썹의 위치 또는 코의 크기에 의해 생겨나는 인상 등에 대해 집중하기 시작했다. 예를 들어, 그들이 발견한 이 접근법을 사용하면-사람들은 보통 안경이 사람을 좀더 똑똑하지만 덜 매력적으로 보이게 만든다고 생각한다. 하지만 비록 이 연구들이 진지한 의도로 만들어졌고 그 연구의 결과가 약간 흥미 있다고 하여도, 연구자들의 방법은 아직 과학적이지 못하였다. 그들의 실험적인 결과들은 여전히 주관적이었고 근거가 거의 확실치 못했다.

1960년대에, 사회심리학자들은 과학적으로 그들의 학문이 받아들여지기를 원하면서 전통적인 연구기술을 받아들이기 시작했다. 70년대 외형에 대한 연구는 점점 관심을 얻어갔다. 연구자들은 측정법을 만들었고 기준을 세웠으며 어떤 실험의 결과가 수치적인 평가에 맞는지 평가했다. 그들은 절대적인 미를 찾는다는 것이 어리석다는 것을 깨닫게 되었고 그 대신 매력, 즉 사람들이 정말로 어떻게 보이는가에 대한 것의 개념에 대해 연구하기로 했다.

과학자들은 매력이란 생각보다는 덜 모호하다고 정의한다. 놀랍게도 과학자들은 극도로 못생김과 아주 매력 있는 것 사이의 비례를 연속체로 나타낼 수 있다면서 이러한 분명한 특성은 시종 보는 사람에 있어 일관된 반응을 일으킨다고 말한다. 또한 연구는 매력이 변화의 역할을 하기도 하지만, 사람들이 다른 사람들에게 반응할 때 또한 이 매력이 커다란 영향을 끼친다고 확신한다. 연구에 따르면 외모는 이러한 영향을 부인하는 사람에게조차 항상 큰 영향을 끼치고 있다고 보여준다.

연구자들은 사회의 대부분의 사람들이 매력에 관련된 특성에 관해 동의하고 있다고 보여준다. 그렇다고 어떤 사회가 특별히 어떤 특별한 모양의 코나 특정한 머리 색깔을 선호한다는 것은 아니라, 이러한 얼굴들이 측정치에 랭크될 수 있다는 것을 뜻하는 것이다.

매력에 대한 연구 기술은 인간의 다른 행동을 연구하는 것과 비슷하다. 연구자들은 문제를 만들고 테스트의 변수를 확인한다. 그후 통계적으로 근거가 확실한 결과를 위해 충분한 샘플을 선택한다. 연구자들은 사회과학에서 사용되는 방법으로 매력에 대한 연구를 하는 것은 부적당한 방법이라고 인식한 후 실험을 수행하기 시작했다. 사람이 다른 사람을 어떻게 인식하느냐에 대한 문제는 주어진 질문에 정확한 대답을 하기에는 너무 민감한 문제다. 대신 연구자들은 연구의 목적과 그들의 연구를 어렵게 하는 작업을 숨기는 것이 좋다.

BLOOM COUNTY

또한 연구자들은 종종, 아주 불공평하게 여겨지는 행동이지만, 사람들의 동의를 얻지 않고 실험자들을 이용한다. 예를 들어 연구자들이 대학교수라면 학생들이 주로 실험자가 되며 이 실험자들이 그들의 응답에 대해 편견을 갖는 것을 피하기 위해 실험의 정확한 목적을 실험자들에게 알려주지 않는 것이다. 하지만 연구자들은 이전의 연구들도 사전의 동의 없이 이루어져 왔다고 주장한다. 그들은 사회과학자들에 의해 관찰되고 기록된 대중의 행동이 기자들이 연기자나 정치인의 모습에 대해 쓰는 것, 심지어는 마음속으로 글을 써 놓는다는 것과 같은 방식이라는 것을 얘기하며 그들의 정당성을 주장한다.

매력에 관한 연구는 보통 사회학자나 사회심리학자 단독으로 또는 임상의학자와의 협동으로 이루어진다. 대부분의 실험은 얼굴에 집중되어 있으며 몇몇 실험은 때때로 가슴의 크기나 다리의 길이 또는 키같은 특성에 집중되어 있다. 이러한 연구는 우리 사회의 선호도의 근원을 조사하는 것이 아니라, 과학자들은 오직 현재의 사람들이 어떻게 외모를 생각하느냐에 초점을 맞추고 있다.

과학자나 대중 모두 매력연구의 개념에 대하여 이중적이어 왔다. 비록 연구자들은 그들의 작업이 신뢰할만한 조사자에 의해 수행된 합법적이고 과학적인 노력이라 할지라도 그들 주제가 변하기 쉽다는 것을 알지 못한다. 대중의 이중성에 대한 이유는 복잡하다. 신체적 매력이라는 주제는 정서적으로 강렬하게 어필되며 성적 매력, 자존심, 또래수용, 어버이의 사랑 등과 같은 이슈를 포함하고 있다. 이것은 자신의 어렵고 개인적인 이야기를, 질문을 하는 과학자들과 답변을 읽는 대중들에게 보여주는 것이나 마찬가지이다.

by Berke Breathed

The Jury Disagrees, 1902(배심원의 불일치)
Charles Dana Gibson(찰스 다나 깁슨)

왜 매력에 대한 연구는 다른 사회과학적인 질문보다 느리게 발전되어 왔을까? 한 선구적인 연구자는 사람들이 아마도 아름다운 여성과 잘생긴 남자가 못생긴 다른 사람들보다는 선호된다는 비민주적인 증명을 원하지 않기 때문이라고 추측한다. 잘 알려진 통념에 따르면, 평등한 조건에서 누구나 열심히 하면 무엇이든 이룰수 있지만 아무리 노력할지라도 못생긴 사람이 아름답게 되거나 잘생겨질수는 없다. 이는 아름다움을 단지 껍데기일뿐이라는 격언에 맞추려는 것으로 보일수 있다. 사람을 외모만 보고는 알 수 없다는 격언에 맞추려면 간과되는 편이 안전할지도 모른다. 또한 많은 사람들이 매력에 대한 행동의 사회적 태도를 간과하고 싶어한다. 왜냐하면 연구자들은 이 소중한 격언이 잘못되었다는 것을 증명할지도 모르기 때문이다.

이 의견에 반대하는 사람들은 매력연구의 도덕성에 대한 의문을 제기한다. 몇몇 사람들은 심지어 사람들이 이 주제에 관해 주의를 집중하고 있다며 안달한다. 그들은 연구가 무례하며, 주제넘고, 그들의 생각에 편견이 있을지라도 그러한 사실들을 무시하고 싶어한다.

이전의 사람들은, 사람들이 영향을 끼칠 수 없다고 믿어지는 주제에 관해 연구하는 것에 거의 관심이 없었다. 1960년 중반에 미국 심리학자들은 가장 중요한 개인적 특성은 환경에 의하여 결정된다고 믿었다. 생김새가 유전으로 이어받고, 환경이 아무리 극단적이어도 생김새에 영향을 줄 수 없으므로 외모는 개인이 바꿀 수 없는 것이었다. 이러한 생각으로, 대부분의 사람은 사람들이 통제할 수 없는 부분은 성공이나 행복의 중요요소가 되어선 안 된다고 생각한 것이다.

1960년의 이러한 마음가짐에도 불구하고, 사람이 외모를 통제할 수 없다는 것을 깨닫는 것은 불안한 것일 수 있었다. 관찰자들은 어떤 사람의 외모가 좀더 좋고 나쁘다고 할 수 없다. 놀랍게도, 우리는 신체적 매력이 우리의 삶의 작은 세세한 부분까지 영향을 끼칠 수 있다는 것에 의심을 가질 수 있다. 우리가 통제할 수 없는 어떤 부분이 누가 언제, 누구랑 결혼하며 우리가 어떻게 교육받으며, 우리가 제공받는 직업기회 등에 관련된 개인적인 관심들에 있어 큰 차이점을 만든다는 것을 안다는 것은 정말 낙담할만한 일이 아닐 수 없다.

매력연구는 약간 낙담하게 하는 의미를 포함하고 있다. 사람들이 동의하는 기준된 외모가 있다고 인정한다고 하고, 연구자들은 아름답지 않다고 판단되는 사람들에게는 어떤 일이 일어나는가에 대해 반문한다. 모든 사람에게 누군가가 있다는 유쾌한 일반적인 개념은 적어도 한 사람은 비록 못생겼더라도 다른 한사람의 짝이 있다는 뜻을 내포하고 있다. 하지만 만약 연구에서 외모가 사람들의 반응에 영향을 끼친다고 보여주면, 그때는 "외모는 껍데기일 뿐이다"라는 속담은 못생긴 사람은 짝을 찾는다는 것을 의미하지 않게 될 것이다. 왜냐하면 그들은 아름다운 사람들보다는 세상으로부터 적게 받을 것이기 때문이다. 만약 조사가 잔혹한 답변을 내놓는다면, 과학자나 다른 대중들이 이 문제에 대해 연구하려고 애쓰지 않을 것이 당연하다.

야심적인 어머니와 의무를 다하는 성직자
Charles Dana Gibson(찰스 다나 깁슨)

그럼에도 불구하고 연구는 계속 되어왔고 그것의 결과는 중요하게 여겨져 왔다. 그 결과가 좋든 안 좋든, 이러한 연구는 우리사회에서의 외모의 중요한 역할을 강조해왔다. 종종 이러한 연구들의 결과는 사람들이 외모의 중요성을 얕보고 있다는 의심을 확인해준다. 그리고 이 연구의 성과는 얼마나 자주 사람들이 사람들의 외모에 기준 하여 그들의 내면의 품성과 특성을 가정하는지를 보여주고 있다.

이러한 지식이 어떻게 우리에게 도움을 줄 수 있을지는 아직 확실치 않다. 왜냐하면 연구자들이 여전히 실제적인 적용을 찾기보다는 문제에 대해 정의하고 있기 때문이다. 그러나 매력의 영향을 이해하는 것은 우리자신의 대답에 더 영향을 준다는 것을 가능하게 만들었다. 우리는 우리가 현재 알고 있는 편견을 극복하고 광고의 잠재되어 있는 메시지의 영향을 덜 받을 수 있을지도 모른다.

사회심리학자들은, 매력은 사업의 선택, 로맨스 교육 등 여러 방면에 영향을 끼치고 있다는 것을 판명했다. 사실이 아니지만, 매력이 주로 청년기의 소녀들에게만 중대한 영향을 끼친다는 것은 매우 잘 알려져있다. 하지만. 과학자들은 매력이 모든 나이대의 남녀 구별 없이 모든 사람에게 영향을 끼친다는 것을 발견했다. 사람들이 소유할 수 없는 선(善), 건전한 정신, 성공들의 특성을 중요하게 여기는 것은 필요하다. 사람의 외모는 어떻게 사회가 그, 또는 그녀를 대하는가의 차이에 중요한 영향을 끼치고 있으며 즉 이것은 삶의 질에 있어 중요한 요소이다.

매력은 어떻게 이런 영향을 미치는가? 연구자들은 사람의 외모, 특별한 사회적 특성을 발전시키는 것, 관찰자의 대답 사이에는 명확한 연결관계가 있다고 한다. 과학자들에 따르면, 사람들이 매력적인 사람에 대해 어떤 기대를 하고 있기 때문에 매력적인 사람은 이러한 분명한 기대를 받아들여 그것에 맞추어 행동한다는 것이다. 왜냐하면 잘생긴 사람들은 다른 사람들과의 관계할 때 적극적인 경향이 있으며, 매력적이지 않은 사람들보다는 확신 있게 반응하는 편이기 때문이다. 매력의 영향과 주위상황의 다양성을 조사하면서 연구자들은 외모의 힘에 대한 설명을 시작할 수 있다.

자신평가 **통** 계집단에서 외적인 매력은 종모양의 곡선으로 퍼져있다고 가정하는게 적당하다. 연구자들은 평가자들이 다른 사람들의 의견에 관계없이 그 곡선에 자신들을 평가하게 했다. 사람들이 자신들과 다른 사람들을 비교하라고 할 때 보통 "저는 평균보다 잘생겼죠"라고 말한다. 그런 행동은 일반적인 낙관 또는 자신이 대중들보다 위에 있다고 느끼는 가치에서 나오기 때문에 아마도 이 대답이 일반적일 것이다. 어떤 상황에서든 대부분의 사람들은 매력이 없다는 것은 실패를 인정하는 것과 마찬가지라고 느끼는 것처럼 보인다.

정서적으로 건강한 사람들은 자신의 자존심을 보호하려한다. 그들은 실제 다른 사람과 어떻게 비교되는지에 대해 확신하지 못한다. 그러나 사람들은 자신을 부추겨 세우기보다는 솔직하게 이 두려움을 인정한다. 그래서 비록 자기평가가 다른 사람에 대한 평가보다는 덜 정확한 경향이 있을지라도 최적의 체형이미지라는 가치 있는 목적은 수행하고 있다.

사람들이 자기 자신을 어떻게 보느냐하는 것은 그들이 다른 사람을 어떻게 보느냐에 영향을 미친다. 그들 자신을 좋게 생각하고 자신들이 높게 평가하는 사람들은 똑같이 다른 사람을 평가할 때도 후하게 점수를 매긴다. 하지만 특별히 정말 예쁘거나 아름다움이 좋은 인상에 있어서 없어서는 안될 요소라고 지나치게 강조하는 사람은 다른 사람을 평가할 때 가혹한 경향을 보인다. 또한 자신들과 비슷하게 생긴 사람들의 매력에 대해 판단하라고 주어졌을 때 아름답던 그렇지 않던 좀더 후한 점수를 주는 것으로 나타났다. 또다른 뜻밖의 결과는 사람들이 자기 자신을 어떻게 인식하던, 만약 그들이 영화나 TV, 잡지에 열중하면 그들의 미디어 매체에서 보는 모델이나 배우들과 대조를 이루어 보통 사람들을 더 가혹하게 판단하는 것으로 나타난 것이다. 또한 외롭고 빈곤해 보이는 겉모양도 사람들이 어떻게 다른 사람들과 그들 자신을 보느냐에 영향을 끼친다. 하루동안 자기자신을 잘생겼다고 판단했던 한남자가 술집에서 술을 먹고 저녁때까지 계속 혼자 있을 때 자기 자신을 덜 매력적이라고 느낄 것이다. 이 사람은 처음 술을 마셨을 때보다 저녁때 여자와 남아있을 때 그의 매력을 더 높게 평가할 것이다.

한 연구는 다른 사람의 매력이 자기평가보다 우위를 차지할 때가 살아가면서 한번은 있다고 설명한다. 이 연구는 매력이 오랫동안 결혼생활을 유지한 부부사이에서 얼마나 중요한가에 대해 접근하기 위해 기획되었다. 실험대상은 50세 이상의 부부들이었으며 사람들의 매력정도는 심사원, 개개인, 그 사람의 배우자에 의해 순위 매겨졌다. 심사원의 순위가 가장 낮았으며 그 다음은 개개인이 낮았고 배우자가 매긴 순위가 가장 높았다. 이젠 더 이상 젊지 않은 실험대상자들의 자존심에도 불구하고 여전히 상대방을 매력적인 배우자로 선택하고 있었지만, 그들 자신을 상대방이 자신을 생각하는 만큼 매력 있게 인식해야한다는 필요는 느끼지 못하고 있었다.

Mr. Hunter(미스터 헌터)
Susan Abbott(수잔 에봇) 1978

19세기 초, 예쁜 아이

아이들 **예**쁜 아이는 가족들과 낯선 사람들이 보내는 칭
찬과 관심이라는 장점과 함께 삶을 시작한다.
반대로 매력 없는 아이는 희생양의 역할에 놓이게 된다. 어두움이 못생긴 아이들에게
던져지게 되고, 반대로 예쁜 아이들은 halos를 입는다. 보육원 선생님들은 모든 아이
들이 아름답다고 강조하지만, 질문이 주어진다면 그들도 머뭇거림 없이 그들의 학생
들을 외모로 순위를 매길 수 있을 것이다. 그리고 그 해석대로 아이들은 어른들의 순
위에 따라 행동한다. 이러한 매력 없는 아이들이 예쁜 "Miss Goody-Two-Shoes, 착한
아이"보다 더 장난을 일으키는 경우가 많다.

심리학자 Ellen Berscheid와 Elaine Walster는 판에 박힌 외모가 이미 그들이 보
육원에 다니는 시기쯤이면 아이들의 마음에 이미 자리잡혀있다는 것을 가정하고, 4
살에서 6살의 아이들은 연구했다. 그들은 아이들이 어른에 의해 판단된 적이 있는 같
은 반 친구들에게 어떻게 반응하는지 지켜보았으며 이 연구 결과는 과학자들의 추측
을 확신시켜주었다. 못생긴 소년은 잘생긴 아이보다 반 학생들이 좋아하지 않았고 더
말썽을 일으킨다고 나타났다. 예쁜 여자아이들은 평범한 여자 애들보다 놀이나 파티
에 우선으로 초대되었다. 성별의 차이에도 불구하고, 보육원 아이들은 그들의 못생긴
친구들이 혼자서 무언가 하는 것을 두려워하고 좋아하지 않는 것처럼 보인다고 느꼈
다. 이 연구는 또래집단, 부모, 보모, 선생님 등에 의해 더 매력 있다고 판단되어지면,
이 아이들은 좀더 친절해지고 더 독립적이며 차별적인 처우에 있어서 우위에 놓이게
된다. 착한 아이가 잘생겼고, 장난꾸러기인 아이가 못생겼다는 문화적 편견은 어린아
이들에게도 그러한 특정한 모양에 자신을 맞추라고 알려주는데 큰 영향을 끼친 것으
로 보인다. 매력적인 학생들에게 속한 것으로 생각된 긍정적인 특성과 사람들이 주는
편애는 보육원 졸업 후에도 계속 이어질지도 모른다. 교육과정이 끝난 어른시기에도,
이 연구는 대학교수들이 다른 사람만큼이나 예쁜 학생들의 얼굴에 동요된다는 것을
증명하였다.

모성 1891. Mary Cassatt (메리 캐셋)

청년기 사춘기 이전에 대부분의 여자아이들은 아름다움은 여성다움의 기본적인 요소라고 믿어온다. 청년기가 되면 매력을 키우는 것이 가장 우선적인 일이된다. 보통 이 나이에 또래들의 높아지는 자기연모는 개인의 특별한 정체를 찾기 위한 건강한 요소이며, 이것은 자신에 대한 새로운 반응을 나타낸다. 하지만 남녀 모두 똑같이 이러한 자기연모가 있는 듯이 보인다. 특히 남자들은 스포츠나 성적에서 자기자신을 자랑하며, 여자아이들은 옷, 화장, 몸발달에 초점을 두고 있는 듯하다.

연구자 Rita Jackaway Freedman에 의하면, 청년기에 들어간 여자아이들은 특히 과장된 미의 이미지를 위한 문화적 요구에 상처받기 쉽다. 학력이나 스포츠를 통한 성취가 주는 스트레스가 얼마나 크던 지간에 고등학교 교육과정은 외형적 매력에 중점을 두고 있다. 사회집단과 인종 청소년기 여자아이들의 정체성과 지위는 남자아이들의 주의를 끌기 위해 외모와 성격을 갖추는데 성공하는 것이다.

10대에 아름다움을 얻는다는 것은 간단한 문제가 아니다. 10대들의 투쟁은 내적 대립에 의해 악화되고, 미디어에 의해 우상이 만들어진다. 이 혼란에 더해, 심지어 이런 우상은 똑바른 사람들이 아니다. 종종 미디어는 젊은 여성을, 자유스러운 영혼에, 교활한 계획의 책략가, 남을 유혹하는 사람으로 묘사한다. 종종, 예쁜 10대 아이가 예쁜척하는 바보로 나올 때도 있다. 그녀의 능력은 유치하며, 그녀의 외모는 아이 같고, 연약하며, 핑크빛 볼에, 커다란 눈, 초점 없는 눈동자를 가지고 있다. 남성들의 보호본능을 끌어내는 요부와 같은 이러한 여자상과는 반대로, 무력한 여성들은 취약성을 통해서 보호본능을 이끌어 낸다.

비즈니스와 미디어는 메이크업, 옷, 액세서리, 개인 관리 제품을 만들어내서 매력을 추구하는 10대 소녀의 욕구를 이용하여왔다. 이러한 조력자들 없이, 10대 소녀들은 평범해지고, 주의를 끌지 않고, 인기를 위한 그들의 기회를 위태롭게 한다. 이 10대 소녀들은 "put her best face forward, 최고의 얼굴을 앞으로 내놓아라" 라는 말에 용기를 얻지만, 금방 그녀 자신의 얼굴이 그만큼 충분히 아름답지 않다는 말을 동시에 듣게된다. 그러나 화장을 하고 고치는 것은 이런 소녀들이 배우는 것이 아닐지도 모른다. 아이들은 자신의 있는 그대로의 모습이 충분히 아름답고 특별한 재능이 있다는 사실을 배우는 것보다는 자신이 진실로 아름답지 않고, 진정한 아름다움은 숙련된 기교에 의해 성취된다는 것을 배우고 있다. 이것은 확실히 자신감을 해치고 있으며, 부정적인 체형이미지에 대처하는 것은 이미 청소년들에게는 고통스러운 이슈가 되어버렸다.

10대 소녀들은 얼굴의 아름다움만큼 몸매의 아름다움에도 신경을 많이 쓴다. 체력과 근육을 키우는 것 같은 건전한 생각은 소녀들에게 자신의 몸에 대한 자신을 심어준다. 하지만 날씬함에 대한 현재의 인식은 그들의 체형을 바꾸는 것에 대한 소녀들의 걱정을 증가시켜왔다. 날씬한 것과 체력은 궁극적으로 아름다움과 동일시되고 있으며 10대들은 종종 어디에 그 기준을 맞추어야하는지 혼란스러워한다. 아름다운 체형에 다가가기 위해 10대들은 어떻게 날씬하고 강해져야하는 것일까? 왜 체형 가꾸기에 관한 건전한 관심이 강박관념이 되어가고 있는 것일까?

커다란 나무의 님프 1908,
Picasso(피카소)

청년기에 잘 걸리는 섭식장애는 매력의 개념과 관련이 있다. 이 무질서는 전통적인 여성의 역할에 대한 거부를 설명해준다. 그러나 어떤 이론은 현대의 미의 이상인 날씬함을 추구하기 위해 과장된 시도가 식욕부진과 병리대식증이라고 본다. 어린 빅토리아시대의 소녀들은 완벽한 몸매를 위해 고래뼈로 만들어진 코르셋으로 몸을 꽉 조였으며 이것은 현대시대의 여자아이들이 사용하는 식욕억제용의 거들로 이어진다. 이 10대 소녀들은 자신의 가치를 높이고 다른 사람에게 좋은 인상을 주기 위해 애쓰고 있다. 불행히도 그 결과는 그들이 추구하는 것과는 거리가 있다. 그들의 완벽한 몸매를 추구하는 별난 시도는 사실은 궁극적으로 아무도 아름답다고 느끼지 않는 성적매력이 없는 몸매라는 결과를 낳는다.

데이트 **학** 자들과 비전문가의 주의를 끈 매력의 가장 중
요한 연구는 여성과 남성 모두를 포함한다.
Student Activities Bureau of the University Minnesota(미네소타 대학의 학생활동국)
가 스폰서 할, 한 사회심리학 팀은 데이트할 때 매력에 관한 자료를 구하고, 매력의
중요성의 양을 나타냈다. 이 주제에 널리 퍼진 관심 때문에, Walster와 동료들은 인간
행동의 유명한 잡지인 오늘날의 심리학(Psychology Today)이라는 책에 그들의 첫 연
구결과를 발표했다.

연구자들은 처음에 사람들은 사회적 바람직함에 근거하여 다른 사람과 데이트
하기를 선호한다는 일반개념으로 시작했으며, 이러한 이유는 이성과의 낭만적인 열
망은 기식, 사회적 능력, 인격의 영향을 받기 때문이라고 했다. 이 실험은 외형적 매
력을 나중에 따라오는 것으로 덧붙였다. 상대방의 무엇이 좋은가라는 질문에 응답자
들은 순전히 외향적 매력은 다른 매력들을 받쳐주는 특성이라고 대답했다. 6개월 후
연구자들이 어떤 짝을 맺었나 알아보았을 때 여전히 데이트를 하고 있는 커플들은 서
로의 외적매력을 첫 번째의 조건으로 뽑았던 사람들이었다. 연구자들은 사람들이 일
생에 있어 연애를 지속하는 시기인 평균 18살의 사람들을 대상으로 조사했다고 밝혔
다.

하지만 젊은 사람들이, 지성과 친절함보다 예쁜 얼굴에 더 점수를 준다고 조사
에 나타난 것을 보고 그들이 숨김없다고 할 수만은 없다. 그들이 다른 중요한 특징보
다 아름다움에 가치를 더 줄 수 있지만, 연구자들은 아름다움이 대표하는 의미 때문
에 사람들이 아름다움을 바란다고 말한다. 이러한 증거들은 사람들이 아름다운 것이
좋은 것이라고 믿는 것을 보여준다. 잘생긴 사람들은 보통 더 섬세하고 친절하고, 유
능하고, 외향적이고 더 성적으로 민감하다고 생각되어진다.

이런 예상들은 자주 들어맞는다. 이것을 설명하기 위해, 몇 쌍의 학생들이 전화
를 통해 다른 사람들과 서로 알아가게 하였다. 대화하기 전에, 남자에게 대화하게 될
잘생긴 여자 또는 못생긴 여자의 사진을 보여주었다. 그리고 그들에게 인상을 물었을
때, 그들이 매력적인 여성과 통화한다고 생각한 남자들은 그 여자가 사회적이고 균형
적(poised)라고 생각하였다. 반면에 못생긴 여성의 사진을 보여준 남자들은 그 여자
들을 사회적으로 적응하지 못한다고 생각했다. 상대방에 있는 알지 못하는 여인은 매
력에 있어서 가지각색이었다. 하지만 남자들은 그들을 이미 어떤 사람이라고 생각하
고 있었다. 만약 자신들이 미인과 얘기하고 있다고 믿은 남자들은 여성의 대답이 활
기차고 확신 있다고 생각했다. 하지만 못생긴 여성의 대답은 이상하고 내성적이고 심
각하다고 생각되었다.

키스 1886
Francois Auguste Rene Rodin(로뎅)

정복 전, 19세기

처음에는 남성들이 생각하고 있던 사실들이 여성들의 행동에 현실이 되었다. 즉 여성은 남성이 예상한 여성이 되어버린 것이다. 이 실험에서 남성이 생각하는 틀에 박힌 양식(스테레오타입, stereotype)은 그들의 상대방에 대한 행동, 자존심, 느낌에 영향을 준다. 10분의 통화에서 얻어진 결과가 이러한 것이었다면 몇 년 동안이나 계속되어지는 그러한 행동은 상상하고 남는다. 만약 잘생긴 사람이 못생긴 사람보다 사회적 상호작용에서 더 나은 대접을 받고, 그 결과로 계속 용기를 얻는다면 그들은 그것에 따른 많은 기회도 얻을 것이다. 덜 매력적인 사람은 비슷한 수준으로 성공할 수도 있지만 매력적인 사람보다 불이익을 받을 수 있는 사회에 있다. 그들은 약간은 불이익과 함께 사회에 뛰어드는 것이다.

매력적인 남성과 여성이 좀더나은 사회적 능력을 빨리 얻는다는 것을 확증하기 위해 비슷한 전화조사가 이루어졌다. 그리고 이 조사에서는 남자에게 전화하는 상대방이 어떻게 생겼는지에 대한 정보를 아무 것도 주지 않았다. 확실하지는 않지만, 더 매력적인 여성들이 이전의 연구에서처럼 더 사회적으로 능력 있다고 동일하게 인식되었다.

매력적인 사람들은 그들이 가진 가능성을 충분히 발휘한다. 용모가 잘생긴 사람들이 사회적 삶에서 더 만족을 느낀다는 예측은 연구에 의해 확실시되었다. Rochester(로체스터) 대학교 1학년에 있는 남성들은 그들의 사회적 경험을 계속 기록했고, 이 조사에서 잘생긴 남성들이 못생긴 남성들보다는 오랫동안 많은 여성들과 상호관계를 가진 것으로 나타났다. 여러 연구에서 잘생긴 사람들이 더 호감 가고, 친절하고, 자신 있으며, 섬세하고, 융통성 있다는 것을 입증하고 있는 것을 볼 때, 이 연구는 별로 놀랄만한 일은 아닐 것이다.

외적인 매력을 사회적 행운으로 이끄는 경로는 사회적 관계에서 외모가 영향을 미치는 삶의 초기부터 시작된다. 그리고 이 관계는 성격발달에 영향을 준다. 매력적인 사람은 칭찬과 자신감을 발판으로 건강한 야망과 성공을 불러온다. 축복 받지 못한 사람들(못생긴 사람들)은 스테레오 타입에서 오는 불리한 점들을 참아야만 한다. 조사에서보면 매력적이지 못한 것은 사람들이 부정적 성격의 특징을 형성하는데 한 몫 했으며, 이러한 불운한 사람들은 사회에서 거절당하기보다 아예 무시되었다. 그들은 반대편의 성에게 무시당하고, 그들에게 짐 지워진 좋지 않은 스테레오타입을 고칠 기회조차 주어지지 않는다. 비록 매력적이지 못한 사람이 부정적인 성격을 가지고 있다는 확증은 없지만, 그들은 사회적으로 호감 받는 성격을 연습할 기회가 거의 없기 때문에 그러한 성격을 만드는데 실패할지도 모른다. 그들은 비사교적이고 자기 방어적이 된다. 첫인상을 부정적으로 만드는 이러한 불운한 사람들은 결코 그것을 고칠 기회조차 갖지 못할지도 모른다. 나쁜 첫인상은 미래의 예상하지 못한 좋은기회로 이끄는 기회조차 없애버리는 결과를 낳는다.

1960, 소년과 소녀

마치 사회에서 아름다운 사람들은 축복을 받은 것처럼 보인다. 1972년의 중요한 연구인 "What is Beautiful is Good(아름다움이 좋다는 것은 무엇인가)" 라는 연구는 잘생긴 사람이 그렇지 않은 사람들보다는 더 매력 있게 생각되어진다는 것을 확신했다. 연구자들은 따뜻한-차가운, 진실적인-인위적인, 재미있는-따분한 등 반대 형용사로 된 17가지 특징을 인덱스(지표)로 만들었다. 매력적인 사람이 모든 특징에서 주목할만하게 높은 등급을 차지했고 반면에 그렇지 않은 사람들은 낮게 분류되었다. 매력적인 사람들은 더 호감이가는 것으로 생각되어지고 있었고, 성공, 행복 찾기, 좋은 친구가 되는 것에서 더 많은 기회를 가지고 있었다. 그들은 강하고 안정적이며, 성적으로도 정열적이라고 여겨졌다.

이 연구는 오래된 인상보다는 잠깐의 첫인상에 초점을 두었다. 하지만 실제 삶의 행동을 고려할 때의 토대를 벗어난 것은 아니다. 어느 누구도 좋고 나쁜 첫인상에 이의를 제기하지 않을 것이며, 현저하게 그 첫인상을 고수한다. 어느 누가 첫눈에 기절할 만큼 아름답게 보이는 누군가와 사랑에 빠졌을 때 나중에 상대방이 믿을 수 없고 매정하게 나타났어도 그들을 거절하는 것은 거의 불가능할지도 모른다.

다른 조사에서는 매력적인 사람이 그들 자신들의 운명의 창조자로 보여지고 반면에 그렇지 않은 사람들은 주변사람과 환경에 순응하게 보여지는 것으로 나타났다.

또다른 독점 1906, Charles Dana Gibson(찰스 다나 깁슨)

차별의 기초로써의 매력

연구자들은 매력에 관한 차별이 있다는 사실을 확증했다. 그리고 이러한 행동의 뒤에 있는 이유에 관해 좀더 가까이 접근하기를 노력한다. 잘생긴 사람들이 어떠한 특권을 가지고 태어났다고 간주되어진 이래로, 높은 사회적 지위에 있는 사람들은 더 호감 가는 외모를 가지고 있는 것으로 묘사된다. 연구에 따르면 매력적인 사람들은 상류사회 출신이며, 매력적이지 않은 사람들은 그렇지 않다고 생각한다고 나타났다.

외적 매력이라는 범위에서 볼 때, 심지어 어린아이들도 그들이 세상에 태어날 때부터 축복 받았거나 비운 중에 하나인 것이다. 지나가는 모든 사람들이 귀여운 아이에게는 말을 거는 반면, 반점이 많아서 시골뜨기 같이 보이는 어린아이들은 어른들의 관심을 덜 끈다. 반면, 예쁜 아이들은 선생님들의 관심을 더 받는다. 특별하게 선정되면, 그들은 예쁘지 않은 아이들이 가르침 받는 것보다 더 많이 이해하고 받아들일지도 모른다. 긍정적인 학교 생활이 아이들의 자부심에 얼마나 많은 영향을 주는지는 의심할 여지가 없다. 이러한 일반적인 개념은 진학 준비학년을 통해 이어지며, 좋은 성적과 좋은 머리의 아이들은 선생님에게 더 좋은 학교로의 추천을 받으며 나중에 더 좋은 급여의 직업을 얻게되는 결과를 낳을지도 모른다. 과학적 조사에 나타나듯이 차별의 기준이 매력이라는 이러한 일반적인 관측은 매우 강력한 관습이다.

어머니와 아이들/ 19세기 말

미(美)의 이점

매력적인 환자는 심리적으로 더 건강해 보인다. 치료사들은 그 잘생긴 환자들이 치료법에 있어 더 나은 진전을 만든다고 느낀다. 그리고 이 환자들 또한 잘생긴 치료사들에게 확신감에 있어서 더 점수를 준다. 치료사들은 잘생긴 환자들의 병이 더 나아질 것으로 생각한다. 개인들이 그들의 또래 중에 누가 심리학적으로 안정되었냐고 질문을 받으면 그들은 잘생긴 아이들이 더 정신적으로 건강하다고 생각한다.

편견 역시 직업에 영향을 끼친다. 상담사나 치료사들은 YAVIS (Young, Attractive, Verbal, Intelligent and Successful, 젊고, 매력적이고, 말을 잘하며, 똑똑하고, 성공한) 고객과 일하는 것을 더 선호한다. 매력적인 사람은 자신들을 순종적이고 신경질적이지 않다고 여긴다. 심지어 정신병원에 입원한 심각한 정신분열증의 환자들도 그들 자신의 정신병학적 상태를 더 매력적인 사람이 덜 아프고 더 적응을 잘한다라는 기준으로 평가했다.

아름다운 사람들은 또한 더 재능이 뛰어나다고 생각되어진다. 한 연구에서, Rochester(로체스터) 대학의 심리학자들은 사람에 있어 매력이라는 것은 다른 사람들이 어떻게 그녀의 일을 판단하느냐에 영향을 준다는 것을 제안하였다. 이것을 증명하기 위해, 그들은 사회에서 텔레비전의 역할에 대한 두 가지 에세이를 준비했다. 하나의 에세이는 잘 쓰여진 것이었고 다른 하나는 단순하고 구성도 엉망이었다. 조사자들은 각 에세이를 30부씩 복사해서 그것들 중에 작가라고 생각되어지는 사진을 붙였다. 각 에세이마다 10개는 매력적인 여자의 사진을 붙였고 10개에는 그렇지 않은 여성의 사진을 그리고 나머지 10개에는 사진을 붙이지 않았다. 그 다음에 60명의 남자

대학생들에게 창의성, 스타일, 일반적인 글의 질적인 측면에 있어서 에세이를 평가하게 하였다. 또한 남자학생들에게 작가의 지성, 재능, 감수성도 평가하게 하였다.

당연하게, 결과는 매력적인 작가를 선호하는 것으로 나왔다. 잘 쓰여진 에세이에서는 잘생겼던 못생겼던 작가는 좋은 점수를 받았다. 하지만 잘 쓰여지지 않은 에세이에서 잘생긴 사람이 썼다고 생각된 에세이는 좋은 점수를 받았고 못생긴 사람이 썼다고 생각된 에세이는 나쁜 점수를 받았다. 비록 연구자들이 그들이 오직 남자대학생들만 상대로 조사를 실시했기 때문에 그들의 조사가 약간 왜곡된 면이 없는 것은 아니라고 인정했지만, 그럼에도 불구하고, 비록 작품이 좋으면 못생겨도 그들은 그만큼 대우를 받지만, 만약 작품이 평균 아래이면 매력이라는 것이 영향을 준다고 결론내렸다. 아마도 매력적인 사람이 더 잘하고 재능 있다고 생각되어지기 때문에 그들은 작품이 평균아래여도 좋은 점수를 받는 것이다.

한 연구자는 다른 사람을 판단하는데 질투가 개입되는 것인가를 궁금해했다 이번에는 노골적으로 고등학교 졸업생들의 문체로 애국심에 관한 에세이가 준비되었다. 실험의 목적을 위해, 잘생기거나 못생긴 여자 또는 남자의 사진을 에세이에 붙였다. 전의 실험과 마찬가지로, 여성 작가의 능력에 대한 남성들의 평가는 그들의 미모에 영향을 받았다. 하지만, 연구자가 기대했던 것과는 반대로, 여성들은 아름답던 못생겼던, 여성들이 쓴 에세이에 같은 점수를 주었다. 연구자들은 남자들이 아름다움에 대해 더 편견이 심하며, 그들은 다른 남자들보다 여성들을 판단할 때 더 그런 것으로 결론지었다.

위로받는 비너스 사랑 1751,
Fran□ois Boucher(프랑코이 부체르)

외모의 매력은 법정에서도 재산이 될 수 있다. 판사들은 잘생긴 범죄자에겐 더 관대함을 베푸는 경향이 있고 아마 그것은 미학적으로 매력적인 사람이 더 보기 좋고, 그들이 범죄를 저지를 때 같은 범죄를 덜 반복할 것이라고 생각되어지기 때문이다. 이 이론을 실험하기 위해, 두 가지 범죄사건의 평가가 제시되었다. 하나는 범죄자나 피해자의 외모가 별로 상관없는 강도사건, 또 다른 한 명은 미모를 이용하여 피해자를 유혹한 사기사건이다. 잘생긴 도둑은 인자한 판정을 받았고, 신이 주신 선물이라며 희생자를 속인 사기꾼은 적개심 있게 생겼다. 그 여자는 범죄를 계속 일으킬 것 같이 생겼기 때문에 그녀는 가혹한 형벌을 받았다. 이 테스트에서 미(美)는 배심원들이 그 강도를 사기꾼으로 보지 않게 어느 정도 유용한 역할을 했다는 것을 보여줬다.

　　잘생긴 사람들은 그렇지 않은 사람들보다 더 큰 사회적 영향력을 행사한다. 그들은 더 설득력 있고 그들의 평가는 더 영향력이 있다. 게다가 아름다운사람과 연관 있는 사람은 그나 그녀의 영광을 흡수할 수도 반영할 수도 있다. 매력적이게 된다는 것은 다른 이점도 있다. 이들은 더 가치 있는 상품이 된다. 매력적인 데이트상대, 배우자, 고용인을 선택한 사람들은 자신이 선택한 사람들이 행사하는 영향력을 그들이 흡수할 수 있을지도 모른다. 또는 그들은 매력적인 사람과 함께 할 수 있을 만큼 중요하고, 가치 있다고 생각할지도 모른다. 우리는 매력적인 사람이 좀더 많은 조건을 갖는다고 생각하기 때문에 아름다운 사람들의 상대자로 선택된 사람들은 선택된 그들이 특별하다거나 충분하게 유능하다고 믿는다. 연구자들이 매력적인 사람의 상대방이 되는 것이 지나가는 사람들에게 더 강한 인상을 주냐는 질문에 대부분의 답변은 "yes" 였다.

　　외모는 가장 뚜렷한 인간의 특징이다. 비록 지식이나 친절함 같은 다른 성질도 매력처럼 사람들이 바라는 것이지만, 유리하게 이러한 자질을 타고 태어난 매력적인 사람과 관계 있는 보통의 사람에게는 그것을 차지하는데 더 오래 걸릴듯하다.

미(美)의 불이익, 손해

로　맨스나 고용자로서 외모가 매력적인 사람은 그 또는 그녀의 동료들에게 따돌림을 받을 수도 있다. 이것은 몇 가지로 설명될 수 있다. 만약 우리가 "what is beautiful is good, 아름다움이 좋다는 게 무엇인가" 라는 것의 스테레오타입(고정적 이미지)를 인정한다고 보면, 매력적인 사람은 협동적이고, 따뜻한 마음씨를 가진 사람으로 생각된다. 어느 정도의 매력적인 사람은 그들의 외모처럼 좋은 사람일지도 모른다. 하지만 많은 사람들이 그런 것은 아니다. 그들은 다른 사람이 생각하는 성격이 사실과는 틀리다는 것을 알고, 그런 것을 인지한 사람들에게 자기자신을 숨기려고 독자적이고, 냉담할 수도 있다.

　　외적매력은 다른 성과의 관계를 강화시키는데 주로 사용된다. 같은 성의 사람들은 이러한 특징에 질투를 한다. 만약 매력적인 사람이 불행하게도 고민에 무감각하면, 이것은 따돌림을 받는 또 하나의 이유가 된다.

아름답게 인식되는 것도 불리한 점이 있는 것이다. Marilyn Monroe(마를린먼로)는 1958년 The Brothers Karamazov(카라마조브의 형제들)의 Grushenka(그루쉔카)역할을 얻지 못했다. 왜냐하면 그녀는 그 역할을 하기에 너무 사랑스러웠기 때문이다.

어느 이점도 불이익으로 바뀔 수 있다. 그리고 잘생긴 외모에 따르는 문제는 종종 나타난다. 잘생긴 남자와 아름다운 여자는 너무 잘생긴 외모에 대해 불평할 수 없으며, 다른 사람들은 그들의 넋두리에 호의적이다. 아름다운 사람에 대한 유명한 잡지의 기사는 다른 사람들을 위한, 그들이 보는 우상들도 보이는 것만큼 완벽하지 않다라는 재미있는 읽을거리를 제공한다. 버클리, 캘리포니아 대학 등에 있는 아름다운 사람들을 위한 모임에서는 사람들이 잘생긴 남자여자를 어리석은 성적대상으로 여기는 것에서 오는 자존심과 자아의 다침을 의논한다.

선과 미의 관계를 알기 위한 여러 가지 연구 중에서, 연구자들은 아름다운 사람들의 성격과 그렇지 않은 사람들의 성격에 대하여 의문점을 가졌다. 비슷한 다른 연구와는 다르게, 이 연구는 사람들이 더 매력적인 사람일수록 남자나 여자나 사회적으로 바람직하지 않은 특성을 가지고 있다고 생각한다고 설명했다. 아름다운 여자는 그렇지 않은 사람보다 허영심 있고 자기중심적으로 생각되어졌다. 사람들은 불성실이나 이혼 등의 결혼재난은 미인들에게 더 많이 닥치는 일로 생각했고, 다른 사람들보다 물질적이고 인정이 없다고 인식했다.

미(美)는 두 가지 능력, 즉 장점과 단점을 가지고 있다. 심리학적 연구에 의해 사실이 수정되었다. 한 연구는 보도에 매력적인 사람과 매력적이지 않은 사람을 세워두었다. 실험자들은 통행자가 그들을 지나갈 때 멀리서 관찰했다. 그들은 통행자들이 매력적인 사람들 옆으로 지나갈 때 좀더 거리를 둔다는 것을 알았다. 이러한 사실은 사회적 힘에 근거하여 설명된다. 사람들은 매력적인 사람에게 다가가기 좋아하지만 그러기를 주저한다. 미(美)와 연관된 신분이나 명성은 다른 사람이 그들에게 경의를 표하게 하며, 거리를 두게 한다.

이것은 불이익의 관점에서 설명될 수 있다. 아름다운 사람에게는 접근하기가 어려우며, 이것은 편견보다 더 극복하기 어려운 것이다. 그러나, 불이익인가 이익인가는 주관적인 것이다. 축복 받은 아름다움을 못생기게 만들고 싶은 사람은 거의 없다.

CHAPTER Two

완벽의 추구

선사시대부터 중세시대까지

THE SEARCH FOR PERFECTION

Prehistory to the Middle Ages

선사시대 이래로, 사람들은 이상적인 아름다운 여성을 추구하는데 호기심을 보여왔다. 아름다움이라는 난해한 성질을 정의하는 것은 격렬한 토론과 현학적인 고찰을 불러일으켰다. 아름다움을 얻기 위한 경쟁은 엄청날 수 있고, 이 어려운 것을 차지하는 것에는 많은 경비가 든다. 여자들은 현금뿐만 아니라 종종 그들의 품위와 건강까지 바쳐야만 한다.

미의 기준은 예술적으로, 사회적으로 힘있는 사람들이 애호하는 것에 의해 결정되고, 사회는 그것에 귀를 기울인다. 고대시대에는 얼굴의 이목구비, 균형잡힌몸매, 머리색, 피부색이 몇 세기동안 유행으로 남았다. 이러한 기호는 몇십 년마다, 나중에는 계절별로, 현재는 일주일 간격으로 빠르게 변화하고 있다.

지금 남아있는 자료로 우리는 과거의 미의 궁극적인 목적을 알 수 있다. 사실, 시각화야말로 이상을 확립시키는 하나의 열쇠이다. 즉, 일반적으로 미인으로 인식 되기 위해 여자는 보여주어야 하는 것이다. 예를 들어, 고대시대부터 19세기까지 부유한 귀족의 여자들은 외모의 기준을 정했다. 왜냐하면 그들은 그들의 초상화를 그릴만큼 여유가 있었기 때문이다. 때때로 예술가들은 그들의 애인을 그려서, 개인적인 기호를 공표 하였다. 18세기와 19세기 중반 연극이 유명해지기 시작하면서, 여배우들이 널리 알려졌고, 19세기 사진이 발명되자, 초상들은 신문을 통해 널리 분포되었다.

20세기의 미디어의 급증은 여성들에게 명백함을 주고 있다. 영화의 발명은 스크린 이미지를 가져왔고, 연애사건과 성적매력은 대중들의 시각에 변화를 일으켰다. 텔레비전의 증가와 패션산업의 상업화는 이상적인 미(美)를 광고와 패션잡지에 퍼뜨렸다. 고액의 모델들은 왕권과 사교를 능가했다. 대부분의 잡지와 TV를 장식하는 웃는 얼굴의 여성들의 연애사건과 다이어트가 대부분의 대중매체에 의해 소개되고, 전형적인 미인으로 대중의 상상을 붙잡아 부러움과 경쟁의 기준이 되었다.

선사시대

BC 3000전의 기록된 역사가 없기 때문에 자기자신의 외모에 대한 선사시대 사람들의 의견은 알 수 없다. 하지만 인간 얼굴과 형태의 이미지는 모든 문화의 요소에 따라 맞춰졌다. 한사람의 예술작품에 그 사람의 미에 대한 생각이 반영되듯이, 우리는 선사시대의 미의 이상을 유추해볼 수 있다.

현대인의 이른 조상이라 할 수 있는 호모사피엔스는 약 BC 40,000에 유럽과 서부 아시아에 나타났다. 호모 사피엔스는 확실한 생존이 가능한 큰 뇌를 가지고 있진 않았지만 매일의 삶에서 종교적 관념과 패션 물품을 생산했다. 그래서 이 종족은 곧 세계로 번창하였다. 구석기시대에 호모 사피엔스는 돌과 뼈로 연장을 만들었고 시체를 묻었으며 현대인간의 특징을 갖추기 시작했다. 또 이 종족은 동굴벽화, 간편한 돌조각이나 상아 조각 같은 예술품을 창작했다.

로잔의 비너스
구석기시대 반양각

어떻게 이러한 상들이 남아있는지는 수수께끼이다. 연구자들은 기묘한 난쟁이 상은 종교적 운동 때문이거나 아니면 고대인들의 감각을 즐겁게 하기 위해 단순히 생산된 것 중의 하나로 보고 있다. 아마도 그들은 사냥꾼을 위해 주문을 거는데 이용되었거나, 고대의 성적 신화에 사용되어졌을 것이다.

명백히 여성 조각상들은 세계 각지에서 발견되어 왔다. 오스트리아에서, 고고학자들은 BC 25,000에서 20,000사이의 것으로 추측되는 "Venus of Willendorf 윌렌도프의 비너스"를 발견했다. 4와 3분의 8인치로 높이세우고, 거대한 가슴, 짧고 두꺼운 넓적다리, 풍부한 배 모양을한 이 얼굴 없는 여성 조각들은 모성을 위해 만들어진 여인 상을 암시한다. 그러나 이 여인은 공동사회의 다산, 풍족을 상징함으로써 조각가 부인의 초상일 가능성도 있다.

구석기시대는 약 BC 10,000에 끝이 났고 신석기시대가 왔다. 구석기시대의 남자들은 사냥을 위해 떠돌아 다녔지만 신석기시대의 남자들은 마을에 살면서 동물을 사육하고 곡식을 재배했다. 이들은 또한 고대의 예술적 전통을 이어갔다. 서아시아에 문화가 번창하였다. 지금의 터키의 소아시아 지역의 마을인 Catal Huyuk을 발굴한 고고학자들은 6,000 BC경의 것으로 보이는 8인치의 구운 토기모양을 캐냈다. 이 여성의 토기모양 역시 전의 것과 마찬가지로 거대한 배와 가슴을 가지고 있었다. 유럽의 신석기시대는 서아시아의 정취를 풍기고 있다. 대륙의 고고학자들이 발굴해낸 통통하고 가슴이 풍만한 매력적인 여인의 조각상은 루마니아의 Cernavoda에서 발견된 BC 5000년경대의 거대한 다산의 여신과 비슷하다. 우리는 고대 문화에서는 자손을 번식시키기에 충분한 거대한 어머니 상이 매력적이고 중요했다는 것을 추측해 볼 수 있다.

에게 문명

구문명은 청동기시대 부터 섬과 에게 바다 해안주변의 육지에서 발달되어 왔다. BC 2600~1100 사이의 무역과 창조성을 그리스의 동쪽해안에서 떨어진 Cyclade(시클라데), 북동 아시아의 작은 트로이(Troy), 남부 그리스의 펠로폰네손스반도의 미케네(Mycenae)섬에서 번창하였다. 특히, 지중해의 섬인 크레테(Crete)가 이러한 활동의 중심이었다.

세련된 문명은 크레테에서 발전하였고, 이러한 역사를 설명하고 기록하는 풍부한 신화적 전설이 전개되었다. 크레테의 위대한 신화 미노스왕은 비록 9년밖에 통치하지 않았지만 그의 영향력은 그가 죽은 뒤에도 계속되었다. 크레타 중심의 도시 크노소스(Knossos)의 그의 궁전은 미로로 이루어져있으며 고고학자들의 증거는 그것의 존재를 입증시켜왔다. 이러한 미로에 미노스 부인의 아이, 사람의 몸에 소의 머리를 한 그리스 신화의 한 괴물인 미노타우로스(Minotaur)가 살았다. 이러한 창조물과 그를 숭배하는 사람들은 세련된 미노스의 예술적 전통을 고무하였다.

영속성의 의의를 전달해야 한다는 필요를 무시한, 미노스의 예술가들은 그들의 자유의지의 예술을 통해 삶의 순수한 기쁨을 누리려 했던 것으로 보인다. 하나의 작은 미노스의 상은 양손에 뱀을 위로 높이 들고 있는 여신을 표현했다. 기다란 스커트가 그녀의 꽉 쪼인 허리 아래로 불룩하게 있다. 현대시대 기준의 매력적인 모습이, 14세기의 크레타섬 사람들이 발견한 여성의 아름다운 모습에서도 보여지고 있다.

미노스의 예술가들은 천장에 회반죽이 마르기 전에 수채로 그리는 프레스코화를 제작하는데 뛰어났다. 석회반죽이 벽에서 젖어있을 때 색깔을 입히고, 그것이 마르면 그들은 이미지의 깊이를 더 첨가했다. 크로노스 궁전의 프레스코 벽화 중 화재에서 견딘 일부분만 남았고 이러한 그림에는 넓은 눈, 아름다운 여인의 모습이 남아 있다. Pitite Parisienne(아담한 파리여자, 20세기에 발견된 이 조각상은 현대 프랑스여성을 닮았다 하여 이렇게 이름지어졌다)은 고전미와 세련미를 두루 갖추고 있다. 그녀는 반쯤 미소 짓고 있으며, 그녀의 목은 길고 우아하다. 그녀의 머리는 요염하게 이마를 덮으며 내려와 있다.

그들의 문명이 지속되는 동안, 미노스는 번영을 누렸고 사치를 보였다. 솜씨 좋은 장인은 프레스코에 나타낸 여성상아의 장식을 상아나 유리에 금을 입혀서 보석과 장식으로 사용하였다. 대륙 미케네의 침입과 지진 등의 재해는 이렇게 활기찬 사회를 BC 1450에 몰락시켰다.

뱀의 여신, c. 1600-1580 BC
크노소스 궁궐로부터 나온 파이앙스 작은조상

28

고전그리스시대

크 레타문명이 쇠퇴하여 가는 이 시기와 동시에, 본토 그리스에서 번성하던 미케네 사회도 쇠퇴해갔다. 화재가 궁전을 파괴하고, 큰 재해가 줄어들 쯤 그리스에는 어두운 시대가 찾아왔다. 그 시대의 삶이 어땠는지 보여주는 자료가 거의 남아있지 않다. BC 18세기 중반쯤, 혼란한 생활방식에서 벗어나 고대그리스시대로 넘어가기 시작했다.

고대그리스시대는 100년 이상 계속되었다. 사회는 규모나 경제적으로 성장했다. 그리스는 문서를 재발견해서 그것들은 고대그리스의 도시국가인 "polis(폴리스)"에 조직화하였다. 공예가들과 예술가들은 새로운 목표를 향해 일을 했다. 그것은 조각품과 도기에 그리스의 삶을 묘사하는 것이었다.

고대 그리스의 예술가들은 가마에서 구운 붉은 질그릇(테라코타), 돌, 동을 사용하여 작업했다. 그들은 아마도 벽이나 화판그림도 만들었을 것이다 .하지만 대부분 예술작품은 사라져버렸다. 그들은 많은 선과 양식화된 사람들과 반복되는 동물들의 원형을 "기하학양식"으로 불렀다. 여성들은 머리 앞부분의 모양이 단단하고 삼각형의 몸통, 가느다란 넓적다리, 긴 목으로 묘사되었다. 시간이 지나 예술가들은 그들의 기술을 발전시켜 아름다움과 섬세함으로 완성시켜 갔다.

젊은 남자(kouroi), 젊은 여자(kourai)의 돌 조각은 고대 그리스 시대의 인간상이다. Cycladic(시클라딕) 섬에서 채석된 풍부한 흰 대리석으로 조각된 이러한 상들은 일반적인 포즈의 모델이 되었다. 남자는 보통 누드이며, 전형적으로 왼쪽의 한쪽 발과 옆구리에 그들의 손을 놓고 있으며, 앞을 보고 있다. 여자는 비슷한 동작을 취하고 있지만 chiton(키톤)이라는 느슨한 의상을 걸치고 있다. 예술가들은 남자의 몸을 다듬을 때 구조의 섬세함을 더 표현하기 위해 더 정교한 키톤의 주름을 만들었다. 이 조각들은 또한 옷의 수직라인을 강조하였고, 모든 고대 조각상의 특징인 소박함을 표현했다.

고고학자들은 제단주변에서 거대한 젊은 여자석상을 발견했다. 고고학자들은 이 거대한 상을 동굴제례에 자금을 공급해준 사람의 고대 영웅을 대표하는 것이라고 추정하고 있다. 이런 젊은 여자석상은 규모면 에서는 작고, 전체적으로 누드가 아니며, 무덤 주위에서 발견되었다. 이것들은 또한 제단주변에 세워졌고, 이것들은 죽은 여인과 여신의 개념을 표현한다.

젊은 여성석상들은 조각가 자신이나, 예술가의 계획에 따라 채석장의 석공들에 의해 조각되어졌다. 이 조각가들은 다양한 체형의 비례를 자를 사용하여 측정하였다. 예술유형이 BC17~18세기부터 발전해오면서, 다음 고대 그리스의 조각상의 모양이 나타내기 시작했다.

고대 그리스시대의 조각상은 일반적인 얼굴의 이목구비를 가지고 있다. 얼굴은 둥근볼과 턱사이의 폭이넓고, 원형의 약간 경사진 눈은 휜하게 떠져있다. 남자와 여자의 입술은 풍만하고, 위로 향해있으며 달콤한 미소와 함께 다물어져있다. 머리는 단정하고 곱슬곱슬한 웨이브이고, 몸은 지방이 없이 근육질이다. 많은 작품이 검정머리와 눈썹, 빨간 입술, 하얀 피부의 색을 그대로 간직하고 있다. 우리는 조화되고 균형잡인 조각들에서 고대 그리스 시대의 아름다움을 대표했다는 것을 추론할 수 있다.

고대 그리스

BC499부터 BC338까지 고대그리스 시대였다. 이 시대는 그리스가 페르시안의 지배에서 벗어나 폭동을 일으켜 반란에 착수하여 BC490년 마라톤 전투를 끝으로 시작되었다. 그리스는 스파르타군에 의해 지배된 다음에도 그들은 문화에 집중할 수 있었다. 마세도니아와의 충돌에서 패한 후 그들의 문화는 쇠퇴하기 시작했고, 그리스인들은 그들의 정치, 문학 예술에 집중하기 시작했다.

고대 그리스시대에는 아름다움을 높이 평가했다. 아테네의 철학자 플라토는 모든 사람의 세 가지 소원은 건강함, 정당한 수단으로 얻은 부, 아름다움 이라고 했다. 그리스인들은 신체적으로 아름다운 것이 명성을 높이는 것이라고 여겼다. 특별히 아름다운 사람에게는 상이 주어졌다. 여자들은 그들의 집을 아폴로상과 미의 신으로 가득 채워서, 그들의 외모처럼 그들의 아이들도 축복 받기를 원했다. 아름다운 얼굴의 이목구비는 이름에도 붙여졌다. Demetrius Polictrites(우아함이 있는 눈꺼풀)이라는 이름은 그의 눈꺼풀이 아름답기 때문이 이렇게 이름지어졌다.

플라토는 수학으로 미를 정의하는 개념을 처음 시작했다. 그럼에도 불구하고 그는 이상적인 인간의 체형은 완벽한 비율 그 이상이라고 믿었다. 그는 진정으로 아름답기 위해서는 인물 역시 좋은 풍미의 포착하기 어려운 능력이 균형 있게 갖추어져야 한다고 믿었다.

조각가 폴리클리투스 또한 중요한 미학자이다. 그는 결점 없는 체형의 이미지를 유지하는 비율의 표준을 정의하였다. 그는 균형의 정의를 자세히 설명했고 이것을 개별 체형부분에 적용시켜서 어떻게 몸짓에 연결시켜야하는지도 설명했다. 그의 이런 법칙에 의심을 품은 사람들은 아름다움에 대한 작품을 만들었다. 그는 하나는 자연스러운 상을, 또 하나는 그의 규칙에 따라서 만든 상을 만들어 보여주었다. 그것을 관측한 이들은 엄격한 규칙에 따라 만들어진 상이 그렇지 않은 것보다 훨씬 아름답다는 것을 인정하였다.

폴리클리투스의 조각은 5세기의 경향을 반영했고, 프락시텔레스(Praxiteles)(BC370~330)는 다음 100년의 미학을 대표한다. 프락시텔레스는 강건한 사람보다는 여성을 조각하기를 선호했다. 온화한 주제와 정형화되고 정확한 표현을 추구한 그의 선구자들보다는 그의 작품에 훌륭한 부드러움을 불어넣었다. 지금까지의 조각가들은 여성을 표현할때 헐렁하고 주름이 있는 의복으로 여성의 몸을 가려서 묘사하였다. 그러나 BC 330년경 프락시텔레스는 사랑과 미의 신인 아프로디테를 누드로 표현함으로 미술역사의 방향을 바꾸었다.

프락시텔레스의 아프로디테는 동시대의 ideal을 설명한다. 정적인 고대의 조각들과는 아주 다르게 그의 석고조각은 실제의 살과 머리의 부드러움을 가지고 있다. 아프로디테의 이마는 삼각이며, 그녀의 눈은 순수함과 따뜻함, 슬픔을 표현하고 있는 것처럼 보인다. 그녀의 모습은 기분 좋게 균형이 잡혀있고, 윗입술은 아랫입술보다 약간 더 도톰하다. 그녀의 얼굴에서는 놀라움을 엿볼 수 없다. 그녀의 몸 역시 오늘날 선호하는 기울어진 어깨, 아담한 가슴, 둥근 배, 두툼한 허리 등으로 적극적인 성적매력을 풍기진 않고 있다. 이 아프로디테는 아름다움의 기준이 되었고 그 뒤의 세대에 전수되었다.

아프로디테 ,c. 350-330 BC. / Praxiteles(프락시텔레스)

아프로디테 ,c. 350-330 BC.
Praxiteles(프락시텔레스)

프락시텔레스는 그의 모델로 실제의 여성을 썼다. 누가 감히 여신이 조각가가 반해버린 고급매춘부를 닮았다고 생각이나 했겠는가! 모델이 된 Phryne은 그녀의 아름다움뿐만 아니라 그녀의 주위의 사람들을 다루는데 그녀의 외적 매력을 사용하는 것으로 유명했다. 전설에 따르면, 그녀는 한번은 포세이돈 축제기간에 옷을 벗고 벌거숭이로 바다로 걸어가는 불경스러운 행동으로 재판을 받은 적도 있다고 한다. 그녀의 변호사는 그녀의 벗은 가슴을 법정에서 보여주고 판사에게 이렇게 아름다운 사람이 범죄를 저지를 가능성이 없다는 것을 확신시켜주어 재판에서 이겼다고 한다.

현재 파리 루브르 박물관에 있는 밀로의 비너스로 알려진 조각상은 이상적인 미를 표현한 것으로 알려져 있다. 이 조각상은 데생, 화장실휴지, 심지어 쓰레기 트럭까지 다양한 주제로서 여성의 완벽함의 상징으로 사용되어지고 있다. 이 조각상은 1820년 멜로스의 섬에서 다른 조각상들과 함께 발견되었다. 멜로스는 그후 터키에 속하게 되었고, 프랑스대사가 이 작품을 프랑스로 가져오기 위해 뇌물까지 바쳤다고 전해진다. 유럽에 도착한 후 이 조각상은 BC150년에 안티오치(지금의 터키)에서 석고조각을 한 유명하지 않은 프락시텔레스의 작품으로 잘못 알려지게 되었다. 비록 비너스라고 이름 붙여졌지만 이것은 미술가의 영감을 반영하지 않은 듯 했다. 왜냐하면 비너스는 그리스 이후 시대의 로마에서 나온 것이기 때문이다.

미에 대한 그리스의 개념은 지중해를 통해 석고조각보다는 휴대용품인 동전이나 도기류에 전파되었다. 그리스의 동전은 정치적으로 영향력 있었던 남자들뿐만 아니라 무명의 매력적인 여인의 얼굴과 모양이 새겨져 있다. 원래는 선명하게 조각되었던 머리, 몸은 세월이 지나서 많이 마모되어서 형태를 알아보기는 힘들다. 그것보다는 더 오래가는 꽃병이나 접시에 새겨진 형태는, Archaic period의 촘촘하고 기하학적인 것보다는 더 우아한 형태를 보여주고 있다.

그리스의 문학에서 강조되는 미의 중점은 고대인들에게 미의 중요성을 제시한다. 위대한 서사시 작가 호머는 그의 최고작품, 일리야드에서 크고 검은 눈동자의 아름다움을 강조한다. 영웅 아가멤논이 승리의 기념으로 잡혀온 여자들 중 한 명을 선택할 수 있었을 때 검은 눈의 아가씨인 Chryseis를 선택한다. 그가 선택할 수 있는 여인들이 아주 많은 상황에서 아마멤논은 얼굴이나 모양이 아름다운 것과는 거리가 먼 여인을 선택한다. 작가 역시 눈썹에 대해 주석을 달았다. 시인 아나크레온(Anacreon(은 사랑과 와인을 칭송한 그의 시로 알려져 있으며 그리스의 창백한 안색을 계속 얘기하면서 아름다운 볼은 우유 속의 장미처럼 보여야한다고 말했다. 다른 시인 Theocritus는 중간 선에서 만나는 눈썹에 황홀해했다. 역사가 Xenophon은 "나는 무슨 일이 있더라도 아름다움보다는 오히려 페르시안 왕의 권력을 선택하겠다는 것을 맹세한다" 라고 선언하였다.

아름다움은 신화에서는 중요하게 묘사된다. 아프로디테는 사랑의 신으로 군림했다. 그녀의 근원은 고대 보다 더 앞의 아시안 문화에 기원을 두고 있다. 하지만 호머는 그녀가 신의 제왕 제우스와 땅의 여신 디오네의 딸이라고 믿었다. 제우스의 세 딸들 역시 그리스의 신화를 차지하고 있다. 그들은 여성의 매력, 우아함, 아름다움을 상징하였다. 그들은 자연에서 찾아지는 즐거움과 아름다움을 위해 서있는 여신의 그룹으로부터 유래되었고 그들의 이름은 그들의 특성을 말해준다. Aglaia-뛰어난 재능

밀로의 비너스

을 의미, Euphrosyne-즐거움을 상징, Thalia-꽃이 만발한 것을 의미. 그들의 조각된
초상은 많은 고대 제단 주변에 놓여졌다. 세 여신의 누드가 셀 수 없이 많이 복사되어
로마인들의 주목을 받았다.

고대로마시대 로 마인들은 미의 ideals보다는 정치와 전쟁에 더 관심이 많았다. 예술가들은 그리스 조각상의 복제품을 만드는데 만족하고 있었으며 초상화만이 그들의 독자적인 작품이었다. 창조보다는 문서에 대한 관심이 더 많았고, 그들은 중요하고 일반적인 시민들과 비슷한 청동 도는 돌로 반신상을 조각했다.

로마제국의 초기시절, 여성들은 종같은 위치였으며 그들의 주부, 아이 돌보는 사람으로서의 역할이 그들의 외모보다 더 중요하게 여겨졌다. 여자들은 사실상 종으로 여겨졌고, 많은 구속에 갇혀 있었으며, 가혹한 형벌을 각오하지 않고서는 와인의 맛도 볼 수가 없었다. 그러한 환경에서, 여성은 자연히 그녀의 코나 머리색보다는 덕이 있고 자제력이 있는 여성이 더 존중되었다.

로마와 카르타고 사이의 카르타고 전쟁시대쯤에 한가하고 호사스러움이 새롭게 성장하였고, 작가들은 개인적인 기법을 사용하기 시작했고, 자신의 개발 쪽으로 노력하기 시작했다. 야한 옷과 밝은 보석의 착용은 대중의 적개심을 이끌었고 이것은

Flavian 숙녀의 로마인의 머리
AD 80-100

여성이 반온스의 금보다 더 많이 소유할 수 있고 화려한 옷을 입을 수 있다는 법을 통과시키게 했다. 이것은 여성을 구속한 법령에 대해 저항하였고, 그러한 규제를 제거하여, 취향에 맞게 패션에 자유스러움을 가져왔다.

로마의 작가들은 여성이 아름다움을 탐구하는 것에 대한 비판을 기록했다. 그가 느낀 사회의 여러 측면을 논평해온 공명심이 있는 고용인이었던, Pliny and Elder(Ad 23~79)는 로마인들이 동양 향수와 보석에 낭비한 돈에 대하여 썼다. 일상생활을 나쁘게 비판해온 Lucian(AD120~180), 는 얼마나 여자들이 그들의 머리를 정돈하기 위해 에너지를 낭비하는지에 대해 언급하였다. 그는 말하기를, 한 여인이 머리를 헤너(이집트산 관목)잎에 담근 후 모직 염색공처럼 중간의 햇볕에 말린다고 말했다. 다른 여성들은 그녀의 인조 적인 금발머리 색깔을 유지하게 위해 남편의 돈을 썼다.

공화정 초기에, 여성의 의상은 엄숙하였다. 하지만 의상에 혁신이 일어났다. 도덕의 구속으로부터 해방은 문제시되었던 겉치레의 스타일을 조장하였다. 역사가인 루이에 따르면 강력한 철학자인 스탠리는 "나는 실크로 만들어진 옷을 안다. 만약 여성들의 몸뿐만 아니라 그들의 고상함을 보호하지도 못하는 그것들이 옷이라고 불릴수 있다면, 그녀들은 벌거벗은 것이 아니다"라고 말하였다. 더 많은 여성들이 간통과 변태의 경향을 보이면서 하인 아니면 사색가로서의 로마 여인들의 개념은 성적존재로서의 여성으로 바뀌었다.

Poppaea Savina는 로마여성의 도덕성이 그녀의 매력을 높여준다는 로마의 미를 구현했다. 그녀는 부러움을 살만한 외모 때문에 Claudius황제의 부인Messalina에게 살해당한 야망 있는 미인의 딸이었다. Poppaea는 그녀의 어머니를 따라, 그녀의 평범한 사회적 신분상승을 위해 노력했다. 중간 관리의 부인으로 시작하여 그녀는 나중에 예술적이고 부덕한 Nero Claudius Caesar의 동료와 결혼한다. 네로는 그녀의 향락과 육욕에서 그와 비슷한 점을 발견하고 그녀를 그의 첩으로 받아들였다. 두 번째 위치에 만족하지 못한 Poppaea는 네로의 부인과 어머니의 살해를 배후에서 조정하여 황후의 자리에 올랐다. 황우로서 Poppaea는 황후의 위엄에 맞는 호화로운 환경을 조성하기 위해 끊임없이 노력했다.

Messalina, 2세기 AD
로마 상반신 인물상

네오는 완전히 그의 아내의 아름다움에 도취되어 전혀 노력조차 하지 않았다. 네오는 그녀의 머리색을 빛나는 담갈색 이라고 비유했으며, 그녀의 기교는 사랑스러움의 비결을 지켰다. 그녀의 하얀 살결을 유지하기 위해, Poppaea는 그녀의 목욕에 필요한 우유를 생산하기 위해 400마리의 소를 항상 대기시켰다. 그녀는 젊어서 죽기를 원했기 때문에 그녀의 거울에 늙은 여자가 절대 비춰지지 않게 하였으며 그녀의 바램을 이루었다. 대부분 네오가 분노하여 그녀를 걷어찼을 때 그녀가 죽었다고도 하지만 그녀는 아이를 유산한 후 죽었을 수도 있다.

중세시대

중세시대라는 용어는 학자들에 의해 15세기에 그들 자신의 시대전의 고대시대의 몰락과 고대 그리스 풍의 학문 재발견 사이의 시간적 간격을 칭하기 위해 만들어졌다. 13세기쯤, 학자들은 카톨릭 이론의 체계를 세운 St. Thomas Aquinas(토마스 아퀴나스)와 함께 그 절정에 도달했다. 100년 전쟁으로 알려진 미국과 영국간의 끝없는 전쟁은 유럽을 14세기에 혼란에 빠뜨렸다. 흑사병은 유럽인구 3분에 1의 목숨을 앗아갔고, 이 전염병은 엄청난 소장인의 반란과 함께, 유럽의 경제를 엄청난 긴장으로 몰아갔다. 그러나 중산층의 사람들은 그들이 물려받은 것보다는 상업에 기초해서 성공했기 때문에 번창하여갔다. 더 충분히 소비할 수 있는 돈은 더 많은 여가의 기회를 이끌었다. 기사제도 시대에 고무된 가치들을 더욱 부추겨, 여성의 아름다움은 이제 적절한 주제가 되었다.

중세시대동안 여성은 가사의 일과 그녀의 외모로서 평가되었다. 좋은 가정을 꾸려나가는 여성은 쓸모 있는 필수품으로 여겨졌고, 아름답고 똑똑한 여성들은 귀부인 같은 배려로서 보답을 받을 수 있었다. 그녀의 아름다움을 통하여 그녀는 칭찬을 받을 수 있었고, 결혼, 지위, 부를 통해서도 칭송 받을 수 있었다.

그리고, 외모를 가꾸는데는 많은 비용이 들었다. 여성들은 청결한 이미지의 패션을 창조하기 위해 그들의 용돈을 보석과 잠옷에 투자했다. 수입이 제한된 낮은 신분의 여인은 장식에 마음을 빼앗길 경우가 적으며 유희로서 술을 마시거나 난잡하게 생활했을 것이며, 이러한 행동들은 기사도에 맞는 사랑을 조장하는데 거의 도움이 되지 않았을 것이다.

앵글로 섹슨의 시에서 보면, 그들 인종의 특징에 관해서 중요하게 여겼다. 그러한 기준에 맞는 아름다운 여인은 아서왕의 전설을 통해 내내 나타나며 Chaucer의 시에도 나타나고 있다. 칭송된 여성은 회색이나 가벼운 파란 눈을 가지고 있으며 반짝거렸다. 그들의 이마는 폭이 넓고 주름이 없어야 했다. 남성들의 그들의 여자의 머리가 금발인 것을 원했고, 만약 그러한 모습을 천성적으로 타고나지 않으면 아시아에서 수입된 염색약을 사용해야 했다. 회색의 머리는 추하거나 늙었다는 것을 의미하는 것으로 생각되지 않았다. 아서왕의 마법사인, Merlin의 젊은 엄마의 하얀 머리는 특별히 사랑스럽게 여겨졌다.

일반적으로 날씬하고 창백한 여자가 최고로 사랑 받았다. 그러나 중세 이상향의 우열에서, Chaucer는 "The Reeve's Tale"에서 바람직한 20대의 여성을 열광적으로 묘사하였다. 그녀의 모습은 거대한 둔부와 흔들리는 가슴이 특별히 풍만하다. 그러나 동시대의 취향에 맞추어, 그는 그녀의 눈을 유리처럼 빛나는 회색이라고 언급했고, 그녀의 뾰족한 코와 길고 금발의 머리를 언급했다.

중세의 여성은 그들의 옷과 장식품을 그들의 미를 강조하기 위해 선택했다. 패션은 1095년과 1270년의 유럽 군과 신성한 땅, 예루살렘의 모슬렘과의 분쟁인 십자군 전쟁에 영향을 받았다. 종교적 정의의 깃발 아래에서 십자군대는 유럽의 상업적 영향을 동아시아에 전파하였다. 이 잘못된 운명의 전쟁의 생존자들은 사치스러운 직물과 새로운 패션 개념을 가지고 왔다. 실크, 값비싼 금속, 이국풍의 향수는 아름다운 여성의 필수품이 되었다.

십자군 전사

5월, 약 1415년, 베리 듀크의 가장
가치있는 책중에서/ 림버그 폭과 형제들

　　로맨스는 신발을 선택하고 모자에 자수를 뜨고, 그들의 가느다란 허리를 강조
하는 벨트에서 여성의 시각으로 쓰여졌다. 1300년 대에는 일반적으로 엉덩이를 흔
들면서 걷는 걸음걸이를 즐겼다.
　　작가들은 할 수 없이 사치를 자세하게 알고싶어하는 독자의 욕구를 만족시켰
다. The Romance of the Rose(꽃의 로맨스)시의 서술은 여성의 취미를 잘 묘사한
다. 그는 그녀가 가발을 썼을 때와 그녀의 잠옷이 앞과 뒤로 반쯤 풀려져 있을때 성
공과 유혹을 보장한다고 묘사했다.

멜룬의 성상화, 성처녀 마리아 c. 1450
Jean Fouquet

약간의 중시세대의 예술가들은 고전적 이상과는 다르게 묘하게 여성의 초상화를 그렸다. 여기의 작은 눈은 전의 것과 비교할 때 눈의 총명함이 결핍되어있다. 그리고 그녀의 얇은 입술은 그녀의 이빨 위로 그려져 있었다. 그녀의 이마는 둥근 천장 같고 머리카락을 뽑아놓았다. 더욱이 놀라운 것은 몸의 비율에 차이점이 있다는 것이다. 작은 가슴이 가느다랗게 늘어나 있고 중간임신기의 불룩한 복부가 토르소에 많이 나타나고 있다.

Agnes Sorel(1422~1450) 아그네스 소렐은 전형적인 중세의 아름다움을 보여주었다. 그녀는 창백한 얼굴과 아담한 몸에 당시에 맞게 그녀의 눈썹을 뽑았다. 그녀의 외모는 그녀가 가슴을 내놓고 아기예수를 들고있는 처녀의 포즈를 취한 그림에 기록되었다. 그녀의 빼어난 아름다움은 프랑스 왕 찰스7세의 마음을 사로잡았고 그녀는 왕의 첩으로 반 공식적으로 역사에 기록된 첫 번째 여성이 되었다.

그녀가 15세기를 대표하는 아름다움으로 선택된 데에는 그녀가 자연적으로 물려받은 것 말고도 복잡한 이유가 있었다. 그녀는 매력 있고 친절하고 정치적으로 총명함을 가지고 있었다. 왕의 친구라는 그녀의 부러울만한 지위는 부인의 역할보다 더한 특권을 가져왔다. 그녀가 덧없는 첩의 자리에서도 총애를 계속 받아온 것은 그녀의 외모와 성격 때문이었다. 그러나 그녀는 왕궁의 시기와 계략의 거미줄에 잡혔다. 그녀는 이질에 전염되어 죽었을 수도 있다고 하지만 그녀의 넷째 아이를 낳고 살해되었다는 설이 더 유력하다. 아름다움은 어느 시대에서나 위험을 수반한다.

제단뒤쪽의 장식, c. 1432
이브를 자세하게 보여주면서..
Jan Van Eyck

CHAPTER THREE

드러나는 이상

르네상스에서 엘리자베스 1세까지

THE EMERGING IDEAL
The Renaissance to the Reign of Elizabeth I

14세기 후기에 시작되어 16세기 중반까지 이어진 이탈리아의 르네상스는 학식과 혁신의 시대였다. 인쇄는 사람들이 개념에 대해 접근하기 쉽게 만들었고, 화약은 전쟁의 본질을 바꾸었다. 인간의 존엄성에 강조를 두고, 발달을 촉진하는 질문들의 지능적인 운동인 휴머니즘이 널리 퍼졌다. 이 철학은 창조성과 조화하였고, 르네상스의 정신은 가장 확실한 표현예술을 이루어냈으며 르네상스의 이러한 철학은 이러한 예술의 바탕이 되었다.

이탈리아에서, 그림에 물체를 정확한 원근화법과 색으로 표현하고 휴머니즘의 원리를 가입시킨 화가 Masaccio와 함께 새로운 시도에 대한 움직임이 시작되었다. 이러한 그림스타일은 기술적으로 숙련된 화가들의 노력을 통해 북쪽으로 빠르게 퍼져나갔다.

카드놀이를 하는 숙녀들
무명의 고딕 롬바르드족

그들은 기록적이면서 상상적인 이미지를 만들었으나 항상 그들의 작품은 인간의 형태에 대한 밀접한 관찰에 기초한 것이었다. 선과 색채에 대한 완벽한 통제를 통해, 르네상스 화가들은 사실성의 최대화와 조화를 이루었다. 옛 것에 대한 새로운 정렬로 예술가들은 여성의 아름다움에 대한 고전적 사고가 재현되는데 영향을 미쳤다.

그려지거나 조각된 르네상스의 여성이미지는 앞선 시대의 예술에서 발견되는 것 보다 훨씬 긍정적인 태도를 반영하고 있다. 성녀와 마돈나는 젊고 매력적으로 표현되었다. 여성에 대한 존경심이 종교적인 감정으로 반영되었다. 실제적으로 여성들이 역사상 최초로 교육을 받았다. 일부 여성들이 유아기 때 약혼을 하고 16살이 될 때 까지 결혼을 하지 않았다면 불쌍한 취급을 받았지만 더 많은 여성들이 독립을 주장하게 되었다. 여성들은 이제 좀더 공개적으로 로맨스와 경제적 활동에 참여하게 되었다. 게다가 지성은 이제 육체적 아름다움과 양립하는 것으로 인식되었다.

르네상스 예술가들은 작품 주제에 관한 면밀한 연구를 하였다. 예전에는 제한적으로 표현되었던 얼굴표현이 이제는 모델의 감정을 드러내고 있다. 르네상스 화가들은 고딕의 영향에서 벗어나 여성의 신체에 풍만함과 농밀함을 부여하였다. 그러나 아직 초기의 성모와 동정녀의 그림이 만연한 것에 비해 겨우 몇몇개의 누드화가 그려졌을 뿐이다. 15세기에 이르러 예술가들은 옷을 입지 않은 신체를 그리기 시작했고 이러한 움직임은 그림을 보는 사람들이 아름다움의 요소에 대한 각자의 결론에 이를 수 있도록 장려하게 되었다.

르네상스 예술가들은 미의 과학적인 설명을 추구하였다. 로마 건축가 Marcus Vitruvius Pollio(BC 1세기)의 논문은 르네상스의 이론에 특성을 부여하였다. Pollio는 신성한 건물은 이상적으로 인간육체의 비율로 지어져야 한다고 하였다. 이것은 인간의 육체가 완벽한 비율을 가지고 있기 때문이라고 그는 설명하였다. 인체는 팔과 다리를 펼치면 원이나 네모 같은 기하학적 형태를 이룰 수 있다는 것이다. 르네상스 시대동안 이런 생각은 편리한 규칙을 넘어 전체 철학의 기초가 되었다.

예술가들은 자연을 모사하길 원할 뿐만 아니라 자연을 개선하고자 하였다. 이상형을 그려내기 위해 자연을 적절하게 변형시켰다. 가끔 결점 없는 전체를 만들기 위해 여러 개의 모델로부터 특정부위를 골라내 결합시키기 조차 하였으나 항상 성공적인 것은 아니었다. Pollio의 논문 조차도 약간의 실수를 포함한 듯 보인다. 한 작가는 인간의 육체를 기학학적 상자와 원에 끼워 맞추는 Pollio의 공식이 아름다움과는 상당히 거리가 먼 창조물을 탄생시킨다고 언급하였다. 고릴라 암컷이 여성보다도 Pollio의 패턴에 더 맞아 들어 간다는 것이다.

아름다움의 규칙을 탐구하는 초기의 열정가로 이태리 프로렝스 출신 휴머니스트 이자 건축가인 Leon Battista Alberti(1404-1472)가 있다. Alberti는 진정한 르네상스인으로 전형화되었다. 그는 상당한 근대예술이론의 상당부분을 주창한 바 있고 그림과 조각에 관한 그의 글은 아직도 존경을 받고 있다.

Della Pittura라는 그의 논문에서 Albeti는 원근법이론에 관한 그의 관점을 밝힌 바 있다. 측정과 기록을 위하여 그는 인체를 전체그림의 기본단위가 되는 작은 조각 600개로 나누었다. Alberti는 인체를 정확한 비율로 다시 표현하는 예술가의 능력을 물에 비친 자신의 아름다움을 본 나르시스와 같은 신의 재능에 비유하였다.

자화상, 1435/ Leon Battista Alberti
(레온 바시스타 알베르티)

독일 르네상스 화가이자 판화가인 Albrecht Drer(1471-1528)은 Marcus Vitruvius Pollio의 원칙을 인체 측정에 정확하게 적용시켰다. Marcus Vitruvius Pollio의 논문을 읽고 일년후 제작한 판화 Nemesis는 축 늘어지고 작은 가슴, 불룩한 엉덩이, 큰발에 똥배까지 나온 여자를 표현하고 있어 혐오감을 줄 뿐이다.

1507년 이후 Drer는 기하학에서 자연으로 전향하였다. 그의 인생말기에 쓰여진 인체비율에 관한 4권의 책 서문에서 그는 가장 아름다운 인간의 형태에 대한 마지막 판단을 내릴 수 있는 생명체는 지상에 없다고 쓰고 덫 붙여 완전히 다른 두 형체를 만드는 것과 완전히 일치하는 두 형체를 만드는 것이 불가능한 것 처럼 아름다움에 관해 좋고 나쁘고를 판단하기란 쉽지 않다. 그렇지만 드물게 둘 중에 어느 것이 더 아름다운가는 판단할 수 있을 것이다라고 쓰고 있다.

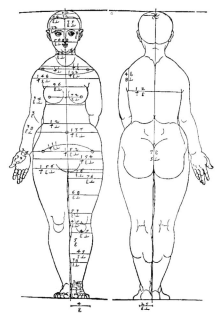

르네상스시대 이상적인 여인의 비례,
1557 Albrecht Dürer

아담과 이브, 1504
Albecht Dürer

자화상, 1500 / Albrecht Dürer

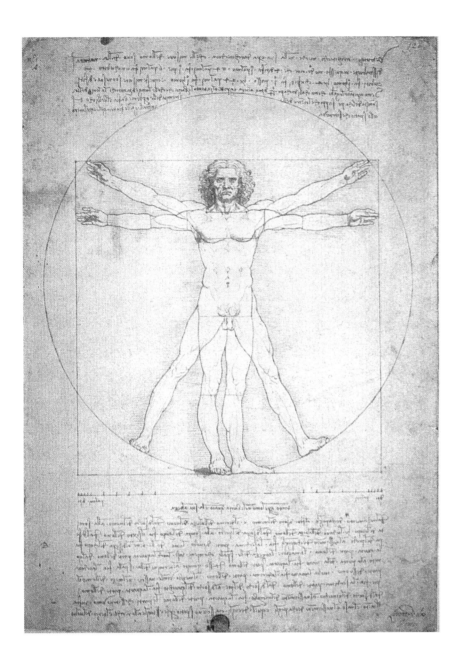

상세한 설명에 따른 이상적인 남성의 비례
c. 1480/ 레오나르도 다빈치

레오나르도 다빈치는 또 비율에 관심을 보였다. 하지만 그의 이러한 관심은 미의 관점에서 본 것은 아니었다. 레오나르도는 그 측정된 형태의 그림등, Vitruvius의 책에 영향을 받아 레오나르도는 자신이 Vitruvius의 남자버젼을 창조했다. 그리고 그는 자연에 대한 올바른 이해를 불어넣고, 눈을 더 즐겁게 했다.

레오나르도의 이상적 아름다움에 대한 고찰은 모나리자를 찬양하면서 고려해야만 한다. 비록 이상하게 관능미가 부족하지만, 복잡하고 미스테리함으로 전문가와 순진한 사람들의 상상력을 잡았다. 그의 주제에 대한 레오나르도의 느낌들이나 분명치 않은 피렌체 지방의 둘째 부인은 기록되지 않았다. 하지만 그가 그녀의 초상화 작업을 하는 3년 동안 돈 되는 그림들을 거절했다는 것을 볼 때 그녀는 그에게 크게 영향을 끼쳤음에 틀림없다.

모나리자, 1503-1506
레오나르도 다빈치

여성미의 전형에 대한 레오나르도 다빈치의 모범은 모나리자보다 더 평안하고 다가서기 쉬운얼굴에서 찾을 수 있을지 모른다. 이러한 얼굴은 The Modonna and Child with St. Anne이라는 그림에서 찾아볼 수 있다. 이 작품의 두 여인이 레오나르도 다빈치의 이상향을 반영한다는 이론은 Sigmund Freud의 제작에서 찾아볼 수 있다. 그는 이 그림이 레오나르도 다빈치가 그의 전생의 기억에 의해 영향을 받아 그린 것이라고 제안했다. Freud는 레오나르도 다빈치가 그의 아버지와 결혼은 안한 상태에있던 그의 생모인 Caterina와 함께 태어나 1년을 보냈다고 가설화 하였다. 레오나르도 다빈치가 태어난 후, 그의 아버지는 다른 여자와 결혼했지만, 그 여자가 애를 낳을 수 없다는 것을 알아버린 후 레오나르도를 Caterina에게서 데려와 그의 집에서 키우기를 주장했다. 만약 그를 사랑했던 두 여자의 이미지가 이 그림에 영감을 주었다면, 이 사실을 가장 평범한 여성의 아름다움 이라할 수 있는 부드러움을 설명해주는 충분한 이유가 된다.

성안나와 함께 있는 성모마리아와 아이,
c.1508-1510/ 레오나르도 다 빈치

듀크공작과 함께 있는 성모마리아,
c. 1504
라파엘

Raphael of Urbino의 작품은 종종 르네상스 예술의 축약으로 일컬어진다. 그의 작품은 품위, 균형, 조화의 Greco-Roman 이상을 뛰어나게 부활시켰다. 그의 작품을 보는 사람들은 그가 차분함과 안정성으로 아름다움을 균등하게 표현했다는 것을 느 낀다. 라파엘의 작품에서 자비로움과 평온으로 가득찬 띈 계란형 얼굴이 다시 부활되 었다. 그녀의 몸통은 풍만하고 그녀의 팔, 다리는 두껍다. 때때로 라파엘은 라파엘은 그가 폼페이나 헤르쿨라네움의 벽화에서 보았을지도 모르는 여성의 손을 든 모습 등 을 그렸다. 그러한 영향은 고전적 아름다움의 이상을 작가에게 제공하였다.

때때로 예술가는 그 시대의 이상향을 대표하는 모델의 사랑스런 얼굴을 기록한다. 비록 그녀가 누군지 알려지지 않았어도 라파엘의 애인은 Donna Velatask Sistine Modonna, Fornarina같은 그런 그림에 영감을 주었을지도 모른다. 당대 라파엘의 전기를 쓴 (르네상스를 처음 사용했던 예술사학자) Giorgio Vasari는 라파엘의 사랑사건주변 이야기에대해 진술했다. 라파엘은 그의 애인에게 너무 마음을 빼앗겨서 그의 장려자는 그가 일을 계속하게 하기 위해 그녀를 자기 집으로 데려와야 했다. 다른 이야기는 라파엘을 고용한 사람은 그가 완전히 애인과 함께 있는 것에 빠져서 그림을 그리지 않자 그녀를 납치해서 그 문제를 해결하려고도 했다는 것이다. 이일은 그가 그의 모든 일을 멈추게 하기 충분하도록 그를 광분하게 만들었고 고용인들은 그가 침착해질 수 있도록 다시 그 여인을 납치해 그의 옆에 세워두어야 했다.

여성들은 수세기 동안 라파엘의 아름다움의 개념에 영감을 주었다. 그러나 예술역사가들은 그가 그의 여자들을 실물 이상으로 아름답게 그렸는지 아니면 이상적으로 그렸는지 모른다. 여성적 아름다움에 대해 라파엘은 다른 예술가들과 마찬가지로 이상이란 다수의 최고 모습으로부터 구성되어져야한다고 가설지었다. 그의 이미지들을 "Belle comme one modéle de Raphall" 이라는 시적표현에 영감을 주었다.

성애(聖愛)와 속애(俗愛), c. 1515
티티안 (Titian)

Urbino의 비너스, 1538
티티안 (Titian)

　베니스의 고위의 르네상스 고용주인 Titian에 의한 그림들은 그의 세속적인 기쁨에 대한 인식을 보여준다. 그가 그린 여자들은 라파엘의 달콤하고 제한된 아름다움과는 반대로 전체 몸이 드러나있고 관능적이다. Titian은 많은 돈이 되는 작품을 했고 비길 데 없는 그의 성공을 즐겼다. 그의 단골손님은 찰스5세를 포함했다.

　Titian은 유화 초상화에 있어 탁월했고 그는 짜임새와 색감을 창출했다. 그의 그림은 가볍고 깊이있고, 투명한 톤과 함께 커져갔고, 그는 마음에 들 때까지 그의 그림을 다시 그렸다. 그리고 오히려 현대적 장식에서 볼 수 있듯이 붓보다는 그의 손으로 덧칠했다.

The Primavera, c. 1478
산드로 보티첼리

　르네상스를 특징과 관계 있는 보통 플로렌스(피렌체)의 화가는 Botticelli(보티첼리)이다. 그의 진짜 이름은 Alessandro di Mariano Filipepidl지만 그는 별명인 보티첼리("작은통"이라는 뜻)를 사용했다. 그는 처음에는 금 세공사의 견습생으로 시작했다. 1470년쯤 그는 그 자신의 작업소를 가졌으며 그곳에서 그는 종교적인 그림과 세속적인 그림을 모두 그렸다. 그의 분명하고 사실적인 스타일은 그가 고전작품의 당대 그림을 배우면서 부드러워졌다. 그의 고용자 Lorenzo de Medici의 요구로 보티첼리는 1477년 The Primavera라는 그림을 그리기 시작했다. 아마도 보티첼리는 고용자의 지식인 친구들이 우아함에 대해 토론하고 이상적인 아름다움의 세 가지 비율을 맞추어 그려달라는 것을 들었을 것이다. 그의 25세에 확실해진 개념으로 화가는 고전적 몸매와 얼굴의 우아함을 창조했다. 하지만 보다 높은 이마와 많은 색깔을 입혀서 르네상스만의 풍미를 만들었다.

약 1478년, 보티첼리는 "비너스의 탄생"을 그렸다. 여신은 기울어진 어깨에 풍성한 팔, 둥근 배를 가지고 있다. 그녀의 얼굴모형은 기하학적으로 조화를 이루었고 완벽하게 침착하다. 그녀의 얼굴은 계란모양이라기보다는 길고 딱딱해 보인다. 비너스의 얼굴은 창백하며 이탈리아인보다는 게르만족같이 보인다. 이러한 얼굴을 선택한 것은 보티첼리가 북 이탈리아에서 본 많은 게르만족들이 그에게 영향을 주었기 때문이다.

비너스의 얼굴은 20세기에 대중성의 인기를 누렸다. 그림은 1930년에 피렌체의 우피치 박물관에서 런던으로 전시를 위하여 보내졌었다. 이 작품은 대중들의 폭발적인 인기를 누렸고, 모든 유럽, 미국 등의 책의 일러스트레이션이나 광고, 엽서에도 쓰였다. 비록 1930년대의 젊은 여성들은 보티첼리의 우아한 누드처럼 대중에 설 수 없지만, 그들은 비너스의 땋은 머리나 얇고 꽃무늬로 장식된 옷을 입음으로써 15세기의 아름다움으로 최대한 변신 하였다.

비너스의 탄생, 1478무렵
보티첼리

Simonetta Vespucci
(시모네타 베스푸치) c.1520
삐에로 디 코시모(piero di Cosimo)

Girolamo Savonarola
(기로라모 사보나롤라) 1514~1517
프라 바톨로메오(Fra Bartolomeo)

Primavera에서, 비너스의 얼굴은 Lorenzo de Medici의 남동생 Giuliano의 연인인 Simonetta Vespucci라고 알려져 있다. Portovenere에서 태어난 Simonetta는 그녀는 미의 여신인 비너스의 고향에서 태어났기 때문에 그녀가 그렇게 아름다운 외모를 가지고 있는 것은 놀랄만한 것이 아니라고 주장했다.

몇몇의 예술가들은 Simonetta를 모델로 썼다. 대부분은 그녀를 긴 목과 섬세한 얼굴 금발로 표현하고 있으며 그녀의 얼굴은 온화하고 사려 깊다. 그녀는 수수한 옷차림을 하고 있으며 중산층의 패션을 하고 있다. Simonetta가 20대에 죽자 그녀의 죽음은 널리 애도되었다.

Botticelli(보티첼리)는 그의 삶의 끝에서 그림 그리는 것을 중단하고 열광적인 종교개혁자인 Girolamo Savonarola의 추종자가 되었다. 돈을 다 탕진한 보티첼리는 로렌쪼 메디치와 다른 친구들로부터 굶주림에서 벗어날 수 있었다. 그는 Savonarola 때문에 예술을 버린 불쌍한 수도자로 죽었다.

그림들과 마찬가지로 신학도 르네상스의 아름다움을 기록한다. 이탈리아의 수도사 Agnolo Frenzuolo는 바람직한 특색의 목록에 대하여 썼다.

…머리는 금발이어야 한다… 그 금발도 오직 특별하게 검고 황갈색의 빛이 있어야 아름다운 금발이다. 이마는 높고 피부는 색이 강하지 않아야 한다. 눈은 잔인함을 나타내는 아주 검은 색이 아니라 검은 황갈색이거나 호도색 갈색이어야 한다.

이 문명은 귀가 너무 크거나 눈에 띄지 않는 이상 거의 귀에는 관심을 두지 않았다. 하지만 Firenzuolo는 이 부분의 해부학적 부분에 대해 많이 언급했다. 완벽하게 아름답기 위해서 귀는 너무 크지도 너무 작지도 않아야 한다. 귀테는 석류열매의 씨처럼 환한 색이어야만 했다. 그리고 귀의 외형은 적당하게 곡선을 이루어야 했다.

Firenzuolo는 여성의 거의 모든 몸의 부분에 대해 기준을 만들었다. 어깨는 둥굴거나 뚱뚱하지 않아야 하며 가슴은 풍만해서 가슴뼈가 보이지 않아야 한다. 그는 심지어 매력적인 손톱에 대해서도 언급했다. Firenzuolo는 그 자신을 최대의 전문가로 칭했다.

3세기 후에, 영국의 예술비평가 John Ruskin은 르네상스의 미에 대한 편견은 쇠퇴의 경향이 있다고 하였다. 그는 개인적 매력에 대한 그런 열광적인 편견은 잘못된 것이라고 믿었다. 여성 몸의 자연적인 모양은 버팀 살을 한 스커트와 가발, 높은 구두에 의해 개조된다. 이 겉치레를 아름답다고 할 사람은 아무도 없을 것이다.

QVANTVM· HOMINI· FAS· EST· MIRA· LICET· ASSEQVAR· ARTE
NIL· AGO: MORTALIS· EMVLOR· ARTE· DEOS·

여신의 초상, c. 1490/ 네로치오 란디(Neroccio de' Landi)

매너리즘 **예**술의 역사에서 종종, 어떤 예술 양식은 전시대
의 것 과는 선명하게 다르다. 16세기 지난 3분
기동안 예술가들은 르네상스의 고전적 가치를 부인하고 Mannerism이라는 사상을 받
아들였다. 16세기 후반의 유럽의 정치적 풍조는 신교와 다른 신교에서의 구체화된
종교적 혼란에 충격을 받았다. 그리고 매너리즘은 그러한 불확실한 시대에 대한 예술
가들의 반응이었다.

이탈리아에서 시작되어 곧 북유럽까지 유명해진 매너리즘은 아름다움의 상태
를 생소한 요소로서 소개했다. 매너리즘 작가들은 인간의 형태를 강조했다. 사실과
왜곡되고 늘어난 체형은 부자연스럽게 표현되었다. 때때로 그림의 정서적 효과를 강
조하기 위한 강한 색으로 그린 그림도 있었다.

매너리즘의 초기는 재능과 개성 면에서 가지각색이었다. 아마도 장르의 첫 번째
거장은 Michelangelo(미켈란젤로)일 것이다. 그의 작품은 보기 싫은 것은 아니지만 왜
곡된 모양으로 가득차 있다. 미켈란젤로보다는 잘 알려지지 않은 당대의 Francesco
Mazzuoli는 미켈란젤로의 작품보다 비율에서 더 변형을 준 Parmigianino로 알려져 있
다. 이 작품에서 여성들은 우아하고 긴 목을 갖고 있으며 마치 그들이 막 기절할 것 같
다. 그리고 이들은 궁극적으로 매너리즘 적인 아름다움과 일맥상통한다.

비록 성공한 화가지만 Parmigianino는 이상한 신경증 환자였다. 그의 작품을 유
럽전역의 고객들이 찾았다. 하지만 그의 짧은 생의 마지막에 그는 상냥하고 우아한
사람에서 연금술을 위해 그의 예술을 버리는 야만인으로 변했다.

긴 목을 가진 성모마리아 c.1535
파르미자니노 [Parmigianino]

56

성 마르티나, 성 아그네스와 함께 있는
성모마리아와 아이, 1597-1599
El Greco

매너리즘의 후반기에는 당시 베네치아 공화국의 일부였던 Crete에서 태어나 베니스에서 숙련된 "El Greco"로 알려진 Domenikos Theorokopoulos가 있었다. 그는 경력을 로마에서 시작했다. 하지만 그의 거칠은 성격이 그가 로마를 떠나게 만들었다. 그는 이미 궁정에 의해 선호되는 예술가들과 경쟁해야하는 스페인으로 옮겨서 Toledo에서 작품을 했다. El Greco는 필립3세의 관심을 얻으려고 남들과 경쟁했지만 그는 Titian의 관능적인 그림을 El Greco의 오싹하고 날카로운 색의 그림들보다 좋아했다.

El Greco는 초기 매너리스트의 스타일과 양립되지만 독창적인 아름다움의 유형을 창조했다. 그는 가는 얼굴과 기다란 몸을 한 검은머리와 검은 눈의 여성의 그림을 즐겨 그렸다. 그는 알려지지 않고 조용히 죽었다. 하지만 그와 다른 매너리스트들이 창조한 스타일은 쉽게 잊혀지지 않았다.

매너리즘은 18세기 후반의 예술 추종자의 관심을 불러일으켰고 심지어 20세기 스타일에도 영향을 주었다. 당대의 높은 패션 삽화의 과장된 모양은 매너리스트적 아름다움의 공통된 점이다. 모델은 그들의 기다란 목과 팔 다리로서 선택되었고 부자연스럽게 수그린 포즈를 취했다. 그들의 작은 얼굴과 얇은 허리와 넓적다리는 에로틱한 것과는 거리가 멀었다. 긴 선과 날카로운 각도를 요구하는 아름다움의 기준은 4세기동안 나타나지 않고 있다가 부활하였다.

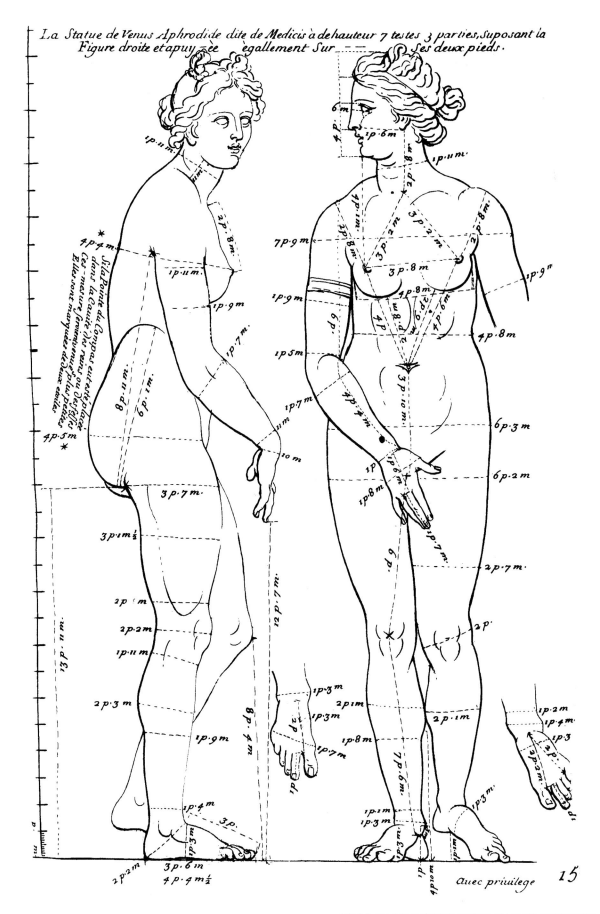

La Statue de Venus Aphrodide dite de Medicis à de hauteur 7 testes 3 parties, Suposant la
Figure droite et apuy-ée egallement Sur ses deux pieds.

비너스 조각을 관찰하여 측정한 이상적인 여인의 비례, 1683

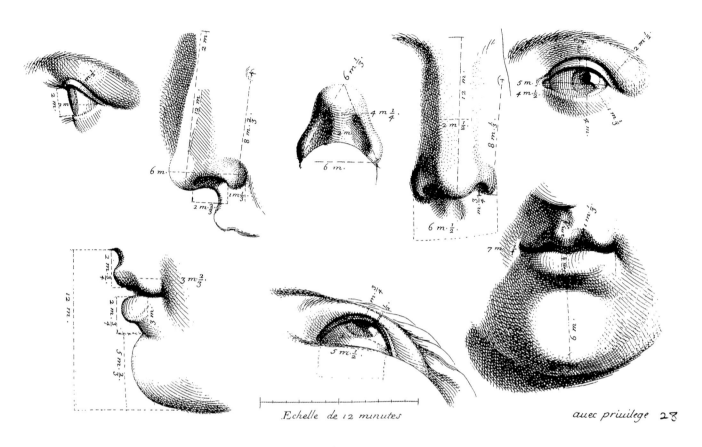

게라드 아우드란(Gerard Audran)

바로크 시대

매너리즘의 취향이 약화되면서, 유럽의 화가와 조각가들은 그들의 작품을 보는 사람을 감독시킬 다른 수단을 찾았다. 풍부한 색과 역동적인 모양으로 그들은 삶에 성인의 고통과 무아의 경지를 불러일으켰다. 예술가들은 종교에 감정을 짝지을 것을 선택했다. 18세기까지 이어진 바로크시대는, 종교 개혁에 이어 카톨릭 교회 내부에서 일어난 교회 개혁 운동인, 반 종교개혁의 반향으로 종종 묘사된다. 바로크 스타일은 덜 화려한 작품을 좋아하는 더 보수적인 감상가들이 많은 프로테스탄트 국가에서는 인기를 얻지 못했다.

바로크시대의 여성들은 그림에서 물질적이고 사치스럽게 또는 종종 여신의 모습으로 또는 신화에서 승리한 은유적 모습으로 나타난다. 여성들은 또한 그들의 몸치장을 하고 비너스처럼 꾸미는 것을 되풀이하면서 그들의 아름다운 몸을 과시했다. 이상하게도, 그림에서의 여성들은 폭력의 희생자 역할로 던져져있는 상황에서도 강력하게 보인다.

Peter Paul Rubens는 바로크시대의 중요한 예술가이다. 여성에 대한 그의 경이와 애정은 그의 개인적 삶과 그의 작품에서 분명히 확인된다. Rubens의 강하고 생기가 넘치는 여성들은 그들 자신의 시대에서도 이상향처럼 주목을 받았다. 그러나 이러한 스타일은 유행되지 않았고 19세기 후반에 짧게 유행하였다. 이러한 뚱뚱한 몸은 유행과는 거리가 멀었던 것이다.

Rubens는 그의 작품에서 여성의 아름다움에 대한 그의 개념을 그의 삶에서 가장 중요했던 두 여인의 그림을 통해서 설명하고 있다. 그는 그의 첫 번째 부인 Isabella Brandt와 몇 십년 동안 결혼해서 행복했다. 하지만 그녀가 죽고 나서 이 결혼은 끝이 났다. 4년 후 53세에 그는 16살인 Helene Fourment와 결혼한다. Rubens의 그림은 이 두 여인들이 서로 닮았다고 보여준다. 그들은 둘 다 통통하게 살이 쪘으며 비록 Isabella는 활발하고 과시 벽이 있는 Helene보다는 말없는 성격이었지만 둘 다 건강하게 보기 좋은 얼굴을 하고 있다. 그들의 닮은 점은 비유적인 모습으로 모델로서 그림에 반복적으로 나타나고 있다.

이사벨라 브란트와 함께 한 자화상
1609
루벤스(Peter Paul Rubens)

엘레나 푸르망(helene Fourment) c. 1631
루벤스(Peter Paul Rubens)

사랑의 정원 c. 1638
루벤스(Peter Paul Rubens)

Paris의 판결, c. 1638-1639
루벤스(Peter Paul Rubens)

　몇 명 학자들은 1627년 이전에 Rubens가 그린 모든 여성의 그림에서는 Isabella 가 1630년 이후로는 모든 그림에서 Helene이 보여진다고 한다. 이 화가는 그들의 살 을 장밋빛과 금빛으로 색칠했으며 이렇게 함으로써 그의 주제를 홍조를 띠게 표현해 서 만족을 얻었다.

　Rubens의 여인들은 의심할 여지가 없다. 그들은 똑똑하고 조심성 있다. 그들의 머리는 둥글고 그들의 눈은 검었으며 그들의 목은 길었고 그들의 가슴은 폭이 넓었고 그들의 엉덩이는 컸다. Rubens는 일하는 동안 그의 이상을 바꾸었다. 17세기초의 그 의 그림을 보면, 여성들은 더 감각적이고, 중반에는 덜하고 결국 그의 작품세계의 뒷 부분에서 그가 그리는 여성은 그가 젊었을 때 그렸던 그림에서는 찾아볼 수 없는 부 드러움을 지니고 있다.

세명의 공작부인 c. 1636-1640 / 루벤스(Peter Paul Rubens)

엘리자베스 1세, 16세기
무명화가

엘리자베스 1세 대 여성들이 사회의 스타나 패션 퀸의 모습을
따라하듯이 16세기의 여성들도 그러하였다.
그때의 패션리더는 존중받고 카리스마 있는 영국 군주 엘리자베스 1세였다. 영국은
그녀가 통치하는 동안 번영했고 엘리자베스 1세시대의 지식계급은 예술가와 작가들
을 격려했다. 엘리자베스가 영국인이라는 데서 오는 자존심을 그녀의 백성에게 가르
쳤기 때문에 여성들이 그녀의 외모와 정신을 모방하고 싶어하는 것은 당연했다.

　엘리자베스는 국가의 등장과 초상을 통해 백성들에게 자주 나타났다. 그리고 그
녀의 이미지는 모든 사회적 계급에 익숙했다. 비록 군주와 비슷한 얼굴을 하면 그녀
의 매력까지 얻을 수 있다는 것은 환영일지라도 대부분의 여자는 그 환영까지도 되고
싶어했다.

엘리자베스의 풍채는 놀라웠다. 그녀는 키가 컸고 똑바로 걸었다. 그녀의 얼굴생김새는 깨끗하고, 그녀의 코는 똑바르며 그녀의 손은 특별히 매력적으로 여겨졌다. 엘리자베스는 능숙하게 춤을 잘 추었으며 그녀의 에너지와 재치는 남자들에게 그녀를 매력적으로 보이게 만들었다.

엘리자베스는 패션을 명령했다. 그녀의 영향아래에서, 옷은 그녀의 아버지 헨리 8세 때의 옷보다는 훨씬 선명했다. 엘리자베스는 목과 가슴부분이 보이는 넓고 빳빳한 주름 깃을 즐겨 입었으며 이것은 그 시대의 처녀들 사이에서 즉시 유행하였다. 그녀는 끈으로 장식된 나무받침의 코르셋을 입었고 넓고 버팀살대로 퍼지게 한 스커트를 조여진 허리 아래로 입었다. 엘리자베스는 V자형의 높고 코르크로 된 독특한 신발을 신어 그녀를 굉장히 커 보이게 했다.

그녀가 나이들면서 엘리자베스는 인위적의 극단에서 미의 기준을 몰고 갔다. 그녀는 가발로 그녀의 염색한 머리를 부풀렸으며 화장품을 풍부하게 발랐다. 그녀의 백성들도 자연히 맞추어 따라갔다.

자신에게 대항한 누군가에게 격분하면 엘리자베스는 자신의 Roman Catholic의 두 번째 사촌 Mary Stuart에게 화를 내뿜었다. Mary는 프로테스탄트인 엘리자베스를 퇴위시켜 영국의 공식 종교를 다시 카톨릭으로 만들고 싶어해 왔다. Mary는 음악, 시, 연약함과 기회주의적인 남자를 좋아했다. 그녀는 또한 정치적 통찰력이 거의 없었던 것으로 알려져 왔다. 스코틀랜드의 국왕으로부터 왕위를 물려받은후, 엘리자베스의 사임을 추종하여, 엘리자베스를 화나게 하였고, 그녀를 즉시 감옥에 가두었다. Mary의 장점에도 불구하고, 엄청나게 경쟁적인 사람인 엘리자베스는 Mary의 잘생김을 질투했다. Mary는 사실은 미인으로 여겨졌다. 그녀가 어렸을 때부터 가지고 있던 금발은 그녀가 커감에 따라 밝은 자줏빛으로 검어졌고, 그녀의 숱많은 눈썹은 그대로 있었다. 그녀의 조그마한 머리와 긴 목은, 당대의 매너리스트들의 이상향 그대로였다. 그녀는 또한 매력적이었고 훌륭한 교육을 받으며 양육되어서 총명했다. 엘리자베스는 질투 때문이 아니라 정치적 이유로 제거시킨 Mary의 라이벌로서 비교되는 것을 싫어했고 Mary를 스코틀랜드의 여왕인체 19년 동안 구금한 후 사형집행을 명했다. 하지만 누가 손상 받지 않고 묻혀진 아름다움의 기억보다 살아있는 아름다움이 더 강력하다고 말할 수 있겠는가?

스코틀랜드 여왕 Mary c. 16세기
레놀드 (Renold Elstrack)

CHAPTER FOUR

급격한
변화의 물결

18세기부터 현대까지

THE CAPRICIOUS WINDS
OF CHANGE
The Eighteenth Century to Modern Times

이 14세가 1715년에 죽은 뒤, 프랑스는 절대 군주정을 잃었다. 그의 잘 알려진 월권은 오직 그의 후계자인 루이15세에 의해서만 능가되었다. 루이15세의 무력한 통치는 대부분 18세기에 걸쳐있으며, 그가 죽었을때 그의 신하들은 루이 14세보다 그를 더 싫어했다. 이러한 뽐내기 좋아하는 통치자들 아래서 18세기 프랑스의 시각 예술은 왕실의 자부심에 만족을 주는 미개물로서 번영하였다. 루이15세의 통치기간동안 새로운 스타일의 예술이 그의 전임자의 겉치레에 대한 반발로서 일어났다. 이것은 rococo(로코코)라고 불리며, 프랑스어 racaille(로카이유)에서 유래한, 암석 작업이라는 뜻이다. 새로운 가구 세간들을 살 만큼 여유가 있는 사람들은 이 유쾌한 스타일로 그들의 집을 새로 고쳐 장식했다. 사회 지도자들의 집은 소용돌이 무늬와 곡선, 옅은 실크 휘장, 심각한 주제를 피하는 그림들로 장식되어졌다. 캔버스의 작품에서 표현된 여성들은 아름다움의 개념에서 로코코의 영향을 보여준다.

18세기 초기에, 초상화는 바로크 시대의 이상향에 맞는 가까이 하기 어려운 웅대한 모습을 보여준다. 하지만 몇 년이 지나고, 선호되는 경향이 바뀌었다. 매력은 화려함을 대체하였다. 아름다움은 여성의 얼굴모양보다 대상의 영혼에 더 관심을 두었다. 변덕스럽고, 우아하고 무엇보다 젊은 여성들은 이러한 퇴폐적 시대 취향의 특징을 나타냈다.

화가들은 향락적인 중산층을 그렸다. 돈이 약간 부족하여 이 계층의 전체 일원들을 위한 거대한 집 대신에 그들은 작은 집에서 살았다. 작품을 위한 벽공간이 불충분해진 이러한 새로운 주거 스타일은 거대한 전쟁 작품이나 올림포스의 주연대신에 더 친숙한 주제를 위한 작은 그림이라는 스타일을 창조했다.

로코코 스타일은 여성의 침실에 들어맞았다. 장식가들은 화환 무늬의 통통한 큐피트, 환상적인 머리형을 한 여신, 매끄러운 받침 방석에 기대있는 10대 소녀아이들로 되어있는 사진을 선택했다. 매력은 뛰어난 예술과 같은 뜻이 되었다.

바로크와 로코코를 구분하는 개척시대의 첫 번째 예술가는 Jean-Antoine Watteau였다. Watteau는 그가 플랑드르 출신의 Peter Paul Rubens를 존경한다는 것을 비밀로 하지 않았다. 비록 Fubens의 스타일의 특징이 Watteau의 작품에 영향을 끼쳤어도 그들의 그림은 확실히 달랐다. Rubens는 큰 캔버스에 통통하고 큰 가슴의 여성을 그렸다. Watteau는 작은 규모의 그림을 그렸으며 젊고 생각에 잠긴 날씬한 여성을 그렸다. Rubens는 완전히 그의 재능과 성공에 태평스러웠지만 Watteau는 화를 잘 냈고 불안했고 결핵으로 아팠으며 불안정에 곤두서있었다. Rubens는 그가 늙어서 평안하게 죽을 때까지 번영을 누렸지만, Watteau는 37세에 불행한 삶을 마감했다.

18세기 여인들은 드레스 안에 세련되
보이고 따뜻함을 주기 위하여 드레스
안에 여러 벌의 페티코트를 입었다.

1776부터 1787까지 입었던 실크로 된
"Polonaise(폴로네즈)".
보디스는 꽉 쪼이는 레이스 달린 코르셋에 의해 꼬여진
콘 모양으로 만들어졌다
소매 부분은 구부러진 팔꿈치 모양을 하고 있다.
왜냐하면 여성들은 행동할 때 그들의 손을 부드럽게
구부리도록 기대되기 때문이다.

La Marquise de Pompadour, c. 1759
프랑시오스 부쳐(Francios Boucher)

　　루이15세의 정부인, Francois Boucher, protege of Madame de Pompadour는 또한 로코코 양식을 대표한다. Boucher는 육욕 적인 꿈을 담은 여성의 이미지를 담은 벽걸이를 고안했다. 그 시대의 취향과 함께 Boucher은 즐거움의 본질로서 여성의 누드를 제안했다. 그는 상류사회를 만들 때, 그가 선호하는 모델로 매춘부를 그렸다. 그는 벌거벗고 있는 신화적인 모습을 즐겨 그렸으며, 넓적다리를 벌리고 있는 동작을 그리기를 좋아했다. 그가 그린 루이18세의 정부중의 한 명인 Marie Louise O' Murphy의 초상은 그녀의 들창코의 얼굴보다는 뒤집혀진 둔부를 강조했다. 그의 그림에서 Boucher는 남자가 바라고 여자가 부러워하는 여성의 초상화를 그렸다.

Boucher의 제자이자 명성 있는 Royale de Peinture et de Sculpture 학교의 학생인 Jean-Jonore Fragonard,는 나이 많은 스승들을 능가하는 역사적인 화가로서 그의 경력을 시작하였다. 1760년 중반쯤 그는 지나간 시대보다 돈벌이가 되는 주제가 뭔지를 알았다. 그의 첫 번째 작품은 덜 진지한 유형으로 The Swing이라는 것이며 Baron de St. Julian이라는 후원자의 지원으로 그린 것이다. Fragonard의 후원자는 작품에서 후원자 자신의 모습을 나타내어지기를 강요했고 그래서 화가는 남작의 정부가 카톨릭 주교가 밀어주는 그네에 타고있을 때 그녀의 다리가 잘 보이는 장소에 남작을 그려 넣었다. 신선한 성공으로 Fragonard는 그의 기술을 즐겁고 자극적인 주제로 옮겨갔다. 그러나 Fragonard에게는 슬프게도 프랑스 혁명은 그의 공허한 스타일에 대한 요구를 종식시켰다. 그는 파리 박물관의 가난한 일꾼으로 잊혀진 채 죽었다.

그네, 1767
Jean-Honore Fragonard

18세기 중반, 경박함으로 먹고살던 신고전주의자들은 고대 문명에 대한 관심을 부흥시켰다. 고고학자들은 그리스와 로마의 폐허를 발굴했고 박물관에 진열하기 위해, 서부 유럽의 개인적 소장을 위해 그들이 찾은 것을 갖고 돌아왔다. 이러한 움직임은 정돈되고 엄격한 신고전주의에 영향을 받은 당대 유럽 건축, 문학, 예술에 빠르게 여세를 몰아갔다.

고전에 대한 회귀로 여성적이고 남성적인 아름다움의 스타일이 선호되었다. 신고전주의의 가장 입심 좋은 주창자의 공식적인 담당 부서는 바티칸의 사서이며, 독일 건축가이자 예술 역사가인 Johann Winckelmann이었다. 비록 Winckelmann은 한번도 그리스를 가보진 않았지만, 그는 그리스의 조각들을 관찰한 것을 바탕으로 길고 설득력있는 책을 썼다. 그의 노력덕분에 세련된 유럽인들은 고대 그리스인들이야말로 무엇이 참된 멋인지를 알고 있는 사람들인 것을 확신하게 되었다.

조앤 윙클맨 (Johann Winckelmann)

Winckelmann은 그의 에세이에서 고대 그리스보다 더 세세한 고전적인 아름다움의 요소를 명확하게 표명했다. 그가 말하기를 아름다움이란 조화롭고 단순하며, 외형이 색보다 우위에 있다고 했다. 그가 덧붙이기를, 예술 작품의 주제는 감정이 빠졌을 때야만 진정으로 아름답다고 했다. 그러나 인간은 완벽하지 못하기 때문에 그러한 목적은 달성되기 어려울 것이라고, 그는 인정했다.

Winckelmann은 예술가들은 오직 여러 명의 모델의 가장 좋은 부분을 합쳐야 이상적인 미인을 그릴 수 있을 것이라고 믿었다. 사람들의 미에 대한 정의가 다 틀린 것은 아름다움의 뜻이 분명하지 않다는 것을 의미하며 또한 추함은 정의하기 더 쉽다는 것을 의미한다.

확고부동하게 Winckelmann은 그의 개인적인 여성의 미에 대한 기준을 발표했다. 여성의 얼굴은 어려보이고, 곧거나 최소한 약간휜 코를 가져야 한다. 여성의 이마는 좁아야하며, 여성의 눈썹은 중간에서 되도록 만나야한다. 여성의 풍부한 붉은 입술은 한 쌍으로 깊이 파여야 하며, 총명한 눈을 하고 있어야 한다. Winckelmann은 모든 세세한 면에서 그의 의견을 표현했다. 여성의 머리는 금발이어야 하고 여성의 가슴은 작고, 그녀의 반원형의 배꼽은 그녀의 발가락을 가리키고 있어야한다.

알려진 동성애자인 Winckelmann 살해된 이후로, 그의 추종자들은 종교적인 열의를 가지고 그의 일을 이어했다. 특별히 열성적인 대표자는 고대를 숭배하는 독일 예술 선생인 Anton Rafael Mengs(1728~1779)였다. 그리스의 조각들을 면밀히 검사한 뒤에 Mengs는 그리스의 기준에 의한 여성 얼굴의 아름다움을 창조하기 위한 식을 발견했다고 선언했다. 주의 깊게 측정한 후 Mengs는 눈의 크기, 눈 사이의 간격, 코의 끝에서 입까지의 정확한 거리등의 표준을 할당했다. 전체적 얼굴은 결정된 패턴에 들어맞아야 하며, 보는 사람은 아름다움의 진정한 원리의 미스테리를 해명할 수 있었다.

신고전주의의 예술가들은 고대 예술을 모방했으며 그것이 바로코와 로코코 양식의 과잉으로 이어졌으며, 그들의 예술작품에 대한 수요도 많아졌다. 특히 선호되는 것은 Facques-Louis David(1748~1825)의 그림들이었다. David는 프랑스의 루이 16세의 죽음에 찬반의사를 표시했는데 그의 작품의 많은 부분이 그의 정치적 관심을 반영하고 있으며 프랑스 혁명의 순교자들의 기념이 되는 초상화를 그렸다. 그의 사회성이 가득한 그림에서 여성들은 단순한 옷을 입고 고전적으로 귀엽게 나타났다.

David는 중요한 문학과 정치적 거물들을 매혹시킨 살롱의 프랑스 사교계의 명

마담 줄리에의 초상화, 1800
다비드 (Jacques-Louis David)

사인 Julie de Recamier를 그의 삶에서 찬양하는 아름다움의 하나로서 그렸다. 이전의 왕정주의자를 즐겁게 해주었다는 이유로, 그녀는 Napoleon Bonaparte에 의해 추방당했다. 1815년 워털루에서 나폴레옹의 패배와 황제자리로부터의 그의 사임에 따라 Recamier는, 비록 전보다 더 가난했지만, 파리의 사회에서 그녀의 이전의 위치를 다시 차지했다.

Recamier는 그녀의 뛰어난 외모로 알려져 있고, 그녀는 어떻게 해서라도 그녀를 기쁘게 해주려고 하는 그녀 주위의 사람들로 묘사된다. 비평가들은 그녀의 모습이 자극적이지만, 그녀의 검은 눈은 차가웠다는 것을 발견했다. 그녀의 미모를 이용하는데 뛰어난 Recamier는 그녀의 아름다움을 보완하기 위하여 로맨틱한 환경을 만들었다. 그녀는 동으로 도금한 두 마리의 백조를 그녀의 침대위에 세웠고, 벽지나 휘장대신 거울로 장식했다.

Recamier는 그녀보다 27세 많은 남편과는 이상한 관계를 유지하고 있었다. 소문에 의하면 그녀는 그의 재산을 물려받기 위해 그와 결혼했다고 전해진다. 하지만 이유야 어떻든, 그녀의 늙은 남편에 대한 정절은 널리 퍼졌고 그녀는 더 매력적이고 젊은 구혼자들의 프로포즈를 거절했다. 비록 그녀가 법적인 약속을 거절 했지만 그녀는 그녀의 사회적 지위를 강화시킨 사랑하는 사람은 선택했다. 프랑스 작가이며 정치가인 Francois Chateaubriand의 친구로서, 빈틈없는 Recmier은 그녀가 나이를 먹으면서 성공적으로 사회적 연줄의 높은 위치에 설 수 있었다. 그럼에도 불구하고 그녀의 지성은 그녀의 허영심을 압도하지 못하였다. 1849년 파리에서 유행하던 콜레라로 Recamier가 죽기 전, 그녀는 그녀의 동상을 부셔버렸다. 왜냐하면 그것은 그녀의 사라진 아름다움의 기억을 불러일으켰으며 그것은 참기엔 너무 고통스러운 것이기 때문이었다.

18세기 중반으로 나아가서, 고전적인 것에서 로맨틱한 이상향으로 미에 대한 선호가 동요되었다. 가끔은 각진 턱선, 그리스 풍의 코, 고전적 형태의 긴 목은 선호되었다. 다른 때는 대중은 부드럽고 유동적인 모습을 한 여자 쪽으로 기울었다. 헝클어진 머리, 둥근 모습의 로맨틱한 여인은 얼굴과 몸이 고르지 않을 수 있었지만 여전히 아름답게 여겨졌다. 유행하는 미의 선호는 고전에서 로맨틱으로 다시 돌아가기 시작했다.

금발 귀족 18세기 중엽

오펠리아, 1846
존 헤이터(John Hayter)

David의 학생, 초상화가 Jean-Auguste-Dominique Ingres (1780~1867)는 여성의 아름다움에 대한 그의 독특한 해석으로 널리 인정받게 되었다. ingres의 스타일은 신고전주의도 로맨틱도 아니었다. 대신 라파엘의 전통인 현실주의자로서, 그의 정교한 묘사는 의심할여지없이 개인적이었다. Ingres는 Academie Royale지도자라는 영향력 있는 위치까지 올라갔다. 그리고 이러한 그의 힘과 거만함으로 그의 취향과 이상에 반대한 사람을 방해했다.

Ingres는 현실성에서 아름다움이 발견된다고 믿었다. 그러므로 그는 예술은 원본의 복제여야 한다고 했다. 그는 그가 젊었을 때 6년 동안 살았던 로마로부터, 그리고 그가 살고있는 파리로부터 얌전한 모델을 골랐다. Ingres는 마음을 설레게 하는 관능적인 여인을 그렸다. 때때로 그는 길이는 매력적이기 위해 없어서는 안될 것이라는 그의 생각을 뒷받침하기 위해 의도적으로 사실보다 여인들의 두툼한 몸통을 더 길게 그렸다. 그는 아름다운 여성의 목은 결코 너무 길지 않다고 했다. 동양풍의 주제인 그의 누드화 "The Turkish Bath" 에서 그의 나이가 83세에 거대한 캔버스에 살찐 여인들을 담았다.

터키 목욕탕, 1862
(앵그르)Jean-Auguste-Dominique Ingres

앵그르 부인, 1851/ (앵그르)Jean-Auguste-Dominique Ingres

자화상 c.1755/ 게인즈버러
(Thomas Gainsborough)

Thomas Gainsborough(1727~1788)와 Joshua Ryenolds(1723~1792)는 영국 아름다움의 제 1의 화가들이었다. 왕실의 초상화가인 Gainsborough는 부유한 후원자들을 뜻대로 움직일 수 있었다. 이 예술가에겐 아름다움은 중요한 사회적 공술을 만들고, 그의 주제는 잘생긴 외모와 좋은 예절을 갖추었다. Gainborough는 예술에서 우아함을 강조했지만 그는 교육을 받지 못한 천재를 선호했다. 사실 이 영리한 남자는 그의 알려진 이미지보다 더 소양이 있었다.

Gainsborough의 라이벌인 Reynold는 기사작위를 받고 런던의 Royal Academy of Art의 총재가 되었을 때 사회적 위치에서 그를 앞질렀다. Gainsborough는 이 협회의 창립자의 한사람으로 있었지만 1784년 그의 그림이 전시회에 옳지 않게 걸려있었다는 구실로 사임했다. Gainsborough는 그의 보헤미안 친구와 책과 심각한 토론에 대한 그의 혐오에 긍지를 가졌다. Reynolds는 공공연히 지식계층과 친분을 가지려고 애썼다. 두 사람사이의 경쟁은 격렬했다.

조슈아 레이놀즈경 18세기
G.H. Every

숙녀 엘리자베스 헤밀턴, 1758
레이놀즈(Sir Joshua Reynolds)

Royal Academy of Arts의 학장으로서 Reynolds는 예술 이론의 15개 강의를 했다. 인간의 아름다움이라는 그의 강연에서 그는 절대적 미의 존재의 이론을 시인했지만 관찰자들은 완벽한 외모보다는 덜한 것에 양보해야 한다고 했다. 여성의 몸이 균형이 잡혀있는 한, Reynolds는 관대하게 인정했고, 그녀는 비록 그녀가 이상적인 미의 수치의 기준을 충족하지 않더라고 아름답다고 판단될 수 있었다.

Paul Cobb Methuen 부인 , 1776
게인즈버러(Thomas Gainsborough)

비극의 뮤즈로 분장한 시돈즈 부인 1784
레이놀즈(Sir Joshua Reynolds)

Gainsborough와 Reynolds는 종종 같은 모델을 선택했다. 두 작가는 세익스피어의 비극의 여주인공으로 갈채를 받던 Sarah Siddons(1755~1831)를 그렸다. Reynolds는 눈은 위로 바라보며, 주름 있는 의복으로 감싸여진 비극의 주인공으로 묘사했고, Gainsborough는 그녀를 그녀의 얼굴을 감정적으로 공허한, 영국 사회의 품위 있는 부인으로 그렸다. 당대의 평가는 Siddons를 위엄 있고 우울하며, 품위 있는 아름다움을 가진 재능 있는 여배우로 묘사한다. 그녀의 이런 축복 받는 위치임에도 불구하고 그녀는 사업가의 아내이자 여섯 아이들의 엄마였다.

Gainsborough와 Reynolds와 동시대사람인 George Romney(1734~1902)는 그들의 예술을 동일하게 보지 않았다. Romney는 Royal Academy에서 전시회를 하지 않았고 다른 데서도 거의 그의 작품을 전시하지 않았다. 그는 큰 눈과 아름다운 어깨, 갈색 곱슬머리로 유명했던 Emma Hamilton의 초상화로 제일 잘 알려져있다. 1781년 그녀와 알게된 이후로, 이 화가는 Hamilton이랑 살기 위해 그의 아내를 버렸다. 그들의 짧은 밀회동안, Romney는 그녀의 아름다운 초상을 많이 그렸다. 그녀보다 나이가 많은 사람과 결혼했던 Hamilton은 Admiral Horatio Nelson의 정부로서 가장 잘 알려져있다. Nelson이 트라팔가에서 1805년 죽은 이후 Hamilton은 행복했던 시절 태어난 아이들의 뒷바라지를 하면서 그녀의 남은 일생을 가난 속에서 살았다. 천진난만 하고 갈피를 잡지 못하던 늙은 Romney의 삶 또한 슬프게 끝났다. 그는 집에서 그의 아내가 죽은 것을 알았다. 아름다움도 초상화를 그리는 뛰어난 능력도 행복을 보장해주진 않았다.

헤밀턴 부인 1782년 이후
롬니 (George Romney)

갈색 드레스를 입은 여인:파슨씨의 딸
1785/ 롬니(George Romney)

19세기 "S teel engraving lady(철로 조각된 여인)", 상상의 인형처럼 만든 이 창조물은 Currer and Ives 출판사에서 펴낸 19세기초의 아름다움의 환상으로 가득한 많이 생산되는 패션잡지에 실린 석판화였다. 중세시대 기사도 전통에 뿌리를 둔 그녀의 우아한 이미지는 여성의 순결을 상징한다. 섬세한 모습과 가냘픈 매력에 편향된 철로 석판된 숙녀들은 고상함을 나타냈다. 그녀의 날씬함은 영양불량의 의미가 아니라 빵과 감자보다는 더 품위 있는 음식을 먹고 자란 사회계층에 속한다는 것을 나타낸다. 여성 잡지의 소설과 이야기에서는 결핵으로 피부가 창백해지면서 가냘프게 죽어 가는 여성주인공이 특색을 이루었다.

19세기 아름다운 여성을 대표하는 사람은 프란체스 황제 나폴레옹 3세의 부인인 Empress Eugenie(1826~1920)이었다. 소녀일 때, Eugenie의 스페인계 가족은 그녀가 영국과 프랑스의 상류계급에 받아들여질 수 있도록 만들기 위하여 충분한 사회적 예절과 함께 국제적 미인으로 그녀를 앉혀놓고 충분한 영향력을 휘두를 수 있었다. 나폴레옹에 대한 Eugenie의 격정은 강렬했지만, 그녀는 짧은 기간의 결혼관계는 거절하고 26세때 황제의 프로포즈를 확신했다.

Eugenie는 그녀의 이국풍의 외모를 보완시키기 위한 옷을 선택했다. 프랑스 부인복 재단사가 만든 그녀의 의상은 넓은 치마와 풍부한 보석에 의해 강조된 아담한 보디스로 특색 있게 만들어져있다. 그녀는 영원히 새롭고 눈부시게 보이는 것을 확실하게 하기 위하여, Eugenie는 동일한 드레스를 주문해서 그녀가 춤추는 동안 옷이 과열되거나 주름이 지면 그녀의 하녀가 옷을 갈아입게 할 수 있도록 준비되도록 했다. Eugenie와 황제가 이집트를 1869년 Suez Canal의 개통식에 참여하기 위해 방문했을 때 그녀의 가방은 수백 개의 옷으로 가득차 있었다. Eugenie는 크리놀린을 좋아했다. 하지만 나폴레옹은 그 스타일을 싫어해서 광대극에 돈을 주고 그 스타일을 비웃게 했다. 그 연극에는 이국풍의 스커트를 입은 여배우들이 출연했다. 하지만 황제의 익살은 잘못 전달되어 그 의상을 본 Eugenie는 즉시 그리고 정중히 그 의상의 모제품을 만들어달라고 요청했다.

나폴레옹 3세와 황후, 19세기

패션은 그 전 어느 때보다 아름다움을 돋보이게 했다. 남자의 호의를 끌기위해 차려입는 여자들은 성적 관심을 표현한다는 것을 의미했다. 1795년부터 1815년까지 자연스럽게 여성들에게 매력을 주기 위해 가슴을 강조한 허리위쪽의 드레스인 황제 스타일의 옷이 유행했다. 후에 유행한 복장은 큰 가슴과 넓은 둔부를 강조하는 19세기 스타일을 만들었다.

크리놀린으로 부풀게 한 스커트의 둘레와 비교되도록 많은 19세기 세련된 여성들은 앞으로 수그린 자세를 채택했다. 이러한 버팀목대로 지지되는 아래쪽의 속옷이 유행하는 한 흘러 넘치는 어깨는 아름다움과 좋은 생식으로 동일하게 여겨졌다. 시대의 말기에는 크리놀린에 대한 집착이 사라지고 패션감각이 있는 여성들은 다시 사회부패의 하나의 징조로 예술가 Edgar Degas가 비평한 똑바로 스는 스타일의 자세가 유행하였다.

옷을 입은 여인과 그렇지 않은 여인, 1807
로버트 (Robert Dighton)

1870년대의 패션은 잘록한 허리, 크리놀린, 스커트를 불룩케한 허리받이로 대표된다.
중간에 있는 여성이 연애놀이의 이상적인 액세서리였던 부채를 들고 있다.

허리받이는 크리놀린을 성공하게 했다. 털로 장식된 철사와 패드로 만들어진 이 기구는 독선적인 유럽사람들에 의해 조소를 받은 아프리카 호텐톤족의 구근모양의 둔부를 흉내낸 것이다. 여성들은 패션의 원로가 더 이상 큰 엉덩이를 요구하지 않는 1890년대까지 이 허리받이를 착용했다. 19세기말의 선호되는 윤곽은 여성의 엉덩이를 넓게 유지했고 심지어 소시지의 표피 같은 꼭맞는 치마로 엉덩이를 강조하였다. 옷의 야드가 다리를 방해해서 여성들은 상당히 움직이기 힘들었다. 그들은 아주 약간의 스텝으로 조금씩 나아가야 했다.

허리받이, 19세기
윌리암(William Heath)

미국패션: 봄과 여름, 1886

고상한 여인들은 몸매를 보존하기 위해 코르셋을 착용하였다. 코르셋의 높은 등은 여성의 어깨를 뒤로 하고 가슴을 위로 받치는 모습을 하였다. 허리를 구부린다는 것은 생각도 할 수 없었다(왼쪽).
촘촘하게 고래수염을 넣어 퍼지게한 푸른 광택이 나는 코르셋, 1885

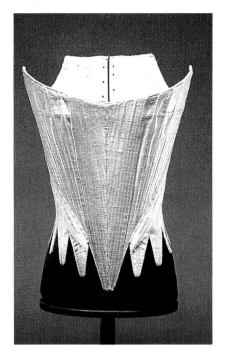

또 다른 아름다움의 의복은 코르셋으로 이것은 긴 역사를 가지고 있다. 수세기 동안 여성은 이것을 필수로 여겨왔다. 프랑스 혁명 때 자유로운 복장이 유행했을 때도 여성들은 버팀목으로 그들의 흘러내리는 드레스를 지지하였다. 후에, 18인치의 허리를 만들기 위해 극도로 노력했던 시대에 여성들은 "조여주는 끈"을 착용했다. 그들의 하녀의 도움으로 또는 혼자서 지렛대 역할을 하는 침대기둥을 사용하여, 모든 나이의 여성들은 정상적인 숨쉬기와 먹는 것을 방해하는데 충분하게 그들의 속옷으로 그들을 꽉 쪼였다. 그 시대의 외과의사들과 패션 개혁가들은 널리 퍼진 두통, 부인병, 졸도를 이러한 고문 적인 의복의식 때문이라고 했다. 하지만 심지어 여성들의 해방을 주창한 작가들마저 코르셋은 마음에 들지 않지만 필요악이라고 하였다.

워너 브라더스 Coraline 코르셋의 19세기 광고 Shober Company (쇼버회사), 시카고

WARNER BROS. CORALINE CORSETS.
THE LATEST ÆSTHETIC CRAZE.

옷의 혁명을 주장하는 그들의 목소리는 19세기 중반에 나타났다. 패션에 의해 강제된 건강에 해로운 이러한 신체의 만곡에 대항하기 위해, 진보적 드레스 협회의 혁명가들은 유럽과 미국에서 다음의 작은 결과를 획득했다. 잡지 편집자이며 헐렁한 속옷을 주장했던, Amelia Jenks Bloomer(1818~1894)는 꽉 쪼이는 옷이 옳지 않다고 하는 캠페인을 열었지만 얼마가지 않아 잊혀졌다. 자극 받은 런던 사람들은 열광적이진 않았지만, 쪼여지는 옷을 반대하는 사회의 정점에 귀기울였다. 여성 크리스찬 절제 연합의 회원들과 몇몇 여성 내과의사들은 멜빵을 코르셋 대신으로 바꾸자는 것을 제안했다. 이러한 좋은 의도에도 불구하고 대서양의 여성들은 편안함을 위해 아름다움을 바꾸는 것을 바라지 않았다. 이 세기가 끝날무렵, 이상적인 체형은 약간 바뀌었다. 하지만 코르셋으로부터 여성을 해방시키기에는 충분하지 못했다.

아멜리아 불르머
(Amelia Bloomer)

불르머 옷 19세기 판화

영국여왕 빅토리아

빅토리아시대의 이상형 **19** 세기 나머지 후반기의 작가들은 여성의 아름다움의 고결함을 종종 언급했다. 하지만 주의 깊게 읽어보면, 그들 작품의 초점은 정신적인 것보다는 육감적인 부분에 맞춰져 있다는 것이 명백하다는 것을 알 수 있다. 잡지 기사는 풍만한 엉덩이와 가슴을 가진 축복 받은 여성이 매력적인 여성이라고 인정했다. 흥을 돋우는 폭로인 My Secret Life의 이름 없는 작가로부터 영감을 얻은 남자들은 수척한 여인들에게는 신의를 거의 지키지 않았다. "훌륭한 외모를 갖춘 어느 여자도 평범할 수는 없다"라는 것은 "아름다움 어떻게 유지하는가"라는 1899년의 지침서를 쓴 작가는 전문적인 아름다움을 주장했다. 오직 손과 다리는 작을 수 있었다. 왜냐하면 이러한 모습은 빅토리아시대의 기준에 의해 관능적이라고 암시되는 것에서 벗어날 수 있었기 때문이다.

빅토리아시대는 여성의 얼굴에 대한 순식간적이고 관능적인 관심을 합쳤다. 패션은 그들의 크고 매혹적인 눈과, 작고 새침한 입술, 부드럽게 장밋빛 뺨을 한 여인들의 초상을 아름답게 여겼다. 머리 역시 중복적인 의미를 담고 있었다. 작은 얼굴에 단정하게 올려진 공들인 머리형은 마치 여성의 침실에 들어가기 위해 특권을 가진 남자에 의해 풀린 것처럼 보였다.

제인 애브릴(Jane Avril), 1892
로트레크(Henrt de Toulouse-Lautrec)

미국 센테니얼 박람회에서 목재 판화를 프린트하기 위한 스팀 인쇄기 전시, 필라델피아, 1876

경제적 변화는 미에 대하여 새로운 태도를 양산했다. 개선된 삶의 수준은 옷과 화장품에 있어서 더 많은 선택권을 가지게 했고, 특히 특권층의 사회 계층은 더 그러하였다. 게다가 빅토리아 시대의 규제라는 일반적인 관념과 반대로 개선된 건강, 위생, 성에 대한 건전한 이해는 개인적인 외모에 더 많은 관심을 기울이는 결과를 낳았다.

19세기의 이러한 변화는 사회에서의 여성의 역할에 영향을 끼쳤다. 이 시대의 대부분동안, 여성은 수동적이고 "집안의 천사"라는 의존적인 유형으로 여겨졌다. 많은 여성과 몇 명의 여성들의 그러한 바람들과는 반대로, 여성의 해방이 이세기 중반에 일어나기 시작했다. 코르셋을 벗어 던지고, 긴 머리를 자르면서, 여성은 그들을 구속하는 것과, 순종하는 스타일에 반대를 주장했다. 꽤 많은 여성들이 당차게 남자들이 원하는 것을 무시하고 자기들 나름대로 미의 기준을 정의했다. 여성들은 1919년 미국에서 투표할 수 있는 권리를 얻었고 결혼한 여성들은 법적으로 자신의 재산을 소유할 수 있게 되었다.

19세기까지, 초상화에 그려진다는 것은 아름다운 사람만이 보여지고 감상될 수 있다는 것만을 의미했다. 사진의 발명과 개선된 인쇄 기술로서, 아름다운 모습은 잡지, 신문, 광고, 판화 등에서 쉽사리 접할 수 있게 되었다. 또한 기차와 보트를 위한 증기엔진의 발명으로 쉽게 여행을 할 수 있었고, 사람들은 아름다움의 개념을 넓히기 위하여 외국으로 그것을 보러갔다.

값싼 책과 팜플렛은 아름다움을 추구하는 모든 계층의 여성에게 팔렸다. 유럽과 미국의 번창하는 출판 산업은 매력의 비결을 위한 지침서를 헤아릴 수 없도록 생산했다. 어떤 사람들은 진정한 아름다움을 분간하기 위하여 제공되는 공식으로 과학적인 겉치레를 했다. 그리고, 우아한 것과 건강을 같은 것으로 여겼기 때문에, 역사상 처음으로, 청결과 운동이 가치 있는 것으로 여겨지게 되었다.

영국 금발을 광고하기 위한
포스터 1878

절세미인으로 알려진, 전문적인 아름다움은 세기의 말에 번창했다. 그들은 크고, 당당한 체형을 했다. 유명한 여배우와 사회학자에 대해 묘사된 이야기는 그들이 쉽사리 따라할 수 있는 머리모양과 옷에 대해 독자들에게 제공하고 있다.

뮤지컬의 관능적인 스타인 Lillian Russel(1861~1922), 19세기말의 아름다움을 표현하고 있다. 그녀의 인기는 처음에는 유연한 금발머리를 한 여인으로 있었지만, 상당히 뚱뚱해진 이후에도 그녀의 매력을 유지하였다. 1896년의 신문 리뷰에서 그녀를 코끼리에 비교했을 때, 여성들은 그녀의 옷을 따라하는 것과 같은 열정으로 그녀가 다이어트를 하지 않는 것을 모방해서 그녀와 같아지려고 했다.

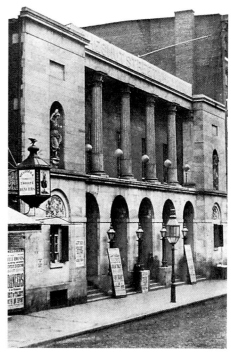

필라델피아의 체스트넛 거리 영화관, 1870. 모든 종류의 댄스와 여배우들이 극장에서 공연을 가졌다. 공연전에 많은 여성들이 퍼레이드를 하였으며 군중들은 그들이 가장 좋아하는 사람을 고를 수 있었다.

러셀(Lillian Russell)

릴리(Lillie Langtry)

피어 비누를 위한 릴리(Lillie Langtry), 물품을 격찬하는 첫번째 축하행사중 하나

영국 사교계의 명사이자 배우였던 Lillie Langtry(1835~1929), 는 문화의 영향력 있는 조정자들에 의해 칭송되고 그려지는 미인이었다. 예술가 James McNeill Whistler와 Sir John Everett Millais는 그들의 완벽한 아름다움을 대표하는 사람으로 Langtry를 예로 제시했다. 그리고 영국 재판 시스템의 악명 높은 인질인 Oscar Wilde도 그녀의 아름다움에 대한 책을 출판했다. 그녀의 아름다움을 기념하기 위해, "Jersey" 스웨터라고 알려진 옷이 Jersey의 섬, Langtry의 고향에서 이름지어졌다.

Langtry는 그녀의 불명에스러운 생활방식을 이용했다. 그녀는 Wales의 왕자와 함께 간통을 즐겼고, 그것이 끝나자 그녀는 무대로 돌아갔다. 수익을 얻기 위해 그녀는 그녀가 경제적인 보상이 따를 것이라고 정확하게 가정했던 미국에 순회공연했다. 그녀가 가는 곳 어디나, Langtry는 열광적인 찬양을 불러일으켰다. 호텔의 하녀들은 기념품으로 잘라서 팔기 위해 그녀의 잠옷을 훔치기도 했다.

미국인들은 Langtry를 몸집 좋고 강건한 아름다움의 진정한 이상향으로 인정하기를 꺼려했다. 대중은 Langtry의 긴 코와 큰손보다는 더 섬세한 것을 선호했다. 그러나 완벽의 기준은 절대적이라는 대중의 믿음은 사라지게 했다. Langtry의 강건한 체격은 여성들에게 아름다움의 중요한 요소로서 운동과 건강함이라는 것을 인정시키는데 기여했다. 그러나, 거의 이러한 개념이 일반적으로 받아들여지기 전에 이미 한 세기가 지나갔다.

19세기 말 전에, 건강함과 운동에 대한 관심은 오직 유럽과 미국에서만 희미하게 있었다. 기껏해야, 오직 양궁과 테니스만이 여성들이 약하다는 평에서 벗어나기에 충분한 것이라고 여겨지던 정도였다. 프랑스인 Francois Delsarte이 연기 기술을 강화시키기 위해 운동을 소개했을 때, 이러한 움직임은 자랑스럽게 블루머를 입고 리듬에 맞추어 그들의 팔을 음악에 맞춰 흔드는, 고귀한 여배우 사이에서 유행을 일으켰다. 이러한 일시적인 유행은 곧 사교계의 명사들 사이에 퍼졌다. Delsarte와 그의 운동 요법가들은 외모를 개선하기 위해 사회적으로 받아들여지는 보조로서 몸의 움직임의 개념을 소개하는 것을 도왔다.

건강함은 사회의 어떤 계층에서는 완전히 무시되었다. 영국에서 작지만 영향력 있던 반항적인 영국 예술가들의 모임 Pre-Raphaelite Brotherhood의 회원들은 유명한 기준과 대립되는 여성을 그렸다. 그들의 모델들은 거대한 얼굴 모습과 함께 컸고, 재능은 거의 문제가 되지 않았다. 기쁨이 없고, 창백한 그들은 극도의 불행과 병을 그려 내고 있었으며 마치 막 소리를 지르고 눈물을 흘릴 것 같이 보였다.

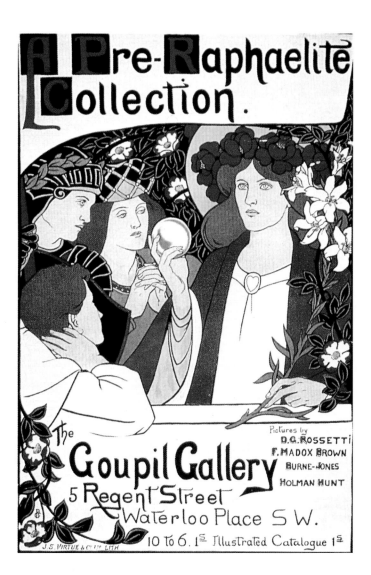

전 라파엘 박람회를 위한 포스터 광고, 1800

자화상, 1847
(로세티)Dante Gabriel Rosetti

Dante Gabriel Rosetti(1828~1882)에 의해 인도된, pre-Raphaelites은 예술적이고 도덕적인 개혁을 위하여 청년기의 열정을 공유했다. 그들은 소위 그들의 철학을 라파엘 시대 전의 15세기 그림에서 그들이 인지한 진실에 바탕을 두었다. 당대의 기준에는 부합하지 않는 이 예술가들은 제한되게 발전했음에도 불구하고 성실한 추종자들을 낳았다.

pre-Raphaelites의 전형적인 이상은 Rosetti가 선호하는 모델 Elizabeth Siddal이었다. 창백하고 무관심한 Siddal은 회풀색의 눈과 헝클어진 주황색의 머리를 가진 평범한 얼굴을 하고 있었다. 그녀의 입술은 두꺼웠고, 그녀의 목은 길었으며 그녀의 인상은 동떨어지고 아픔에 차있었다. 그녀는 Rosetti에 의해 그녀가 런던의 모자 가게의 조수로 있었을 때 발견되었다. 이 예술가는 이 여인과 11년 동안 함께 살았다. 그는 거짓말하고 술 먹으며 그녀를 괴롭혔다. 그리고 그녀는 차례로 그를 히스테리 적인 격분에 의해 나타나는 발작적인 침묵으로 그를 괴롭혔다. 그들의 결혼 2년 후에, 그 양쪽의 비참한 상태는 끝이 났다. 그녀는 아편 과다 복용으로 죽었다.

Pre-Raphaelite Brotherhood가 해산한 후 오랫동안 그들의 고통과 병을 암시했던 그들의 이상적인 아름다움은 대중의 관심을 되찾았다. 1960년대의 더럽고, 창백한 입술을 한 "flower child"라는 그림은 Pre-Faphaelite의 이상한 매력의 유산을 이어받고 있다. 병적인 것에 대한 선호는 필연적으로 오래가지 못했다. 20세기의 여성과 남성들은 아름다움에 대한 그들의 정의에 건강과 활력을 포함하기 위해 열성을 나타내고 있었다.

햄릿과 오펠리아, c. 1869
(로세티)Dante Gabriel Rosetti

CHAPTER FIVE

현대의 미(美)

환상과 현실

MODERN BEAUTY
Illusions and Reality

술가 Charles Dana Gibson(1867~1944)의 상상력으로 태어난 Gibson Girl은 세기말과 제 1차 세계대전 시작 사이의 아름다움을 인격화하고 있다. 이것은 현대시대에 화가라기보다는 일러스트레이터로서의 개인의 예술가가 아름다움의 모델을 인격화한 마지막이었다. 그 이후로부터는 한 개인보다는 미디어가 취향을 중재하는 역할을 하였다.

1890년 Life 지가 나오기 시작하면서 Gibson의 키 크고, 건강한 여인상은 5번가, 시골마을과 대학캠버스에서 열광 받았다. 그녀의 매력은 나이와 직업에 상관없이 유행했다. Gibson의 멋지고 예리한 펜과 잉크로 그린 그림에서 그녀는 풍자로 함께 빛나는 상황에서 나타났다. 그녀는 뼈대가 크고, 강건하지만 남성적이지 않았으며 큰 가슴과 얇은 허리를 가지고 있었다. 일본의 게이샤처럼 그녀의 머리위로 틀어 올린 머리 인상과 함께 그녀는 미국 남성들이 꿈꾸는 현대적이고 서름서름한 여인상이 되었다.

찰스 다나 깁슨(Charles Dana Gibson)

다감한 독신자의 이야기에 삽입된 삽화, 1903
찰스 다나 깁슨(Charles Dana Gibson)

사랑의 노래, 1896
찰스 다나 깁슨(Charles Dana Gibson)

Gibson은 Gibson Girl의 실제 모델이 누구인지에 관해 신비스러운 분위기를 유지하기를 즐겼다. 언론과 대중들도 한결같이 그녀의 신원에 대해 추측하는 것을 즐겼다. 아일랜드 노동계급의 옷 모델, 프랑스계 쿠바인 하녀, 심지어 Gibson의 아내가 가능한 물망에 올랐지만, 그는 Gibson Girl이 처음으로 그려진 이후 오랫동안 그녀에 맞는 사람을 만나지 못했다.

거의 엄청난 성공에도 불구하고 Gibson은 검소했다. 그는 예술가로서 꾸준한 작업계획을 가지고 일했으며, 상류층과 시간은 별로 갖지 않았다. 만약 그가 리셉션이나 파티에 참석했다면 그는 그 주위의 사람들을 연구해서 그러한 이벤트로부터 영감을 얻어 나중에 그들을 그렸을지도 모른다.

1908년도의 유명인

이 시대동안, 서양에서는 전쟁이 발생하기 전 조용함을 누리고 있었다. La Belle Epoque로 알려진 이 시대는 민주, 스캔들, 고상한 패션으로 장악되었다. 상류계급은 찬란하게 빛났고, 노동 계층은 그들의 빛을 따라가기 위해 최선을 다했다. 화가와 풍자작가들은 잦은 연회, 고급 레스토랑, 승마에 약간은 열광한 사람들의 치장을 문헌화했다. Vienna의 호텔 Sacher의 초콜릿 케이크, 도가 지나친 모자가 위에 있는 값비싼 옷, 먹음직스럽게 색칠된 Tiffany의 유리잔은 모든 사람이 열망하지만 일부만 누릴 수 있는 사치의 전형이었다.

전쟁에 의해 만들어진 분위기는 외모에 대한 선호와 피할 수 없이 동반되는 성과 패션의 당론에 영향을 끼쳤다. 환상과 현실의 요소 둘다 시대를 정의한다. 도상학적인 시대에 여성의 이미지는 눈에 띄는 역할을 하였다. 여성은 요부와 억제된 우아한 숙녀 이 두 이미지로 그려졌다. 모든 형상에서 여성의 이미지는 건축학적 데코레이션, 가구 형체 만들기에 나타났으며, 꽃같은 주제로 소용돌이치는 머리를 한 점잖은 여성들은 잡지와 포스터 광고부터 맥주광고까지 출현했다. 일하는 여성의 이미지가 자주 나타난 것은 전쟁의 개시와 함께 La Belle Epoque 시대가 종결될 때쯤이었다.

성에 대한 태도의 변화는 아름다움에 대한 의견에 영향을 끼쳤다. 한 세기가 바뀌면서 아름다움에 대한 안내서는 여성은 사랑에 빠져있을 때만이 가장 행복한 것임을 강조했다. 독자들은 유용한 지성보다는 외모를 가꾸는데 조언 받았다. 패션 전문가들은 에로틱한 사랑과 아름다운 사랑과의 연관성을 인식할 필요를 강조했다.

메사츄세츠 린의 공장여성들, 1890

케롤 베리만(Carol Bergman),
파리의 Folies-Bergere을 소재로 하여
1907년 처음으로 선보여 23년동안 지속
된 Ziegfield's Follies의 쇼걸. Follies는
플로렌즈가 감독하였으며, "미국 여인을
찬미하며" 라는 슬로건으로 광고되었다.

1917년에 입은 하얀 면레이스로 손질한 브레지어

La Belle Epoque시대에 매력의 기준은 전시대보다 더 성적인 측면을 강조한다. 에드워드 시대의 미인은 빅토리아 시대의 미인보다 컸고, 적당하게 상당히 큰 크기의 가슴을 가지고 있었으며 이와 어울리지않게 그녀의 엉덩이는 크지 않았다. 이러한 약간은 이상한 형태를 만들기 위해 약간은 거대하고, 왜곡된 S자 형의 모양을 한 여인들은 그들의 배를 평평하게 해주고 가슴은 앞으로 부풀게 만들어주는 코르셋 착용으로 고통을 겪었다.

"Bust bodices"는 코르셋과 함께 가슴을 받쳐주기 위해 여성들이 입었다. 브레지어가 그렇듯이, 이러한 옷들이 실제적으로 받쳐주기에는 상당히 망가지기 쉽기 때문에, 만약 여성들이 이러한 속옷을 함께 입지 않으면 약간은 처지고 더 큰 가슴을 가진 것으로 보여졌다. 레이스와 리본으로 만들어진 bust bodices는 손수건이나 공기가 든 어떤 형태로서 채워졌다. 그리고 이러한 것을 만드는 공급자들은 보거나 만져봐도 전혀 눈치채지 못할만하게 만들어졌다고 주장했다.

여성들의 가슴은 패션에서 현저하게 튀어나온 형태로 나타났고, 자연스럽게 잡지들은 가슴 사이즈와 모양을 증가시켜주는 물품에 대한 광고를 실었다. Royal Creame이라고 불리는 제조업체의 제작자들은 자기들의 제품이 가슴을 4 또는 5인치 크게 하게 할 것이라고 약속했다. 또 다른 약은 사용자들에게 체중은 20파운드 늘리게 해서, 가슴을 몇 인치 늘리고 팔은 패션에 맞추어 풍만해지게 한다고 보증했다.

에드워드 시대의 옷과 패션적인 자세는 위엄있어 보이지만 어리게 보이지 않게 옷을 입은 사람에 의해서 이루어진다고 생각되었다. 그러나 이 시대는 나이든 여성들이 칭송 받는 시대였다. 잡지 기사는 애송이들의 사랑을 비웃으며, 오직 30대의 완벽하게 성숙된 여성들만이 진정한 사랑의 기쁨을 알 수 있다고 했다. 패션은 가슴은 앞쪽으로 나오고, 엉덩이는 뒤로 들어간 긍정적으로 멋진 여성을 위해 디자인되었다. 버드나무 같은 17살의 여성들은 스포트라이트를 받기 위해서는 기다려야 했다.

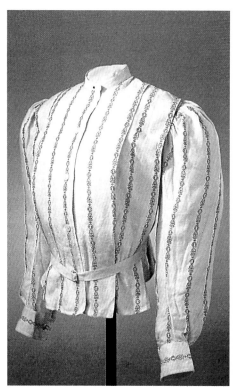

1904-1906까지 입었던 옷. 블라우스는 꽃줄
무늬가 들어간 하얀 실크로 만들어져 있으며
드레스는 검은 울로 만들어졌다.

여성이 임무를 계속 하도록 도와라, 1918
찰스 다나 깁슨(Charles Dana Gibson)

사회적 개혁과 전쟁은 여성의 지위에 변화를 가져왔다. 그들은 영국에서 선거권을 얻었고, 자전거를 타고 자유롭게 거리를 활보할 수 있었으며 대서양 외 양쪽편 어느 곳에서나 테니스 치는 여인들을 볼 수 있었다. 남성들이 군대로 다 끌려갔기 때문에, 여성들은 일의 전선에 뛰어들어야 했다. 집밖에서 새로 찾은 위치는 여성 매력의 기준을 바뀌게 한 여성들의 옷의 선택과 예절에 큰 영향을 끼쳤다. 고급 패션은 이러한 새로운 양식의 해방된 여성의 수요에 맞추어갔다. 단순하고 세련된 Paul Poiret(1879~1944)의 스타일은 얽매임 없는 여성의 체형의 매력을 증가시켰다. 자연스러운 것이 가치 있는 것이 되었다.

파리의 젊은이인 Poiret는 그의 단순한 옷에 관심을 갖는 제조업자를 찾지 못했다. 그는 그가 패션산업세계로 들어가는 것이 어려운 것을 알았다. 사업가들은 Poiret의 옷은 대중들이 익숙한 옷들이 아니라고 했다. 더 중요하게, 그들은 드물게 꾸며지고, 직선 라인의 옷들은 그 당시 유행하던, 몸을 받쳐주고 대량의 옷감을 요구하는 화려하게 장식된 옷과 같은 값을 못 받을 것이라고 지적했다.

1904년 Poiret은 그의 어머니로부터 얼마의 대출을 얻어, 지나가는 사람들의 주의를 끌기 위해 마네킹으로 뽐낸 그 자신의 옷가게를 열었다. Poiret의 핑크 색과 사과색, 주황색의 드레스는 실패할 것이라는 기대와는 다르게 즉시 성공했다. 그는 그의 옷을 패션쇼에 가지고 가서 마네킹보다는 살아있는 모델들에게 입혀보기로 선택했다. 이제 관람자들은 모델들이 옷을 입고 움직이는 것을 보면서 그의 옷들의 매력을 볼 수 있었다. Poiret의 영리한 발명으로 새로운 패션이 나왔다.

그의 디자인과 발표로, Poiret의 영향력은 여성의 매력의 개념을 바꾸었다. 그는 날씬하고 작은 가슴, 호리호리한 엉덩이, 긴 다리의 모습을 강조했다. 그의 옷들을 입을 때 입는 속옷은 여성 자신의 형태를 받쳐주기 위한 약간의 보조기구로서 가벼운 고무거들과 브레지어뿐이었다. 코르셋에서 해방을 말하며 Poiret은 지령을 선포했다. "지금부터, 가슴에 아무것도 착용하지 않는다." 그럼에도 불구하고 이러한 교묘함에 대항하는 그의 캠페인에서, Poiret는 화장품의 자유로운 사용을 격려하였는데 그럼으로써 얼굴의 자연적인 것을 감추어 시선을 끌도록 했다.

1921년의 마네킹

모든 사람이 전쟁의 참혹함을 지우면서 경제적 붐이 일어나자 안도의 한숨을 내쉬었다. 생필품의 부족현상도 곧 잊혀졌다. 1920년대에 기술은 레저의 활성화를 위한 옷과 기계를 공급하기에 충분히 발전되었다. 광고는 안락한 삶을 칭송하고 이상적인 여인의 개념은 시대와 함께 바뀌어갔다. 말괄량이(flapper)는 전후의 이미지를 구체적으로 나타냈다. 이러한 이름(flapper)은 신발을 신고 채우지 않아서 걸을 때 펄럭거렸던 고무로 만든 긴 덧신 타입의 신발때문에 붙여졌는데. 이런 여성들은 짧은 단발머리, 평평한 가슴, 어린아이 같은 얼굴의 여성들은 품위 있는 Gibson Girl과는 대조되었다. 말괄량이들은 아름다운 엉덩이도, 허리선도 원하지 않았고, 날카로움을 숨기는데 관심도 없었을 뿐 아니라, Charleston을 밤새도록 춤추었기 때문에 생긴 알통 있는 다리도 숨기려하지 않았다. 흥분하기 쉽고 촐싹대면서 소년같은 말괄량이들은 자신의 삶을 재미있게 보내려 헌신했다.

이러한 "신여성"은 제도를 위협하였다. 여성들은 담배를 피우며 정형화된 기존세대에 도전했다. 더욱 나쁜 것은 피임약을 사용하는 데에 대한 창피함도 없었다는 것이다. 여성들은 회사에서 일을 하고, 결혼에 구속되기보다는 대학교에 다니는 것을 선택하였다.

말괄량이들은 그들의 스타일에 맞추기 위한 패션이 필요하였다. 옷들은 일직선이었고, 짧은 스커트와 소매로 단순하게 잘려있었다. 만약 그녀의 외모가 완벽하다면 그러한 옷들은 여성들이 가득찬 우월을 자랑할 뿐만 아니라 배나 엉덩이의 불룩한 부분 역시 가려주었다. 가벼운 속옷은 가슴을 눌러주고, 엉덩이를 눌러주었다. 하지만 속옷에는 한계가 있었기 때문에 날씬해지는 다이어트는 유행을 타게 되었다. 새로운 양식으로 번창하는 기성복 산업은 옷과 액세서리를 나라 전체에서 여성에게 상점과 카탈로그를 통한 우편주문을 통해 제공했다. 기성복의 성공은 기준이 된 사이즈의 새로운 개념에 바탕을 두고 있다. 제조업자들은 미국 여성의 약 반에게 맞을 수 있는 7개의 사이즈를 확립했다. 젊음의 강조에는 변함없이 대부분의 기준사이즈는 약 15살

여성의 남녀 평등운동을 비꼰 주간지
Judge의 그림, 1926. 2. 6.

THE LIBERTY BELLE—(She's cracked!)

"말괄량이(Flappers)"는 편하고 끈을 매지
않은 장화로부터 이름지어졌다. 1922

이스트맨(George Eastman)　　　　　에디슨(Thomas Alva Edison)

에서 19살 사이의 90%에게 맞도록 측정되었다. 그들의 사이즈는 45세 이상의 여성 33%에게만 맞았는데도 말이다.

　　1920년대가 시작되면서, 아름다움의 이상은 새로운 출처, 즉 영화로부터 나왔다. 전에는 그림에서 그랬던 것처럼, 영화관들은 부러워할 만한 남성과 여성들의 이미지를 제공해서, 영화는 20세기초에 대중들에게 이 서비스를 제공하였다. 사람들은 박물관이나 갤러리, 개인의 집에 전시되어 있는 그림을 거의 보러 갈수 없었다. 또한 연극 여배우들은 제한된 고용기간이 있었고, 오직 제한된 숫자의 사람들만이 그들이 좋아하는 연극배우를 보기 위해 연극을 보러 갈 수 있었다. 사진이 더 쉽게 유포될 수 있었지만 스틸사진에서 활동사진으로의 전환은 더 많은 관객들에게 스타의 얼굴을 친숙하게 해주었다. 영화 스타들은 텔레비전과 패션모델이 외모의 표준에서 영화를 능가하는 중기까지 미의 이상향으로써 영향력을 행세했다.

　　영화산업은 19세기 말 스틸 사진과 마술랜턴같은 시각을 지속시키는 장난감의 결합으로 탄생하였다. 여러 사람의 상상력은 이러한 새로운 형식의 예술을 탄생시키는데 기여하였다. George Eastman(1854~1932)은 영화용 롤 필름을 발명했고 Thomas Alva Edison(1874~1931)은 카메라와 영사기를 발명하였다. D.W. Griffith(1875~1948)는 혁신적인 영화제작 기술을 소개한 "Birth of nation(1915)와 Intolerance(1916)"이라는 두 개의 인상깊은 장관을 제작하였다. 거의 같은 시기에, 관객들은 Mack Sennett의 바보 같은 코미디와 Charlie Chaplin의 섬세한 코미디에 몰려들었다. 영화 거물들은 할리우드에서 엄청난 돈을 벌었고, 영화관을 각처에 지어서 그들의 영화가 쉽고 싸게 보여질 수 있도록 했다.

여배우 도로시와 릴리안 기쉬와 함께 있는 개척
자 영화 프로듀서 그리피스 D.W. Griffith

1910년전에는, 영화배우들과 여배우들은 이름으로써 알려지지 않았다. 도시 빈
민가와 시골 농장으로부터의 많은 사람들은 한결같이 그들이 좋아하는 배우들을
"The Biograph Girl" 또는 "The Imp Girl" 같은 스튜디오 이름으로 인식했다. 곧 영화
기업들은 그들의 유명배우의 배경과 결혼 상태 등에 대한 질문이 담긴 수많은 편지를
받기 시작하였다. 팬들의 잡지가 대중들에게 스타들의 개인적 삶에 대한 정보를 제공
하기 위해 출판되기 시작했다. Motion Picture Magazine은 1910년 출판되기 시작했
고 곧 Photoplay와 Screenland가 뒤를 이어 출판되었고, 이 정기 간행물들은 반세기
가 지난 후에도 잡지 판매점에서 판매가 되었다.

영화산업의 초기부터 대중적인 양식이 출현하기 시작했다. 이 "영화적 얼굴"은
강한 이미지와 결연한 아래턱, 긴 윗입술, 크고 열정적인 눈으로 균형이 잡혔다. 이상
적인 체격은 덜 중요했다. 영화의 여왕들은 종종 큰 얼굴과 짧고 땅딸막한 몸을 가지
고 있었다.

엘리노어 글린

완벽한 외모를 가지고 있다는 것으로 스타덤에 오르기는 충분하지 않았다. 스타들은 영화감독으로부터의 요구에 맞는 명확한 감정을 표현할 수 있어야 했다. 또한 1920년대의 여배우들은 억지 로맨틱 영국 소설가 Elinor Glyn(1864~1943)에 의하여 1925년 만들어진 말인 "섹스어필" 될 수 있는 뭔가가 있어야 했다. Glyn이 돈이 떨어졌을 때 그녀는 할리우드 스크립트 작가가 되려고 시도했고, 기대하지 않았던 큰 성공을 이루었다. 그녀의 소설, "IT"은 영화각본으로 적혀졌고, 이 제목은 대중들의 상상력을 사로잡았다. 영화에서, Clara Bow(1905~1965)는 쾌활하고 자유로운 말괄량이를 연기했다. 뻔뻔스럽고 자신이 있는 Bow는 박스 오피스에서 최고를 차지한 영화 It(1927)에 출연했고, 몇 년동안 "It Girl"로 불렸다. 유성영화가 1930년대에 시작될 때, Bow는 그녀의 브룩클린 말투로 매력을 읽어버렸고 세련됨을 잃어버렸다. 그녀는 1933년 완전히 영화에서 은퇴했고 너무 많이 공표 되는 스캔들로 그녀의 인생은 어두운 빛을 드리웠다.

클라라 보우

또 다른 스타는 Mary Pickford(1893~1979)이다. 그녀의 깔끔한 용모와, 미적인 윗입술, 슬픈 눈은 진실하고, 있는 그대로의 아름다움을 전체적으로 표현했다. 명예롭게도 그녀는 필름제작의 모든 부분에서의 진지한 관심과 함께 그녀의 매력을 합했다. 그리고 그녀가 23세쯤 그녀는 Mary Pickford Motion Picture Company의 대표로서 일주일에 10,000$를 벌어들었다.

영화에서 성공한, 하지만 있을 것 같지 않은 남자를 유혹하는 여자는 Theda Bara(1890~1955)였다. Bara는 보도기관 에이전트의 선전용 계획으로 자신의 명성을 얻었다. 그녀의 팬들은 그녀의 이국적 출생에 열광했지만 사실 그녀는 이집트가 아닌 미국 중서부지방 출신이었다.

남자들의 힘을 빼앗는 상상의 뱀파이어 이후에 번역 녹음한 "The Vamp(요부)"까지, 그녀의 영화에서의 연기한 인물은 진지하기보다는 우스꽝스러운 쪽이었다. 커다란 눈과, 휘날리는 속눈썹, 정성들인 머리장식의 Bara의 과장된 행동은 에로틱하게 보이기 보다는 바보처럼 보였지만, 그녀는 상징적으로 대중들을 기쁘게 해주었다.

메리 픽포드

테라 바라

1930년대 쯤에, 삽화가 들어간 패션 잡지는 아름다움의 규정을 새롭게 지령하기 시작했고, 큰 사업으로 추구하도록 도왔다. 활동 사진이 시작부터 대중을 즐겁게 하기 위해 고안된 것이라면 패션 잡지는 처음에는 엘리트들을 위하여 만들어졌다. 궁극적으로 이러한 출판물들은 숭배 받고 모방되는 여성의 미적 이미지를 만들어내는데 있어 영화보다 훨씬 더 중요한 역할을 하였다.

정기간행물은 처음 17세기말 정치적 뉴스와 가십, 사망기사로 가득찬 문학 리뷰로서 유럽에서 나타났다. magazine이라는 단어는 1731년 영국 Gentleman's Magazine이라는 잡지에서 소개되었다. 종교와 정치에 특별히 관심을 쏟은 주간지와 월간지가 19세기쯤에 엄청나게 쏟아져 나오기 시작했다. 삽화가 들어간 패션 잡지는 19세기에 처음 나타났다. 처음으로 그림이 들어간 여성잡지 Godey's Lady's Book는 다채로운 패션의 장으로 유명했다. 이 잡지는 1830년부터 1898년까지 필라델피아에서 출판되었다. 또 다른 패션중심 여성잡지인 월간지 Queen은 영국에서 여전히 많은 독자들에게 사랑 받고 있다.

Godey의 세련된 여성들, 1870

독단적인 매력으로 특별히 성공한 잡지는 Vogue이다. 이 잡지는 사회적 진실과 환상을 대변하는 잡지로서 넓은 지역에 걸쳐 출판되었다. 1893년에 설립된 이 정기 간행물은 사회 뉴스레터로 처음 1909년에 출판되었다. 삐그덕 거리던 출판사는 출판업자 Conde Nast에 의해 인수되었고, 그 후 이 잡지는 부유하고 재능 있는 삶은 어떤 것인지 보여주는 방향으로 잡지를 바꾸었다. 그래서 Nast는 이러한 것을 위해 1913년 편집자의 페이지에 사진을 소개하였다. 자신의 회사가 칼라 이미지를 프린트하는 기술을 완벽하게 성공시키자 Vogue는 1932년 7월분 발행물에서 Edward Steichen이 찍은 사진으로 첫번째 포토그래프 커버 잡지를 발생하였다.

이 잡지는 미인을 표현하기 위해 유명한 사진사를 고용하는 제도를 처음으로 정착시켰다. Vogue의 초기 시절에는 아름다움의 기준을 정하지 않았다. 이 잡지는 이미 받아들여지고 있는 것을 그대로 표시했을 뿐이었다. 가든파티를 여는 여성, 승마를 하고 있는 여성, 우아한 집에 둘러싸여 있는 여성 등 부유한 세계가 독자들에게 이 잡지를 통해 소개되었다.

차츰, Vogue는 사진을 통하여 아름다움을 정의하기 시작했다. 편집자는 사람들이 원하는 이미지를 고안하기 위해서 정말 부유한 사람들뿐만 아니라 사진을 잘 받는 모델을 사용하는 이점을 깨달았다. 전에는 명예와 돈이 일치하지 않았다. 하지만 이제는 사진을 잘 받는 모델들은 새로운 지위를 얻게 되었다. 이제 사진을 잘 받고 안 받고의 질이 중요한 것으로 대두되었고, 사진가들은 그가 추구하는 환상을 창조해낼 수 있었다. 비록 모델의 화장 안한 외모가 마지막 작품과 전혀 연관성이 없을지라도 말이다.

외모에 대한 추세는 1930년에 Vogue 잡지에 의해서 수면으로 떠오르고 사라져갔다. 일상적이고 정제된 고전적인 미인이 있었고, 곱슬머리와 나부끼는 옷에 감성적인 활기가 넘치는 얼굴을 한 로맨틱한 미인도 있었다. 초현실주의가 중기에 유명해지자, Vogue의 페이지는 놀랄만하게 나타나는 모델로 가득 찼다. 이 모델들은 그들이 기묘하고 비정형적인 외모를 가지고 있었기 때문에 선택되었다. 예술가 Salvador Dali의 작품과 다른 초현실주의자들은 종종 패션의 배경으로서 나타났다. 패션의 장은 백화점보다는 정신심리학자의 상담소에서 더 적절하게 보이는 꿈속의 장면으로 보이기 시작했다.

1930년대쯤 1890년대 유행했던 몸매 가꾸기와 스포츠에 대한 관심이 패션 잡지의 페이지에 반영되었다. 건전한 건강과 운동선수와 같은 대단한 능력을 추구하려는 모델들은 근육을 만들기 위해 노력하는 사람으로 사진에 나왔다. 많은 모델들은 Ingrid Bergman의 영화 Intermezzo(1939)에 나온 그녀의 빌려입은 남성복을 입고 운동하는 캐주얼하고 남성적인 이미지를 따라했다. 또한 유행했던 것은 건강과 힘에 완전히 무관심했던 외모였다. 즉 매력적이고 완벽하게 화장을 한 모델들은 패션 잡지의 페이지를 계속 장식하기를 멈추지 않았다.

그레타 가르보

Greta Garbo(1905~1990)는 1930년대의 한 명의 이상적인 여성을 상징했다. 스톡홀름의 거리 청소부의 가족에서 태어난 Greta Gustafson은 15살 때 백화점 카탈로 그의 모자 모델을 했을 때 사진으로 처음 알려졌다. 그녀는 이름을 바꾸고 나서 스웨덴의 Academy of Dramatic Theater에서 장학금을 받았으며 19살에 할리우드로 건너갔다. 그녀의 깨끗한 피부와 청아한 얼굴 모습은 그녀의 잘 보존된 비밀스러운 은은한 향기와 어우러져 그녀를 완벽하고 신비한 미인으로 만들었다.

백금의 금발머리는 중세시대 천사의 징표였으며 Chaucerian 젊은이들의 징표였다. 하지만 Jean Harlow(1911~1937)는 처음으로 몇 넌동안 계속되어온 당대의 유행을 만들었다. Harlow의 짧은 경력은 Hell's Angels 라는 1930년대의 영화로 시작되었다. 이 영화에서 그녀는 거친 금발머리로, 사랑스럽고, 장난 삼아 연애를 하며, 차가운 영화 역할의 선상에서 처음으로 연기하였다. 그녀가 신장이 안 좋아서 죽은 이후로 Harlow는 확고하게 금발머리는 아름답다라는 것을 자리잡게 했다.

다른 여배우들은 경제공황 후의 미국의 분위기에 어필할 수 있는 성숙함을 내세웠다. Joan Crawford, Katharine Hepburn과 Bette Davis는 화장으로 눈과 입을 강조하여주었으며, 어깨에 패드를 넣은 맞춤복을 입어서 확고함이 있는 외모를 양성하였다. 그들의 매력은 그들의 영화 역할과 일치하였다. 말괄량이 영화시절의 비서와 여사무원 대신, 여성 스타들은 이제 저널리스트 또는 비즈니스우먼으로서 캐스팅 되었고, 비록 그들이 아내의 역할을 하더라도 그들은 전혀 집안 일에 대하여 걱정하지 않는 역할로 나왔다. 그러나 결국 1930년대 모든 영화의 끝 부분에 가서는 이렇게 강했던 여인들이 그들을 쫓아다니던 남자에게 굴복하고 말았다.

제 2차 세계대전은 무엇이 아름답게 생각되었느냐에 대한 재평가에 상당히 영감을 주었다. 유럽이 전쟁의 혼란과 싸우고 있을 때, 미국의 패션산업은 성장했다. 상업적인 성공과 함께 미국인들의 잘생긴 외모에 대한 자신감이 또한 꽃을 피웠다. 1942년 패션 모델들은 유니폼을 입거나 건장한 건강 인으로서 그녀들의 깨끗하고 웃는 얼굴에 보여지게 되었다.

또 다른 미의 스타일은 전쟁시에 나타났다. 그것은 pinup(미인사진)이다. 이 단어 자체가 미국 육군의 호의로, 1944년에 영어에 추가되었다. 이것은 술집이나 이발소의 벽에 걸어놓는 사진을 의미한다. 심지어는 Rita Hayworth의 미인사진은 히로시마에 떨어진 핵폭탄에도 풀로 붙여있었다고 한다.

에로틱 예술을 위한 시장은 항상 있어왔다. 19세기 에로틱 사진은 할머니가 그들의 손자를 데리고 갈 수도 있는 박물관에서 찾아볼 수 있는 그림과 조각에서 영감을 받은 포즈의 모델들이 보여지고 있다. 예를 들어 Susanna가 목욕탕으로부터 나오고 있는 것, 성경책으로부터 다른 비슷한 상투적인 것들, 고전적인 유물로부터 나온 것들이 나타났다. 이 예술형식의 독특한점을 모델들의 얼굴에 나타난 허풍적이고 연구할만한 인상에 있다. 아마도 그녀는 아주 느린 카메라로 일하는 사진가들이 처음에 요구한 포즈를 끝날 때까지 유지하고 있어야만 했기 때문에 자발적으로 움직일 수 없었을 것이다.

리타 헤이워쓰

사라 베르나르의 미국 투어를 알리는 포스터,
1900
메리(Alphonse Marie Mucha)

미인사진의 기원은 19세기 연극 광고 포스터에서도 찾아볼 수 있다. 엽서크기에서 거대한 석판의 크기까지 다양했던 이러한 미인사진은 잘 알려진 미인들을 모델로 삼았는데, 이 여인들은 그녀들과 연관된 소품 즉 Sarah Bernhardt의 긴 머리, Yvette Guilbert의 장갑, Lillian Russell의 모자 등으로 나타났다.

20세기 중반기쯤, 영화 스타들은 예전 에로틱 사진의 오래된 연극 포스터를 연상시키는 포즈로 사진을 찍었다. 미인사진의 모델들은 종종 공중에게 알려지지 않은 사람들이었고 광고를 위해 포즈를 취했다. Polka Dot Girl로 알려져 있는 Chili Williams같은 몇 명은 아주 짧은 기간 유명세를 탔다. 그녀는 육군 화학 무기 서비스의 독가스 인식 프로그램에서 더 이상 그녀를 필요로 하지 않자 곧 잊혀졌다. Marilyn Monroe나 Betty Grable 같은 다른 사람들은 미인사진 시대가 지나간 후에도 오랫동안 인기를 유지해왔다.

미인사진의 여성들은 종종 서로서로 닮았다. 대부분은 건강하고 긴 다리와 커다란 엉덩이와 가슴, 뾰족하고 잘생긴 코를 가지고 있다. 그들은 친절해 보이지만은 열정적이지 않으며 미인사진의 침대실력은 그 사진을 보는 독자의 상상력에 맡겨졌다. 오늘날 Playboy 잡지에 실려 나오는 여성들의 사진처럼 미인사진의 전체적인 개념은 상상의 안전성 속에 있었다.

수영복입은 미인, 마이아미, 1948

제인 러셀

관능과 청춘은 제 2차 세계대전 이후의 매력의 열쇠였다. 1950년대 지나치게 큰 가슴을 가진 균형잡힌 여자들은 거칠고 낮은 사회계급의 질을 가졌다. 문제 많은 여성들의 역할을 연기한 Ava Gardner 와 Jane Russell은 어쩔 때는 구출되고, 어쩔 때는 대사상 남성 배우들에 의해 욕을 들어서, 대중의 사디스트 적이고 모성적이며 심지어 유치한 상상을 전달했다.

아바 가드너

1950년대의 두 번째 이상형은 어린아이 같고 수동적인 것이었다. 전쟁이 끝나고 여성들은 작업복을 벗고 그들의 본래적 자리인 집으로 돌아가야 했다. Irving Berlin의 뮤지컬 Annie Get Your Gun(1946)에서 남성들의 영웅은 그가 결혼할 상대의 조건에 대해서 노래하는데 그는 보육사처럼 부드럽고 핑크 빛이 나는 상대와 결혼할 것이라고 한다. 종속적인 것이 큰 가슴보다 더 우위로 등급이 매겨졌다.

1950년대의 미용잡지는 그 세대의 지침서의 변화에 큰 공통점을 가지고 있다. 그들은 성공을 결혼을 해서 남편의 사업을 통해 경제적 안정성을 추구하는 것이라고 정의했다. 아름다운 것이 안정적인 남편을 잡기 위해서는 필요하다는 내용 이후로 잡지는 더 이상 부유하고 사랑받는 여자들 사진만 제공하지 않았다. 대신 독자들에게 그녀들의 꿈을 달성할 수 있는 지침서를 제공해야만 했다.

대중의 감정적 수요에 대한 응답으로 프랑스 재단사 Christian Dior는 여성은 남성들의 요구를 들어주어야 한다고 구술했다. 그는 가슴과 잘록한 허리를 강조하는 옷 스타일 즉 빅토리아시대 스타일의 옷을 재 부활시켰다. 여성들은 다시 코르셋을 입기 시작하였다. 허리선 아래로 부풀어 내려오는 긴치마는 넓은 엉덩이의 상상을 창조하였다. 그들의 다리를 더 길게 보이게 하기 위해서 여성들은 힘들지만 높은 힐의 신발을 신어야 했다.

1950년에 "new look"을 창조한 파리의
패션 디자이너 크리스찬 디오르

그레이스 켈리

데비 레이놀즈

마릴린 먼로

　은막의 미인들은 종종 청춘의 이상에 맞춘다. 둥근 얼굴과 소녀 같지 않은 금발 여배우 Sandra Dee와 Debbi Reynold는 말꼬리같은 머리와 헐렁한 양말로써 그들의 관능미를 감추었다. Grace Kelly의 길들여진 머리와 조각한 것 같은 얼굴은 이러한 이상적인 모습의 성숙된 유형이었다. 그녀는 차가웠지만 위협적이진 않았으며, 그녀의 비평가들은 종종 그녀의 아름다움을 전후 열망에 맞추기 위해 종속적인 여성으로 돌아가는 뜻의 이미지인 "ladylike(귀부인 같은)" 로서 칭송하였다.

　Marilyn Monroe는 현대의 사랑스러움의 아이콘이 되었다. 그녀는 여성과 아이를 합쳐놓은 모습이었다. 그녀의 관능미는 남성들에 의해서 칭송 받았고, 그녀의 상처받기 쉬운 모습은 여성과 남성팬 모두에게서 사랑 받았다. 그녀는 Jean Harlow보다 더 금발은 미인이라는 것을 확고하게 했다. Playboy의 누드로 포즈를 취했었고 이러한 섹시함은 진지하고 재미있게 만들었다.

La dame de Pompon, 1946
진(Jean Dubuffet)

앤디 워홀(Anddy Warhol)

1950년대 예술의 형태로 이어져온 미인사진은 때때로 반어적인 메시지를 전달하였다. 예술가 Willem de Kooning은 그의 모델을 거의 여성이라고 알아보기 어려울 때까지 그 형상을 일그러트렸다. 1950년 de Kooning은 초현실적이고 일치하지 않는 몸의 부분과 누구도 아름답지 않다고 할 만한 별 모양의 눈을 표현하였다. 그러나 그의 초안을 볼 때 그가 그의 작품을 위해서 미인사진을 썼다는 충분한 증거를 엿볼 수 있다. 아마도 그의 작품은 여성의 개척과 이상화가 동시에 존재한다는 것을 설명했을 것이다.

따라오는 시대에 미인사진은 그림과 콜라주로 그들의 방향을 발견했다. Roert Rauschenberg는 초현실주의적인 표현주의자들은 붓 필법으로 미인사진을 나란히 놓았다. Roy Lichtenstein은 비치볼을 하고 있는 수영복을 입은 여자들을 그렸다. Andy Warhol(1935~1987)은 Marilyn Montor, Jacqueline Kennedy, Elizabeth Taylor같은 익숙한 얼굴을 제공했는데, 이들은 그들의 독특함을 강조하지 않기위해 다각화된 이미지로서 나타났다. 냉소적이고 재미있는 미인사진을 취급하면서 Tom Wesselman은 일요일 만화에서 처럼 극단적으로 단순화된 벌거벗은 사람들을 그렸다. 이러한 관습은 남성에게 초점을 맞춘 잡지에서도 계속되었다. 미인사진은 기분 좋게 아름다우며, 남성들은 안전하게 거절이나 성공의 두려움 없이 이 여성과 쾌락을 즐길 수 있었다.

마릴린, 1967/ 앤디 워홀(Anddy Warhol)

1967
앤디 워홀(Anddy Warhol)

쉬림턴(jean Shrimpton)

　1950년 후, 속도가 증가함에 따라 아름다움의 정의는 그 엄격함을 잃었다. 전시대에는, 유행하는 외모의 특징은 한 세기나 1년 동안 인기를 유지할 수 있었다. 작은 허리와 큰 가슴과 엉덩이는 19세기 내내 칭송 받았다. 곧은 몸선과 작은 입술의 말괄량이는 1920년대에 유행하였다. 1960년대에는, 유행의 변화의 속도가 빨라지기 시작했다. 마치 대중의 관심을 오랫동안 끌 수 없는 것처럼 보였고, 옷이 닳고 화장품을 다 쓰기도 전에 유행이 창조되고 사라졌다.

　1960년대쯤, 아름다움은 부와 지위만큼 중요한 것이 되었다. 부유한 사람들이 더 이상 멋진 외모의 세계를 점유하지 않았다. 빈민가 출신이 패션에서 유명해졌을 때, 불후의 명성을 가진 모델과 사진가 들은 그들이 하층계급 출신이라는 것을 숨기지 않았다. 런던의 동쪽 끝으로부터 영국 역사가 Arthur Marwick이 "끔찍한 세사람" 이라고 부르는 Brian Duffy, Donovan, David Bailey의 그룹이 왔다. Bailey는 1960년대의 이미지 얼굴 모델인 Jean Shripmton의 사진으로 유명하다. 그는 사냥꾼들이 먹이를 찾아 추적하는 것처럼 총대신 카메라를 들고 모델들을 어떻게 찾아다녔는지 자랑했다.

1949년 Leslie Hornby에서 태어난 Twiggy는 낮은 출신에서 높은 출신으로 급상승한 여성의 예중 하나이다. 그녀의 광고자들은 그녀의 출신을 더 낮출수록 더 좋다고 느꼈다. 그녀는 비록 그들의 아버지가 뛰어난 장인이고 그녀의 가족들이 명성 있는 지위와 수입을 가지고 있는데도 불구하고 변두리 출신의 그녀의 초기 삶을 강조하였다. Twiggy는 Justin de Villenenve로 더 잘 알려져 있는 Nigel John Davis에 의해 10대에 발견되었다. 그들은 그녀의 날씬함과 납작한 가슴을 강조했고 많은 사람들은 그녀의 지출에 대해 농담을 만들었다. 하지만 그녀의 이름이 대중의 의식 속에 남아있는 한 그녀의 모델 일은 더 많아지고 더 돈벌이가 되었다. 그녀는 사진 모델에서 텔레비전과 영화까지 일을 했다. 그녀의 첫 번째 영화, The Boyfriend(1971)에서 그녀는 그녀의 날씬함을 이용했지만, 그녀의 몸을 찬찬히 살펴보면 길고 날씬한 다리, 얇은 허리, 작은 가슴 등 매력의 전통적인 기준을 갖추고 있었다.

1960년대, 패션 모델들은 이름으로서 알려지기 시작했고 그들의 명성은 높아졌다. 과거에 모델이라는 것은 단순히 상류층 매춘의 완곡한 표현으로 여겨졌다. 하지만, 1960년대에 최고의 모델들과 그들의 사진작가들은 굉장한 돈을 받았고, 영화 스타들과 저명인사들이 주로 살고있는 매력적인 곳으로 이사했다. 영화스타들은 이제 모델과 같은 지위를 몹시 원하게 되었고, 성공한 여배우인 Ali McGraw, Catherine Deneuve, Mia Farrow 같은 사람들도 Vogue의 커버를 장식하면서 그들의 박스 오피스를 올렸다.

트위기는 롤스 로이드의 자동차를 상징하는 Sprit of Ecstasy의 상징이 되었다.

캐서린 드느브

미아 패로우

패션 모델들이 1960년대 매력적으로 지위가 상승하자, 대중들의 날씬함에 대한 강박관념도 증가하기 시작했다. 20세기 초반부터 첨단패션 사진가들은 상업적인 패션산업으로부터 아무런 주목을 받지 못하는 여위고 긴 몸에 옷을 입혀 놓는 것이 가장 멋져 보인다는 것을 증명해왔다.

다이어트는 모델 사업의 경쟁적인 본성으로 동등하게 다루어지게 되었다. 사실 모델의 여윈 몸의 기준에 도달하는 여인은 거의 없었을 뿐만 아니라, 많은 남자들도 실제로 그렇게 마른 여자를 바라진 않았다. 남성잡지는 삐쩍 마른 멋쟁이들보다는 약간 살이 있는 건강한 여자를 다루었다. 하지만 남성들에 의해서 선호되는 경향이 있음에도 불구하고, 여성들은 다이어트에 사로잡혔다. 아마 이러한 경향은, 남성들이 일이나 스포츠에서 이루는 성공처럼 여성들의 노력과 자신 컨트롤에서의 이루는 것이라는 것을 암시했다.

젊음은 1960년에 강대한 영향력을 행세했다. 패션은 짧은치마와 짧은 바지를 입은 젊음의 자연적인 특징을 보여주었다. 문화적 영웅은 Beatles나 Rolling Stones같은 젊은 연예인이었다. 이러한 "한창의 아이들"은 아름다움의 개인적 기준을 충족시키지 못할 때도 있었다(그들의 자연스러움이라는 것은 종종 안 씻은 것이었고, 사랑스러움과는 전혀 연관되지 않은 특성이기도 했다). 하지만 패션 디자이너들은 그러한 그들의 긴 머리, 하늘거리는 옷에서 잡은 재미있는 특징을 시대상의 아름다움의 정의로 포함시켰다. 그러나 역설적으로 화장하지 않는 히피처럼 자연스럽게 보이도록 디자인된 화장을 하기위해서 거울앞에서 몇시간을 보내야 한다.

이국적인 풍경, 1969

128

디자이너와 군중들은 이국적인 것을 받아들
이기 위해 노력하였다. 예를 들어 1967년도
에는 북아프리칸 룩이 유행했다.

실험적인 것에 대한 도전과 색다른 것에 대한 수용은, 히피세대의 소수민족의
의상에 대한 관심과 함께, 처음으로 백인이 아닌 인종의 미가 미국에서 받아들여진
것이었다. 디트로이트 출신 흑인여성, Donyal Luna는 더 자유적 분위기가 있는 유
럽에서 일을 시작했다. 미국 패션에서 어떤것이 수용될 수 있는 가에 대한 의견을
가진 사람들이 그녀의 아름다움을 인식할 준비가 되었을 때, 그녀는 Vogue 같은
잡지에서 일하는 첫 번째 흑인 모델이 되었다. Negro라는 단어는 Black이나
African-American으로 바뀌었고 Black is beautiful(흑인은 아름답다)라는 슬로건은
새롭게 흑인의 의식 속에 자랑스러운 신조가 되었다.

여러 색의 아세테이트로 만들어진
1968년에 입었던 미니 드레스

부룩 쉴즈

나스타샤 킨스키

20세기가 진행하면서, 대중들은 음식, 옷, 오락뿐만 아니라 아름다움의 평범한 기준에 대해 권태를 느끼게 되었다. 증가하는 불안감과 페미니즘이나 더 건강해지고 더 부유해진 나이든 여성세대의 사회적 사실에 대한 선호에 의해 아름다움의 기준은 팽창되었다.

최근까지, 아름다움의 전통적 개념은 "흥미있음"을 포함하지 않았다. 전에는 이런 단어로 표현된 여성들은 그녀가 예쁘다기보다는 덜 매력적이라는 것을 의미했다. "흥미있는 얼굴"은 그 여성이 확실히 못생겼다는 것보다는 더 매력이 있다는 것을 암시하지만, 그녀는 이 매력을 약간은 사실 같지 않은 것으로 느낌을 받게 되었다.

오늘날 흥미있다는 것의 정의는 아름다움의 모든 요소인, 재치와 지능, 자신감, 섹시함까지 표현한다. 비록 그들이 반짝 스타라 해도, 모델과 미디어 스타가 대중을 사로잡는 것은 컴플렉스에 의한 것이다. 전에 결점이었던 것이 지금은 사람을 사로잡게 하는 것이 될 수 있다. Lauren Hutton의 사이가 벌어진 치아는 Revlon 화장품의 몇 백만 달러 판매에 도움을 주었다. Barbra Streisand의 울퉁불퉁한 코는 Garbo의 완벽한 똑바른 코만큼 찬양 받았다. Brooke Shields의 풍성한 눈썹은 짧은 라인을 만들기 위해 뽑혀졌을 것이다. 또한 전의 사람들은 Nastassia Kinski의 부조화스럽고, 숨기는 듯한 외모에 매료되지 않았었다.

시간이 지나면서, 흥미의 정의는 점차 광범위해져갔다. 그래서 주목받기 위해서 아름다움을 원하는 여성들은 그렇게 하기 위해 어려운 시간을 보냈다. 그들은 아름다 워지기에 충분하도록 흥미를 유발하기 위해 어떤 격렬한 것을 하거나 극도의 어느 것이든 해야한다고 느꼈다.

1980년대 아름다움과 연관된 외모는 전에는 금기시되어 온 노여움과 거만함의 아름다움이었다. 사진가들은 Revlon의 1980년 중반 성공한 Revlon 캠페인 광고의 부분으로서 "세계의 가장 아름다운 여성들"이라고 이름 붙인 여성 모임의 정력적인 모습을 잡았다. Vogue의 커버페이지는 독자에게 복종하도록 도전하는 눈을 가진 모델을 실었다. 많은 패션 잡지는 수수께끼 같은 퇴폐적인 모델이 가죽옷을 입고 있는 것이나 힘 좋은 차를 타고 있는 것을 실었고, 이러한 여성들은 보통 우세한 남성들과 팀을 이루었다. "만약 과거의 아름다움이 천국을 자극한 것이라면 현대의 아름다움은 지옥의 속성까지 포함합니다."

빅토리아 러스킨

쥬디 클레인

파라 포셋

비록 색다르고 과격함이 1970년과 1980년의 미의 개념에 포함되었지만, 고전적이고 단순한 아름다움은 여전히 자리를 차지하고 있었다. 오늘날 광고와 잡지 커버의 많은 부분이 이러한 입지를 고수하고 있으며, 환자들의 모습을 바꾸는 것을 추구하는 성형외과병원, 치아를 교정하는 치열 교정의사, 치아를 하얗게 하는 성형치과의사, 결점을 없애는 피부과 전문의 같은 사람들의 성형수술이 꾸준히 증가하여왔다. 고전적인 아름다움이 사라졌다는 것과는 거리가 멀다.

1890년의 자전거 타는 여성이 소개된 것과 1920년 Charleston을 추던 지치지 않는 춤꾼 등, 건강과 아름다움의 연합은 1970년에 완전히 꽃피었다. 아마도, 이러한 관심의 물결은 그들 자신이 매력의 기준을 남성이 만드는 것에서 벗어나 스스로 정의하는 데서 유래했다. 여성 해방론자의 사상은 전통적인 남성이 요구하는 수동적인 미인이라는 전통적인 관념에서 탈피하기 위해 힘이 필요하다는 것이다. 현재의 관념은 매력이란 힘과 관능적인 매력이 합해진 것과 같다는데에서 절충하고 있다.

최근에 유명한 미인은 애로틱한 형식에 맞춰졌다. 모델이자 여배우인 Farrah Fawcett은 1970년대의 셀 수 없는 탈의실과 대학 기숙사에 걸려있는 포스터에 달라붙는 수영복을 입고 나왔지만, 그녀는 또한 굉장히 건강했다. 10년 후에, 가수이자 여배우인 Cher는 관능적인 것을 암시하는 외모와 목소리로 된 그녀의 앨범을 팔 때 한 텔레비전 헬스스파광고에서 땀을 뚝뚝 흘리고 있었다.

사람들이 좋아하는 사람들이 건강하기 때문에 여성들은 그것에 맞춰 따라가기를 원했다. 지난 20년 동안 여성잡지들은 운동에 관한 기사를 실었다. 기품, 에너지, 근육에 대한 약속도 독자들을 유혹했지만, 빨리 몸을 만드는 운동, 늘어진 근육을 위한 운동은 눈 화장 색이 어떤 것이 유행하나, 케이크 만드는 법, 남성을 침대에서 만족하게 해주는 법 등과 함께 잡지에 실렸다.

백인이고 날씬하고, 젊음(17세에서 27세사이)이라는 만족스러운 아름다움의 개념을 위해 고군분투했던 여성들은 여성 모임은 그들 자신들이 기준을 만들기로 결정했다. 소수민족들은 그들의 위치가 그리 작진 않다는 것을 알았다. 1970년대, 흑인은 2300만 명을 넘어섰고 백인은 1억 500만 명이었다. 5명중 한 명의 여성은 흑인이었다. 흑인여성들은 그녀들 자신의 정체성을 가질 권리가 있다는 것을 인식했다. 그들은 백인 기준에 그들을 맞춰야 할 필요가 전혀 없다고 결정하고 곱슬머리와 어두운 피부색도 아름답다고 주장했다. 다른 소수민족의 여성들 역시 그들 자신의 목소리를 내기 시작했고, 크다는것, 작다는것, 나이가 들었다는것 등등이 매력 있다는 관점에서 부적격하다는 것은 부당하다는 것을 선언하였다.

1980년이 지나면서, 아름다움이 곧 젊음이라는 전에 강하게 영향을 끼쳤던 것으로부터 벗어나기 시작했다. 성숙한 여성이 매력적이고 관능적이라는 인식도 생기기 시작했다. 여성운동에 영향을 받아, 40세 이상의 여성 소비계층이 다수를 차지한다는 것을 생각한다면 이러한 사상 또한 실제적으로 유용한 문제가 되었다. 미국 인구조사 기관에 따르면, 1960년보다 1987년에는 1600만 명이나 많은 40대 이상의 여성인구가 생겼다. 1940년대의 베이비붐은 1960년대의 엄청난 10대 소비계층을 생산해냈다. 20년 후 이 10대가 국가의 수입을 중요한 부분을 벌어들이는 어른이 된다. 더 젊은이들을 위한 정해진 옷과 외모를 거부하는 이들을 그들 자신의 취향과 흥미에 맞는 상품

두 번째 미스 아메리카는 Mary Catherine Campbell로 빨간 머리와 조그만 발을 가지고 있는 15세 여성으로 그녀가 미스 콜럼버스가 되었을 때는 최소 나이보다 한 살 어렸다. Campbell은 미스 인디아나 폴리스가되었다. 대서양 연안에서 승자가 된 후, Campbell은 넵튠왕 코트의 여왕으로 디스플레이 되어졌다. 1922년 King Nep-tune은 지역 호텔 소유주의 69세 친구인 Judson Maxim이 연기했다. 수염이 있는 Maxim은 냄새에 정확히 민감했고 특히 파우더 냄새에 그랬다. 대서양 도시에서 그는 비위에 안 좋은 냄새로부터 보호하기 위해 화장용 파우더를 바르지 않은 scent guard 라고 알려진 18명의미인들에 의해 항상 둘러 쌓여져 있었다. 시사후에 Campbell과 떨어진 참가자들이 무대위에서 Maxim의 왕관주위를 에워쌓다. Maxim의 무대위에 있는 여성들은 "비너스", 예를들면 Great West의 비너스, Sunshine State의 비너스 등 등으로 별명지어졌다. 오스트레일리아에서 온 미인이 시상식에 방문했을때 그녀는 Bush Country의 비너스라 불리었다.

세 번째 대회에서는 36주를 대표하는 75명의 매력적인 여성 출전자들이 미인 대

넵튠왕이 1922년 미스 아메리카에게 왕관을 씌워주고 있다. 메리 캠밸, 아틀란틱 시티

회에 나왔다. 이 대회에서는 심사위원의 명부에 예술가 Norman Rockwell을 포함시켰다. Mary Catherine campbell과 Margaret Gorman은 왕관에 또다시 시도하기 위해 돌아왔다. Campbell과 미스 부룩클린 Ethelda Bernice Kenvin이 막상막하였다. 퍼레이드에서 한발 앞선 Campbell이 승자로 선택되었다. 대회가 끝나갈때쯤에 Kenvin이 피츠버그 Pirates 1루수의 아내였다는 비밀이 드러나면서 자격을 박탈당했다.

1920년의 미스 아메리카 대회는 논쟁의 좋은 이유를 불러일으켰다. 뉴저지, Trenton의 젊은 여성들의 크리스천 협회(YWCA)는 "대회전에 참가한 선수들은 순수하고 여성적인 본보기였지만, 대회 후에 그들의 머리는 부도덕한 생각으로 가득차 버렸다"라고 논평했다. North Carolina의 카톨릭 주교는 이러한 구경거리는 여성의 매력을 착취하는 것이라고 비방하였다.

미스 아메리카는 세속적인 비난 또한 받았다. 이러한 행사를 비난하고 기사와 사설이 동부 해안의 신문에서 나타났다. Philadelphia Bulletin은 전시를 위해 행진하는 여성이 과연 바람직한가에 대해 의문을 던졌다. New York Times의 작가는 수영복을 입은 소녀들을 미리 판단하는 뒷모습을 고발하고 Atlanta시를 휴양지로 발전시키기 위한 수단으로 이러한 대회를 이용하는 것을 비난했다.1923년 대회의 수석 심사관 역시 왜 "실제 미국 여성 즉 대학생 타입"이 그 대회에서 뽑히지 않았는지에 대해 의문을 가졌다.

대회 참가자 외모의 세세한 부분도 논쟁의 쟁점으로 떠올랐다. 단발머리는 행실이 좋지 않은 여자와 관계가 있었기 때문에 머리 길이가 주요 이슈로 떠올랐다. 반면에 빅토리아시대 여성들에 의해 선호되던 길게 땋아 올린 머리는 절조 있고 규율 있는 아름다움으로 생각되었다. 대회 주체 측은 짧은 머리를 극히 반대했고 그것을 핸디캡으로 선언했다. 하지만 그들은 후에 망신을 당했다. 비록 Margaret Gorman의 고수머리는 어깨 아래로 내려왔지만 18에서 20명의 다른 참가자들은 단발머리를 하고 있었기 때문이다.

미인대회 주최자들은 이러한 비난을 피하기 위해 노력했다. 1925년 대회 주최자들은 이의를 달 말한 여지가 있는 모든 요소들을 가지고 있는 참가자들, 예를 들어 주임목사의 딸이나, 학교 선생님, 여대생 등은 받지 않겠다고 선언했다. 1927년의 승자 Lois Delander는 담배를 피우지 않고 차를 마시거나 커피를 마셨으며 피클을 먹었다. 그녀의 머리는 풍성했으며, 그녀는 그녀 부모의 20번째 결혼기념일에 우승을 했다. 하지만 비록 대서양 도시 상업 회의소가 수영복 경쟁을 제거하는 것을 요구하였지만 불만이 터져 나와 이 대회는 1928년까지 이어지지 못했다. 1935년 이 대회가 다시 부활되었을 때 재미있는 구성요소가 첨가되었다. 재능이란 물론 산수를 잘하는 것보다는 노래와 춤에 능한 것을 의미한다. 하지만 관리들은 지능이 외모보다 중요성은 떨어지지만, 지능 역시 무시되어서는 안 된다는 것을 확실히 했다. 1936년 미인대회의 개막식에서 낭독된 연설문에서, Atlanta시의 시장은 "우리는 과거에 미인 대회가 길거리 쇼의 하나로 퍼레이드 형식으로 진행된 것을 알고 있습니다. 이번 대회는 아름다움의 고급형을 추구하는 문화적 이벤트입니다"라고 말했다.

초기의 미스 아메리카들은 같은 형식으로부터 선발되어졌다. 그 여성들은 보통 수줍음을 탔고 대중에게 자신을 보이는 것에 대한 관심도 없었다. 그들은 태양에서

미스 요커, 1934

한순간 빛나자마자 곧 조명 아래로 사라져갔다.

후에 이루어진 대회에 참가한 참가자들은 예술 쪽이나 할리우드에서 직업을 가지고 있는 사람들이 출전하였다. 1922년 Atlanta시에서 영화축제가 열렸는데, 같은 해 유니버설 영화사도 각 출전자의 테스트 필름을 만들었다. 1920년 중반쯤에 이러한 미인 대회와 쇼 비즈니스 사이에 긴밀한 관계가 형성되었다. 1925년의 출전자들은 심지어 만약 그녀가 대회에서 우승하면 영화사에 출연 계약을 맺어야 한다는 강요까지 받았다. 하지만 대부분의 미인대회 출전자들은 그러한 계약을 하질 못해 안달이었다.

1925년 대회의 우승자는 Fay Lanphier로 미인대회 우승 후 할리우드로 가는 전형적인 미인대회 우승자이다. Lanphier는 관능적인 은은함을 풍기고 있었고, 미인대회에서 미래의 명성을 쟁취하려고 굶주리고 있었다. 16주동안 그녀는 개인적인 투어를 가졌고 그 동안 그녀는 공식적으로 50,000달러를 벌었다. 그녀가 수영복 대회의 우승자에 관한 파라마운트사의 영화 American Venus에서 주연을 했다. Lanphier는 또한 Laurel과 Hardy의 영화에도 출연했지만 그녀의 연기실력이 형편없었기 때문에 계약이 취소되었다. 짧은 결혼생활 후에 Lanphier는 파라마운트 스튜디오 사에 비서로서 채용되었다.

Fay Lanphier는 영화에서 성공을 거두지는 못했지만, 대회의 주체자들은 미인대회 우승자에게 상의 일부로서 스타덤을 약속하였다. 그들은 그들 자체적으로 영화도 만들었다. 미인대회가 1935년 부활했을 때, 제작자들은 "우리가 미인대회에서 뽑는 목표중의 하나는 영화에 잘 어울리는 여성이다. 그러한 방식으로 대중들을 위한 구경거리는 전국적이 될 것이다." 라고 말했다.

페이 랜피어, 미스 아메리카, 1925

1935년 대회의 공식적인 부활은 대회를 수지맞는 것으로 만든 이사 Leona Slaughter 아래서 시작되었다. 대회의 위상을 높이기 위하여 Slaughter는 상으로 대학 장학금을 소개했다. Philadelphia Variety Club 지도자를 따라서, 시민 단체들도 지역적 스폰서에 등록하였다.

Miss America라는 단어가 1950년까지 저작권을 등록하지 않았기 때문에, 나라 전체에 너무도 많은 Miss America 들이 넘쳐 났다. 이러한 같은 이름의 많은 여왕들 때문에 Alanta시 대회 관리들은 그들은 최초의 대회를 부활시키려 할때 곤혹을 느꼈다. 1935년 Florence Cubbitt는 산디에고주 박람회에서 Miss America 타이틀을 획득했다. New Jersey 대회 주최자들은 그들이 그녀가 대회 후에 2년 동안 누드모델을 할 수 있는 자격을 상으로 받았다는 것을 알았을 때 질려버리고 말았다.

초기의 대회에서, 경기의 규칙은 사실이 밝혀진 후에 만들어졌다. 초기에는 결혼한 여성이나 7개월이 된 아이가 있는 엄마들도 참가자들 속에 끼여있었다. 결혼한 여인들은 출전할 수 없다는 금지조항 전에, 대회 주체자들은 자격이 안되는 지원자들이 고소를 하는 바람에 곤혹을 겪었다. 한 젊은 여성은 1937년의 Miss Western Pennsylvania로서 그녀를 "dancing divorcee춤추는 이혼한 여자"라고 소개했다가 규정에 어긋나서 접수조차 할 기회를 잃고 말았다. 1937년의 대회는 새로운 제한규칙인 Miss long Island나 Miss anthracite같이 지역적이고 상업적인 타이틀을 가지고 있는 여성은 출전자격을 주지 않겠다는 것을 만들었다. 1939년, 대회 조직자들은 전국적인 대회를 열려고 하는 포부를 정당화시키기 위하여 오로지 주타이틀을 가지고 있는 여성들만 대회에 참가할 수 있는 기회를 주었다.

샐러리 여왕, 1937

1952년 미스 아메리카 선발대회의 참가자들이
아틀란틱 시티의 길거리에서 포즈를 취하고 있다.

1935년 이후의 Miss America들은 놀랍게도 다양하다. 때때로 우승자들은 전통적인 가치를 유지하는 심판관과 대중들에게 맞추었다. 1930년 말의 우승자들은 영화 스타로서의 길을 걸었다. 제 2차 세계대전 이후의 우승자들은 강한 의지력이 있고, 독립적이며, 스스로 살아갈 수 있는 강인한 여성의 이미지를 가지고 있었다. 대회가 1950년대 텔레비전 방송을 타기 시작하자, 우승자들은 사진이 잘 받고, 재능이 뛰어나며 영화의 신 Grace Kelly와도 견줄 수 있는 그러한 이미지였다. 지난 20년 동안 Miss America들은 대학 캠퍼스에서 쏟아져 나왔고 그들은 똑똑하고 신뢰할 수 있는 젊은 여성의 이미지를 만들어갔다.

말린다 프레이, 미스 산타 크루즈 컨트리, 1990.
23살의 승자는 장학금으로 만달라를 사용하여
심리학 학사, 석사의 학비를 충당하였다.

바네사 윌리암스는 1984년 미스 아메리카가 되었다.

　　몇몇의 Miss America들은 그들의 임기 전, 그리고 임기동안, 임기 후에 악명을 떨치는 것을 즐겨왔다. 다른 Miss America들은 그들의 대회 우승을 발판으로 직업이나 결혼으로의 성공으로 나아가기도 하였다. 다른 우승자들은 대중들의 선호를 임기동안 키운 뒤에, 교외에서 평화롭고 선망을 받으며 자리잡은 사람들도 있다. 한 Miss America는 Billy Graham보다 더 영감을 주면서 말을 한다고 전해졌으며, 다른 이는 Howard Hughes의 청혼을 거절하기도 하였다. 1926년의 Miss America Norma Sallwood는 부유한 석유 산업가와 2번 결혼했으며, 부도덕한 행동뿐만 아니라 2년 동안 계속 술에 취한채 지낸것으로 비난받았다. 한 순진한 우승자는 우승 후에 사기꾼에게 속아서 관리들이 그녀를 구출하기 전에 뉴욕의 Waldorf Astoria Hotel에 감금되어 있었다. Vanassa Williams는 63번째 Miss America로 1983년 뽑히었다. 그녀가 10개월 동안 그녀의 임기를 수행하고, 35,000의 장학금과 125,000의 출연비를 받은 후에야 대회 관계자들은 그녀가 몇 년 전에 누드모델을 했었다는 사실을 알았다. 사진은 Williams의 후계자를 선택하는 기간동안 Penthouse 잡지에 실렸다. 비록 특별하게 Miss America가 누드모델을 하지 말아야 한다는 규칙은 없었지만, 대회 관계자들은 "우승자는 그녀의 임기동안 왕관의 명예를 훼손하는 일이 없어야 한다" 라는 계약을 파기했다는 내용에 동의했다. 비록 1976년 낙태와 마리화나에 대한 Tawny Godin의 거침없는 말, 1983년 Debra Sue Maffett가 자신의 코를 수술했다는 것을 밝힌 것 등에서 전의 우승자들은 그들의 왕관을 유지했지만, Williams의 도덕적인 위반은 용서될 수 없었다. 누드모델은 한 이유로 Wiliiams는 그녀의 왕관을 양도해야 했다.

정치적 사회적 분위기가 바뀌어도 대중들의 미인 대회에 관한 매혹은 바뀌지 않았다. 여성운동가들은 미인대회는 여성을 이용하는 것이라고 했지만 조사에 따르면 1970년대에만, 8000만 명이 넘는 사람들이 텔레비전으로 그 대회를 시청했다. 하지만 Miss America는 승리 이후에 거의 텔레비전에 나타나지 않는다. 그녀와 계약한 사람들은 그녀에게 쇼핑몰이나 무역전시관 같은 곳에 개인적인 출연을 요구하지만 텔레비전에 나오는 것은 요구하지 않았다.

　　　미국이 왕가가 없기 때문에 Miss Amercia는 국내산의 공주대접을 받았다. 그녀는 서민들 중에서 발견된 신데렐라의 동화 속 이야기를 대표했다. Miss America는 아름다운 외모, 약간의 문화적 매너만이 기대된다. 많은 사람들이 그 여성이나 그녀가 대표하는 것을 싫어할 수 도 있지만, 더 많은 사람들이 그녀를 보기 위해 백화점에 몰려들고 쇼핑몰로 달려갔다. 인정 많은 공주 포즈를 한 그녀 사진 주위에는 남성들이나 커서 그녀처럼 될 것같이 생긴 어린아이들이 함께 있었다.

　　　미국인인 경쟁 의식에서 본다면, 만약 한 주요한 대회가 그렇게 성공했다면 왜 두 번째는 안되겠는가? 아니면 세 번째는? 1951년 Miss America 임원에게 반감을 품고 한 수영복 제조회사에 의해 Miss Universe 대회가 생겨났다. 상업주의를 피하기 위하여, Miss America 위원회는 스폰서인 수영복회사에 참가자의 사진제공을 거절하였다. 스폰서는 미인 대회가 광고에 좋은 요소라는 것을 알고 있었고 그는 아름다운 여성은 더 많은 수영복을 팔 수 있다고 생각했다. 그는 거절당했지만, 사업을 다른데서 시작하였다. 그리고 Miss Universe 대회를 만들었다. 원래의 이름은 Miss United Nations였지만 이 단어는 너무 많은 정치적인 색체가 있어 Miss Universe로 바꾸었다.

1955년 캘리포니아, 롱비치, 퍼시픽 해안 클럽에서 미스 유니버스 출전자들이 포즈를 취하고 있다.

Miss Universe 대회는 참가자의 외모를 우선적으로 선발했다. Miss Universe와 비슷한 대회인 Miss USA는 가끔 Miss America 대회보다 더 많은 텔레비전 시청자를 끌어들이기도 했다. 1984년 몇 달 후에 방영된 Miss America 대회보다 많은 170만 명의 가구에서 Miss Universe 대회를 시청하였다. 이들은 Madison Avenue를 꿈꾸는 시청자들로 여성시청자의 53%는 18~49세 사이의 소비자 계층이었다.

미스 유니버스와 다른 당선자들, 1963

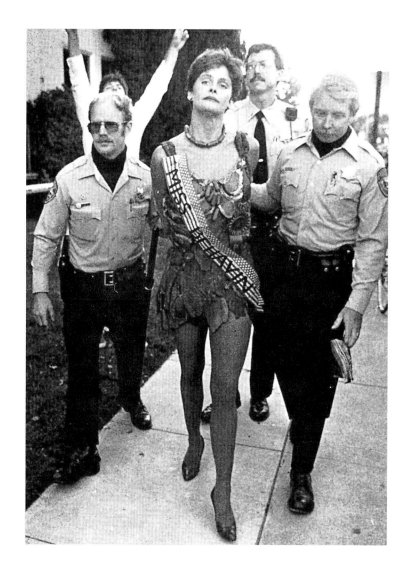

전 모델인 앤 시몬튼과 경찰들의 에스코트, 볼로냐와 소시지로 장식된 옷을 입은 그녀는 미인대회 반대 시위에 참가했다.

　　적어도 미인대회는 여성을 이용하는 것이라고 믿는 여성 권리 보호자 같은 사회의 한 부분에서는 잦은 데모와 시위를 펼쳤다. 이 여성운동가들은 자동차나 비누 같은 것을 사람들에게 사도록 하기 위하여 여성의 몸의 매력을 내보이는 모델이 될 수 있도록 하는 이 대회에 반대하였다. Miss California 대회의 전의 장소였던 California의 Santa Cruz에는 여성문제를 다룬 서점과 여권운동단체사무소, 진보적인 생각을 가진 캠퍼스인 캘리포니아 대학이 있다. 여성단체인 "Praying Mantis Women's Brigade"는 대회가 이웃동네인 San Diego해로 옮겨질 때까지 엄청난 연례 시위를 펼쳐왔다. "Myth California"라고 불리었던 이 집회는 1980년에 시작하였다. 수영복 심사가 텔레비전으로 방송되는 동안 집회자들은 빨간 리본에 싼 생고기를 무대에 던졌다. 후에 그들은 소름끼치는 가발과 두꺼운 입술을 한 여성들과 함께 비꼬듯이 행진을 하였다.

　　"Myth California"는 전의 모델 Ann Simonton이 1982년에 운동에 참여함으로써 전국적인 평판을 얻었다. 14살부터 성공의 길에 들어선 Simonton은 25세가 되었을 때 환멸을 느끼게 되었다. 그녀는 단지 돈을 위해 그녀의 몸을 전시하기를 바라는 상업주의에서 신념을 잃었다. Santa Cruz의 main street를 그녀는 하이힐과 30파운드나 되는 볼로냐 소세지와 붉은 색의 고기로 만들어진 몸에 딱 붙는 미니스커트를 입고, 소시지로 만든 목걸이와 왕관을 쓰고 시위 행진하였다. 그녀가 두른 장식띠에는 타이틀을 Miss Behavin이라고 썼다.

모든 여성들이 패션모델이나 미인대회 여왕들이 여성의 품격을 떨어뜨린다고 생각한 것은 아니다. 어떤 사람들은 이것을 단지 매력을 이용하여 전성기에 하루에 10,000에서 15,000의 이익을 챙기는 직업의 하나로 보았다. 이것보다 적게 버는 미인대회 여왕은 짧은 기간동안 대중들의 선망을 즐겼고 그들의 기구로서 남겨졌다.

차킹스쿨, 1969

하지만 대회 진행을 믿는 사람들에게 이 시스템은 정직한 방향으로 이루어질 수 있다. 대회 이미지를 깨끗하게 유지하기를 원하는 훌륭한 사람들도 존재한다. 그들은 출전자를 보호하고 그들을 후원하는것에 자랑스러움을 느낀다. Texas의 El Paso의 Guyrex 회사는 Miss Texas USA 대회를 지휘하고 승자에게는 행실, 화장법, 옷, 움직임, 연설 법을 교육시켜 전국 미인대회를 대비하게 하였다. 7개월 동안 계속되는 혹독한 기간동안, 대회 우승자는 비즈니스 매니저라고 불리는 샤프롱(사교계에서 시중드는 나이 지긋한 기혼 여성)과 함께 여행을 한다. 승자는 지역의 박람회, 쇼핑몰, 대회의 스폰서를 대표하는 축제에 참가한다. 스폰서들은 여성의 서비스를 위하여 Guyrex 회사에 돈을 지불하게 되고 밍크코트나 자동차 돈 같은 물품을 그녀에게 제공하기도 한다. 한달 동안 몇백에서 몇천 마일의 여행을 계속 해야되는 젊은 여성에게 "아름다움"이라는 것은 반드시 정신적인 착실함을 포함하고 있어야한다. Guyrex 회사 관리들은 그들의 고객을 이용하는 것을 방지한다는 점에서 자랑스러움을 느꼈다. 그들은 동의를 얻은 계약서에 쓰여있는 요구 안에서 서비스와 보상을 유지하면서 프로 적인 매너로 여성들을 다루었다. 여성은 스폰서와, 조성자에게 충성을 가져다주었다. 많은 여성들은 그들의 의무적인 투어기간동안 공공 관계와 광고에서의 직업을 완벽하게 준비하기 위해 업적을 쌓았다.

매년 약 80,000의 여성들이 읍, 군, 시 별로 Miss America 대회에 의해 제공되는 500만 달러의 장학금을 위하여 경쟁하였다. "Bible Belt"라고 불리는 서부 주 텍사스가 가장 많은 관심을 보였다. 어릴적부터 소녀들과 젊은 여성들은 대회를 위한 단련으로 그들의 재능을 완벽에 가깝게 만들었다. 대부분의 여성들이 노래를 했지만, 다른 습득 지식은 옷 디자인, 훌라춤, 탭댄스 등도 포함한다. 정규 교육과정은 비공식적인 자격요건이었고, 더 이상 정확한 몸치수를 재지 않았다. 그녀의 대관식 이후에, Miss America는 결코 공식적인 자리에 수영복을 입지 않았으며, 대중에게만 특별하게 그녀의 재능을 펼쳤다.

비록 텔레비전 시청률은 미국 국민의 3분의 1인 7500만 명의 시청자로 요즘들어 약간 떨어졌지만 미인대회는 볼거리가 충분한 쇼가 되었다. 라이벌인 Miss Universe 대회는 51개국의 나라에 방영되며 60억 명의 시청자가 이 대회를 보고 있으며 세계에서 가장 많이 보는 프로그램으로 여겨진다. 그리고 4분의 3의 시청자는 여성이다.

눈물을 글썽이는 미스 일리노이즈, 마르조리에 빈센트가 1991년 미스 아메리카로 선정되어 1990년 미스 아메리카였던 데비 터너에게서 왕관을 건네받고 있다.

　미인대회, 특히 Miss America는 그들의 조직의 대표로서 발전되어왔다. 각각의 대회는 아마추어적 지위에 자부심을 갖는다. "professional beauty, 프로 적인 아름다움" 이라는 탐욕과 자본주의의 욕구를 연상시키는 이 단어 안에서, Miss America같은 대회의 관리들은 아마추어들에게 엄격한 규율을 적용하여 참가시켰다. 이 규칙은 한 번 우승한 여인이 다시 우승할 수 없다는 것이다. Miss America의 매혹적인 부분은 옆집소녀의 매력이며, 그녀가 우승했을 때 깜짝 놀랄 현명함을 위해 그녀의 능력을 감추고 있는 여성이다. 하지만 지방 여성이 우승자의 자리로 쉽게 갈 수 있다는 생각은 너무 순진한 것이다. 사실은 대부분의 대회 참가자들은 엄청난 돈을 들여서 후보에 적당한 모습을 만들기 위해 노력해온 여성들이다. 준비과정에서 너무 투자한 몇 명의 후보들은 자신의 법적 주소까지 바꾸면서 다른 사회나 주에서 뽑혀왔다. 미인대회 우승자들은 겸손함으로 그들의 승리를 자랑삼아 보이거나 하지 않는다. 그들의 준비과정의 순간들을 부정하는 듯하게 보이는 장면에서 우승자들의 그들이 기대하지 못한 행운에 놀랐다면서 눈물을 쏟는다.

미스 캘리포니아, 데브라 수 머펫은 1983년의 미스 아메리카이다. 그녀 주위로 서있는 여인들은 미스 알라바마, 미스 테네시, 미스 미시시피, 미스 오클라호마.

우승자는 종종 예견될 수 있다. Northern Illinois 대학의 컴퓨터 분석가 George Miller는 매년 데이터 분석에 기초를 둔 가끔은 정확한 예견서를 만든다. Miss America는 21세의 5피트 6인치의 키를 갖고 있을 것이며 119파운드의 체중이 될 것이다. 그녀는 갈색 눈동자와 가슴 34, 허리 24, 엉덩이 34일 것이다. 그녀가 인종적인 매력을 가질 가능성도 있다. 명확하게 보이는 인종적인 정체성을 가지고 있는 여성이 마지막까지 가는 경우는 거의 없다. 1945년 Miss America인 Bess Myerson은 대회 역사상 유대인이 우승한 특별한 경우였다. Myerson은 병적인 인종차별에 반대하는 상대방과 싸운 전쟁인 제 2차 세계대전 말인 1945년에 대회에서 우승했다.

더 전형적인 경우는 1982년 Miss Alabama인 Yolanda Fernandez이다. 비록 그녀는 우승할만한 충분한 대중성을 갖고 있음에도 불구하고, 그녀의 아름다움도 그녀의 이름과 그녀의 스페인 계의 검은 레이스 가운, 취미인 플라멩코 춤을 극복할수 없다고 얘기되어졌다. 야구 영웅 Jackie Rovinson처럼 흑인의 미를 풍기기보다는 검은 피부를 가진 백인여성의 아름다움 쪽에 가까운 외모를 가지고 있는 Vanessa Williams는 흑인여성으로는 처음으로 미인대회를 우승한 여성이었다.

생각할 수 있는 모든 인종적, 상업적, 종교적 단체를 포함하여, 미국에서 매년 열리는 미인대회는 750,000여 개로 측정되어진다. National Guernsey Queen은 Miss Agriculture(Miss 농업)이라는 타이틀로 Maryland Dairy Princess와 Pork Industry Queen에 대항하여 열렸다. Miss Gum Sprits(Miss 고무)는 Georgia의 테레빈 산업을 대표하는 대회였고 16사이즈 이상을 입는 거대한 여성 대회도 Big Beautiful Women 잡지의 스폰서로 열리었다. Miss, Mr Sexy USA대회 심사관들은 심전도로 자신의 맥박을 측정하도록 하여 가장 높게 맥박을 올리게 한 후보자를 우승자로 결정한다.

대회의 가지각색의 이름에도 불구하고 몇 백개 대회의 대부분 출전자들은 보통 젊은 여성들이었으며 서로 경쟁하여 가장 아름다운 여성이 우승자로 뽑혔다. 하지만 몇몇 대회는 나이, 몸매, 관능의 특성을 대표하는 출전자들로 이루어진 별난 대회도 있었다. 근육질의 몸매를 보여주는 것이 포함되지 않는 남성대회는 별 인기를 얻지 못하였다. Mr Male America같은 대회는 그들의 매력, 명료성, 활동적인 성격을 증진, 지역사회에서 활동적인 것을 시키는 것을 참가자들에게 요구하였다. 그들 역시 수영복과 파티복 퍼레이드를 하였다.

미스 지하철, 뉴욕, 1964

1987년 글로리아 175파운드 이상 나가는 사람들의 미인 선발대회가 열린 부룩클린에서 자태를 뽐내고 있다.

165

여성 바디 빌딩 대회, 밴쿠버, BC, 1990. 8

　　울퉁불퉁한 근육의 남성 체격을 비교하는 대회도 있다. 비슷하게 근육이 발달한 여성들이 경쟁하는 대회도 있다. 역사적으로 이러한 현상에는 사람들은 거의 흥미를 갖지 못하였다. 1970년대가 되어서야 근육이 발달한 여성에 대한 흥미가 생기는데 아마도 여성해방운동이 무르익어가고 날씬한 몸에대한 열망때문에 생겨났을 것이다. 볼만한 스포츠로서, 여성 보디빌딩은 실패하였다. 지금도 여전히 대부분의 여자들은 남성들이 여자들을 볼 때 혐오스럽게 보는 근육을 원하지 않는다. 어떤 사람들은 호기심에 이러한 대회를 한번쯤을 볼 수 있다. 하지만 계속 그러하지는 않을 것이다. 수축하기 전까지는 잘 모를정도로 뼈를 감싸고 있는 근육들로 이루어진 운동선수와 같은 날씬한 몸을 찾는것 보다는 이미 잘 알려진 기준을 가진 아름다움을 찾는것이 더 나았다.

호모 남성의 매력을 위한 대회는 더 인기가 없었다. Bluebell 잡지에 의해 후원 받은 "이해의 게이남자"는 여성대회의 모방이다. 약간 급진적인 개념임에도 불구하고 한 우승자는 상금으로 받은 돈을 집 계약금을 위해 사용할 것이라고 하여 Miss America만큼 보수적인 면을 보여주었다.

미인대회는 텔레비전 게임 쇼와 비교되어왔다. 두 프로그램 모두 평범하지만 행운 있는 여인들의 대회라는 것을 조장한다. Bob Barker나 Bert Parks같은 기호가 맞는, 중산층 계급의 남성이 Miss Universe 대회의 사회자였다. 게임 쇼같이 미인대회는 관중이 들어오도록 허용하였고, 대부분 여성으로 이루어져있으며, 우승자의 마술 속에 그들을 환상에 빠지게 한다.

평범한 여성을 일상생활에서 매혹적인 세계로 이끄는 선발대회는 매우 유명해졌다. 그러한 대회의 대표적인 것은 20세기 중엽의 라디오 쇼인 "오늘의 여왕"이라는 프로였다. 아래의 사진은 1950년의 우승자인 에블린 모텐슨이 그녀의 남편과 함께 오스트리아로 상을 받으러 가기전 샌프란시스코의 이웃 주민들에게 인사를 하는 사진이다.

미스 블랙 아프리카, 1971

미인대회의 종류는, 흑인 Miss America, 엄마와 딸 USA대회 등 끊임없이 늘어갔다. 3살 이하의 어린이들은 Little Miss of America 대회에 출전했다. 이 대회는 인터뷰, 특기발표, 30초의 TV광고를 외워 발표하는 리사이틀, 수영복발표, 드레스복발표 5개 파트로 나눠져 있다. 한 4살의 어린아이는 300개의 미인 대회 트로피를 휩쓰는 영광도 안았다. 그녀의 어머니는 어린아이에게 어떻게 하면 외향적으로 되는가를 가르치는 사람이었다. Tiny Miss 대회는 전 Miss USA 대회 출마자들에 의해 조직되었다. 어린아이들의 귀여움에 대한 심사를 확실히 하기 위하여, 출마자들의 엄마들은 아이들에게 화장을 해주었다. 아이들도 어른들처럼, 그들이 대회에서이기지 못하면 실망하는 모습을 보여주었다.

캐나다의 축구리그는 최근 전통적인 미인대회에 색다른 접근을 했다. 1951년 이래로 이 축구리그는 챔피언게임의 축제의 한 부분으로 Miss Grey Cup대회를 후원했다. 과거에, 모든 참가자들은 예쁘고, 결혼을 하지 않은 18에서 24세 사이의 여성이었다. 1988년 이 대회는 참가자들의 자격은 18세 이상 여성으로만 정하고 더 이상의 제한을 두지 않았다. 참가자들은 이제 치어리더 옷 대신 비즈니스정장이나 드레스를 입고 있으며, 각각의 후보자들은 5분 동안 캐나다의 축구리그 팀이 자신의 지역에 어떤 의미인지를 발표하게 된다.

엄마들이 가장 이쁜 아이 선발대회에서 심사위원들이 그들의 아이들을 잘 볼 수 있도록 자녀들을 선보이고 있다. / 1944

외모만큼 성과를 강조하는 또 다른 대회는 Miss Rodeo America이다. 출전자들은 그들의 상황에 대하여 연설을 하고 로데오 규칙과 못을 박는 방법, 말에 올라타는 기술에 관해 질문을 받는다. 가장 중요한 것은 마술이지만, 출전자들의 외모와 말에 탄 모습 역시 출중해야 한다. 견장을 하고, 장식용 금속판을 달고, 몸에 딱 맞는 청바지에 흰색의 카우보이 부츠를 신고서 그들은 심사위원들에게 그들이 자신이 좋아하는 스포츠에 적당한 전도자라는 것을 확신시켜야 한다.

전 미인대회 우승자들에 의해 쓰여진 몇십 권의 책들은 미인대회에 출전하려는 10대의 소녀들에게 지침서가 되고 있다. World of Beauty Pageant 이라는 잡지는 대회 초심자에게 하는 조언을 싣고 있다. 잡지의 조언은 이해가 잘되게 되어있으며, 10대에게 스스로 할 수 있는 방법을 제공한다. 예를 들면, 정확하게 말하기, 당황하지 않기, 크게 보이게 서 있기 등이다. 또한 이 잡지는 그들의 가슴을 받쳐주기 위하여 브라 대신에 외과 수술용의 테이프를 사용하는 방법, 매력적인 종아리를 만들기 위해 하이힐을 신는 방법 등도 다루고 있다. 작가는 이것뿐만 아니라 배워야 할 것이 더 많으며, 이런 정보는 오직 대회비법을 가르치는 학원에 등록해야만 알 수 있다고 쓴다.

대부분의 대회는 돈을 버는 쪽으로 방향을 틀었다. 대회 참가자는 참가하기 위하여 돈을 지불해야했고, 텔레비전 광고와 티켓판매에서도 돈을 벌었다. 선전용의 이벤트들이 산업을 떠받쳤다. 미인대회는 스폰서광고, 대회가 열리는 도시를 위한 관광, 대회 참가자를 보호하는 Consumer Protection Service등 주위의 모든 산업을 포함한다.

틴에이저 미스 아메리카, 1975

17세 줄리아 주카노바는 1989년 미스 USSR로 선발되었다.

여성해방운동이 지난 20년 동안 사회에 가져온 변화에도 불구하고, 미인대회는 여성과 남성의 힘을 발휘하기 위해 계속되었다. 수백명의 여성들이 Miss America 대회에 나가기위해 지역미인선발대회에서 경쟁을 벌이고 이러한 대회는 몇백만 명이나 되는 미국 사람들이 시청하였다. 한편으로는 이러한 미인대회가 여성은 남성에게 잘 보이기 위하여 매력적이어야 한다는 과거의 전형적인 여성의 역할로 계속 회항하는 대회라고 얘기되어진다. 여성 성에 대한 정의가 여전히 감성적으로 속박 당할 수 있다는 생각을 의식적으로 거부하는 여성들조차 미인대회에 의해 이루어진 여성적 이상성과 자신을 비교한다. 하지만 이러한 미인대회의 영향력은 아마도 더 커질 것이다. 아름다운사람은 착하다는 동화이야기를 배우고 자란 어린이들은 어른이 되어서도 여전히 어떤 선 안에서는 그러한 것을 믿고 있다. 멋지게 포장이 되어있는 이러한 대회는 아름답고 동시에 착한 사람에게는 상이 주어진다는 메시지를 기본적으로 전달하고 있다. 이러한 대회는 영원히 행복하게 살았다라는 동화의 메시지를 약속하고 있다. 이러한 약속은 잘못된 논제에 기초한 잘못된 약속일수도 있다. 하지만 좋던 싫던 미인대회는 강력하게 자리잡은 현대 문화의 한 현상을 보여주고 있다.

CHAPTER SEVEN

성형수술의 역사

HISTORY OF COSMETIC SURGERY

1 800년대 말까지 수술을 통해 좀더 나은 외모를 추구하는 것은 경솔하고, 반종교적이며 심지어는 위험하게 여겨졌다. 하지만 비밀스럽고 환자와 의사 모두 큰 위험 부담을 안고 비싼 비용을 들이면서 행해졌던 성형수술은 이제 낮은 계급의 사람도 쉽게 할 수 있는 것이 되었다.

성형수술은 19세기말에 처음으로 시험적인 출발을 하였다. 빅토리아 시대에 여성에 대한 제약이 느슨해지자, 여성들은 그들의 아름다움에 대하여 더욱 개방적으로 변했다. 이러한 노력은 일상적인 화장술뿐만 아니라, 머리에 물을 들이고, 단발로 자르는 것 등의 일상적인 사용으로 시작하였다. 초기에 이러한 투자는 수술적 변화를 가져왔고 수술에 대한 도덕적인 비평을 가져왔다. 하지만 세월이 진보하면서, 수술에 대한 암울했던 상황이 명료해지기 시작했다.

세기가 바뀔 때에, 어떤 종류의 수술이던 위험한 사업이었다. 1920년대 튜브로 환자에게 마취가스를 투입하는 방법이 개발되기 이전까지 수술시에 마취를 보통 사용하지 않았다. 마취법 이전까지는 환자의 얼굴을 덥고 있는 천에 에테르를 떨어트리는 위험한 방법을 마취로 사용하였다. 사람들은 거의 작은 가슴이나 날씬한 배를 위해 그대로 잠에 빠져 다시는 깨어날 수 없을지도 모르는 도박을 하려하지 않았다. 비록 국부마취는 안전하게 행해졌으나, 가장 단순한 수술은 생명을 위협하는 감염을 가져왔다. 항생 작용이 있는 약 술폰아미드는 1930년 말까지는 발견되지 않았으며, 항생제는 제 2차 세계대전 이후부터 일반화 되었다.

게다가, 20세기가 될 때까지 의사들은 그들이 추구하는 성형수술을 어떻게 하는지 몰랐다. 그들이 적당한 기술을 고안하기 전에, 그들은 구조상의 문제를 우선 확인하여야 했다. 비록 의학교육에서 인간의 몸을 해부하는 것은 받아들여지고 있었지만, 해부를 미묘한 부분까지 시도할 이유가 없었다. 예를 들면 왜 피부는 얼굴에 다소 느슨하게 붙어있나? 가슴의 혈관부분이 위험에 빠지기 전에 어떻게 여성의 가슴의 구조를 바꿀 수 있는가? 등이다. 그러한 질문들이 마침내 풀렸을 때, 믿을만한 수술과 기구들이 수술을 수행하기 위해 고안될 수 있었고, 수술실패도 크게 줄일 수 있었다.

초기에, 의사들은 그들의 재능덕분에 매우 부유해질 수 있었다. 그들은 사람들을 멋있게 만들 수 있는 고가의 재주를 가지고 있었다. 몇몇은 수술에서 나오는 이익을 맛본 후에는 수술의 숙련가가 되기보다는 "잘 자르는" 숙련가가 되었다. 의사들이 약속하는 젊음의 약속에 매료된 사람들에 의하여, 탐욕스러운 돌팔이 의사들은 성형수술이 시작된 초기부터 지금까지 계속 나와서 욕을 먹고 있다.

성형수술을 원하는 사람들의 동기는 여러 가지 있다. 이런 환자들은 종종 이성보다는 감성에 더 의존한다. 1950년대, 여성들은 그들의 코가 단발형(짧고, 좁고, 오똑함)이기를 원했다. 이 코의 형태가 그 당시 아름나운 여인들의 유명한 이미지였기 때문이다. 보통 환자들은 흉터가 안보이길, 눈에 안띄길 원한다. 한 여성은 복부성형수술로 인한 흉터가 그녀가 프랑스식 수영복을 입었을 때 보이지 않는 부분으로 옮길 수 없겠냐고 요구한다. 물론 이러한 성형 스타일은 수영복에 대한 패션이 바뀌면서 함께 사라질 것이다. 하지만 현재 몇몇 라틴 국가에서, 환자들은 그들의 상처가 보여서 그들의 수술자국이 친구들에게 보여지길 바란다.

비록 명성 있는 성형수술의사들은 홀로 그들이 일을 하는 어떤 기간중 일부분을 성형수술에 헌신했을지 몰라도, 그들은 처음에는 많이 일어날 수 있는 외과 수술을 다룰 수 있는 일반 외과의사, 성형외과 의사 또는 몸 전체의 해부에 익숙한 otolaryngologist이다. 전통적으로, 대부분의 능력 있는 의사들은 보통으로 보이고 싶어하는 환자들에게 개조수술을 해주는 것으로 교육받은 재건 수술전문 의사들이다.

의학 코 성형술

예굴 중간의 튀어나온 부분 때문에, 코는 관찰자의 관심을 불러일으킨다. 잘생긴 입과, 생기있는 눈, 예쁜 턱은 좋을 수 있다. 하지만 못생긴 코는 그 코를 가지고 있는 사람에게는 고통일 수 있다. 1890년 이래로, 의사들은 이 문제를 의식하고 그것을 풀기 위해 노력해왔다.

의학적 코 수술과 코를 예쁘게 하기 위한 성형수술 사이의 차이는 거의 미세하다. 단지 스트레스를 받을 만큼 얼마나 코가 정상처럼 안 보이는가가 상관 있다. 어느 누구도 정신적 외상이나 다른 병을 얻을 위험이 있는데도 수술을 하려고는 하지 않을 것이다. 반면에, 코는 너무 크거나, 뾰족할 필요가 없다. 코의 기원은 증조, 고조할아버지로부터 물려받은 것이어서, 코끝이 약간 휘었거나 너무 둥글 수가 있다. 초기의 의사들은 정말 기형으로 생긴 것을 고쳤다. 하지만 후의 의사들은 코의 해부학과 관련이 있는 미묘한 변화까지 이룩하였다.

처음에 의사들은 코 모양을 바꾸는 것을 실험해야만 했다. 그들은 늘어져 있는 코끝을 들어올려 너무 넓은 콧구멍을 작게 줄이는 시도를 했다. 만약 코를 덮고 있는 피부를 자르면 수술은 쉬웠다. 하지만 진짜 시도는 상처를 보이지 않게 하는데 있었다. 의사들이 인조의 물질이나 뼈 또는 환자 엉덩이에서 띠어낸 뼈 또는 귀의 뼈 또는 연골조직을 코 수술에 이용해도 된다는 것을 깨닫는데 100년의 시간이 걸렸다.

코의 모양을 바꾸는데 첫 번째로 기록된 시도는 19세기 의학의 수술 왕의 찬란하고 자기중심적인 프러시아인 Friedrich Dieffenbach(1794~1847)에 의해 만들어졌다. 코끝을 들어올리거나, 보통 코의 크기를 줄이기 위해 Diffenbach는 살을 쐐기모양으로 잘라내었다. 남성의 콧구멍의 두꺼운 피부를 얇게 하기 위해서 그는 가죽이나 금속 노동자들에 의해 사용되는 도구인 펀치를 사용하여 피부의 뭉치를 떼어냈다.

Dieffenbach는 자랑을 하려고 그의 의학적 기술을 설명하였다. 그는 자주 그의 동료들에게 너무 어려운 개조 도전에 달라붙었다. 그는 갈라진 palate(위턱)을 봉하였고, 큰 암덩어리를 제거했으며, 넓은 부분의 화상 환자들을 치료하고, 불구의 생식기를 가지고 태어난 환자들의 문제를 고치려고 노력했다. 이 거만한 외과의사는 비록 성공하진 못했지만 심각하게 다친 사람들의 손가락을 바꾸고, 고양이와 개의 꼬리를 절단하는 시도와 실험을 하였다. 이런 모든 그의 용감한 노력에, Dieffenbach는 특별히 그의 환자들에게 친절했고, 종종 수술 환자들이 참아야하는 불편함에 주목하였다.

디펜바쉬
(Johann Friedrich Dieffenbach)

정말 매력적인 코를 위해, 눈에 보이는 모든 흉터는 없어져야 했다. 이 문제는 처음 뉴욕 로체스터지방의 겸손한 이비인후과 의사인 John Orlando Roe (1848~1915), 에 의해서 건의 되어졌다. 얼굴과 조화되는 코를 만드는 중요성을 인식한 Roe는 콧구멍 안에 숨겨진 절개를 통한 코 수술을 제안하였다. 이러한 접근의 사용으로, 그는 어떻게 개의 땅딸막한 코와 비슷하게 생긴 사지코(pug nose)를 수술하는지 보였다. Roe는 신중하게 코 안쪽으로 절개를 통하여, 과다한 뼈와 연골조직을 잘라냄으로써 전체 코를 축소시켰다. 그의 환자들을 편안하게 하기 위하여, Roe는 마취제로 코카인을 선택했다. Roe는 코의 안쪽에 코카인을 놓고, 피부 아래쪽으로 그것을 주사했다. 그는 코카인의 위험성을 모르고 있었고, 코카인은 비엔나 종합병원Allgemeines Krankenhaus에 1884년 인턴으로 있을 동안 KArl Koller(1857~1944)가 눈 수술을 위해 사용하면서 소개했던 방금 출시된 물질이었다. Roe는 또한 그 환자들의 동기도 고려하였다. 그는 수술로 인하여 환자가 부끄러워했던 모습을 제거함으로써 가져오는 성공적인 성형수술의 심리학적 측면을 진가를 이해하였다.

뉴욕의 Robert Fulton Wier(1838~1927)는 크고, 일그러진 코를 축소하고 다듬는 미묘한 기술을 소개하였다. 그가 1892년 쓴 학술논문 "On Restoring Sunken Noese(함몰한 코 복원)"은 그가 손상된 코의 외관을 얼마나 개조시켜냈는가를 묘사하고 있다.

넓이를 줄이기 위해 그는 끝을 사용하여 뼈를 느슨하게 하고, 그것들을 안으

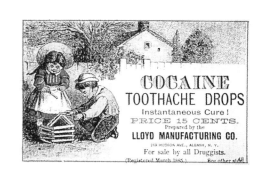

19세기, 중농주의자들은 짧은 코가 타락을 의미한다고 생각했다(오른쪽).
존 올란도 로는 이런 불명예의 표시를 수술로 없애버렸다.

로버트 풀턴 웨어(Robert Fulton Weir)

로 옮기고 양쪽에 놓여지는 금속 샷에 의해 미끄러지는 것을 방지하기 위해서 바늘로 꼬매서 그것들을 고정시켰다. Weir 또한 그가 주로 넓고 넓적한 언청이들에게 전혀적으로 나타나는 나온 코를 어떻게 좁혔는지 발표했다. 각각 콧구멍의 토대부터 쐐기꼴을 제거해서 콧구멍을 안쪽으로 마는 Weir의 수술방법은 지금 정례적인 것이 되었다.

그의 논문에서 Weir는 그의 외과 기술만큼이나 널리 인식된 현상에 대하여 적었다. 그는 수술결과에 절대 만족하는 일없이 수술 후에 완벽함을 요구하면서 재수술을 요구하는 환자들을 인정하였다. 코성형술의 예술을 증진하는데 명성을 얻은 사람은 1896년 처음으로 코 수술을 한 베를린의 Jacques Joseph(1865~1934)였다. Weir처럼, Joseph도 비록 약간의 보이는 상처를 남기지만 큰 코를 작게 만드는 수술에 몰두하였다. 피부 절개를 사용하여 그는 코를 짧게 하고, 코의 두툼한 부분을 줄이며, 코를 곧게 하며, 콧구멍을 작게 만들 수 있었다. 그의 이러한 시도가 개선하자, 그 역시 콧구멍 안쪽으로의 수술을 하였다. 6년 후에 그는 성공적인 수술이 된 환자 30명의 결과를 리포트하였다. 그 중의 20명은 남자였는데 그들의 코의 모양을 바꾸고 크기를 줄이고 싶어하였다. 그가 수술에 사용했던, 끌, 꺽쇠, 톱 등은 현재도 여전히 사용되고 있는 도구들이다.

Jacob Levin에서 태어나 프러시아 지방이 랍비의 아들로 태어난 Joseph은 원래 정형외과술을 배웠다. 실력이 잘 알려진 의사로서 그는 젊은 소년의 돌출된 귀를 되돌려 놓은 것으로서 세력을 떨쳤다. 그 당시에 성형수술은 Joseph의 대학에서는 덜 중요하고 비윤리적인 것으로 여겨졌다. 관료의 자비에, Joseph는 정통이 아닌 활동을 위하여 그의 학술적 지위를 일시 정지당했다. 용기를 얻어 그는 비정상적인 모습을 고치는 수술을 발전시켜갔다. 그의 환자의 수술을 진행하기 전에 Joseph는 항상 시체로 연

자크 조셉(Jacques Joseph)이
코 성형수술을 하고 있다.

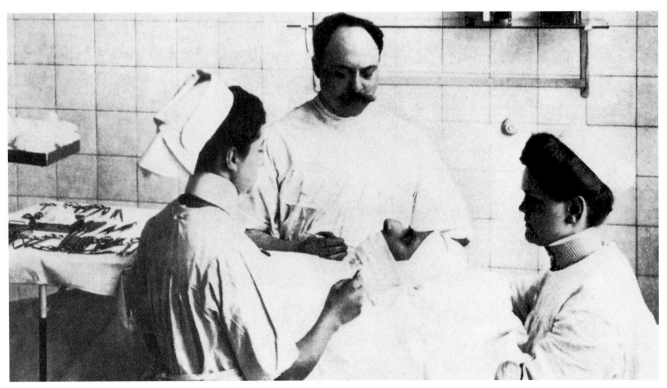

176

습 수술을 진행하였다. 비록 그가 마스크나 캡을 쓰고 있지 않고 오직 세 손가락에 고무로 된 덮개를 끼고 있었지만, 그는 꼼꼼하게 무균 기술을 사용하여 비참한 감염을 방지하였다.

Joseph는 그의 동료의 호기심 많은 눈으로부터 그의 기술을 지키기 위해 방심하지 않았다. 그러면서도 그의 지식을 전적으로 자신에게만 갖고 있지 않았다. 그는 보통 외국에서 상당한 금액을 들고, 그의 병원에 오는 방문자들을 받았으며, 그들에게 그의 작업을 관찰하도록 하였다. 방문 의사들이 그들 자신의 도시로 돌아가기 때문에 Joseph은 같은 지역에서 경쟁할 필요가 없었다.

우선권은 Joseph에게 커다란 중요함을 안겨줬다. 그는 남들이 전에 한 일을 또다시 한것에 부끄러워했고 사람들이 그가 다른 사람들의 실력을 인정함 없이 단지 기술을 훔치고 있다고 생각하게 될까봐 두려워했다. 그는 Roe와 Weir가 그와 비슷한 수술을 이미 행하였다는 놀라온 소식을 확실하게 들었다. 그는 다른 의사들이 이미 행한 수술을 다시 하는 것에 대해 창피해했고 Joseph이 이 의사들의 작업에 대하여 알리가 없다. 왜냐하면, 이 두 미국인들은 논문을 Joseph 이 말할수 있었지만 읽을수 없었던 영어로 출판됐기 때문이다.

1934년 2월 Joseph는 Munich레스토랑 주인의 16살 딸에게 마지막으로 코 수술을 하였다. 히틀러가 세력을 키워갈 때 Joeseph는 베를린에서 프라하로 도망쳤다. 곧, 유대인을 박해하는 초기의 전쟁이 문제가 되어 Joseph는 죽었다.

Joseph의 학생들은 그의 업적을 영어를 쓰는 의사의 주목을 받게 했다. Joseph Safian은 대가에게서 배우기 위해 베를린으로 갔다. Safian은 그들의 첫 만남에서 교사에게 그들이 영어로 배울 수 있는지 물었고 Joseph는 아니라고 대답하고 그것은 자신의 품위밖에 일이라고 했다. Safian은 Joseph의 병원에 몇 주동안 남아있었고 그 후에 그가 배운 것을 연습하기 위해 뉴욕으로 돌아왔고 스스로 코 수술을 발전시키고 공부하였다.

조심스럽고 보수주의적인 의사인 Safian은 은 어떻게 실수를 피할 수 있는지에 대하여 집중했다. 그리고 실수를 저질렀을 경우 어떻게 그 실수를 고칠 수 있는지에 대해서도 집중했다. 1950년 중반 Safian은 Veteran's Administration에서 단기 2주 코스로 이루어진 성형수술 수업을 받은 의사들의 위험에 대하여 경고하였다. 제 2차 세계대전동안 그들의 실습기회를 갖지 못한 이 내과의사들은 돈을 벌고 주목을 받기 위한 길로서 코 수술을 하기로 결정했다.

Jacques Joseph가 흉터를 남기지 않고 코 수술을 하는 변화를 위한 그의 기술이 유명해진 이래로 50년 동안 오늘날의 외과의사들에게까지 세련미를 가져왔다. 특별한 가위와 톱, 외과견인기(상처 구멍을 벌려놓는 기구)등 많은 세련되고 발전되어진 새로운 기구가 수술에 이용되고 있다. 의사들은 아름다운 코의 요소들을 파악해왔으며 환자의 엉덩이나 귀에서 얻은 연골조직을 삭게 접목시키는 증대된 기술로써 코 수술을 증진시켜왔다. 그들은 심지어 바깥쪽 절개를 사용하고, 골격 아래를 드러내기 위해 살을 깎아 내는 수술로 되돌아왔다. 이러한 수술은 상처가 점점 시간이 지나감에 따라 없어져갔기 때문에 예전보다 반동적으로 여겨지기보다는 상당히 좋은 결과를 생산해 내었다.

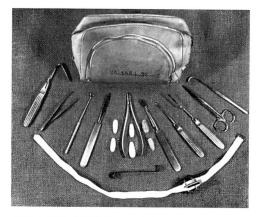

의학 도구와 사피안(Safian)의 가죽 가방. 코의 뼈를 부드럽게 하기 위해 가는 도구, 피부나 연골부분을 자르기 위한 가위 같은 도구가 있다. 코를 보는 거울과 후크 같은 도구는 코 속을 보기 위한 도구이다. 중앙에 있는 하얀 물체가 상아 조직편으로 코를 높이기 위해 사용되었다.

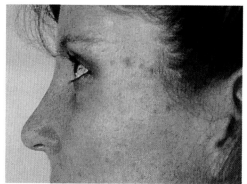

최근의 코 성형수술 전과 후. 뼈와 연골 부분을 환자의 콧구멍 속으로 떼어내서 흉터가 보이지 않는다.

177

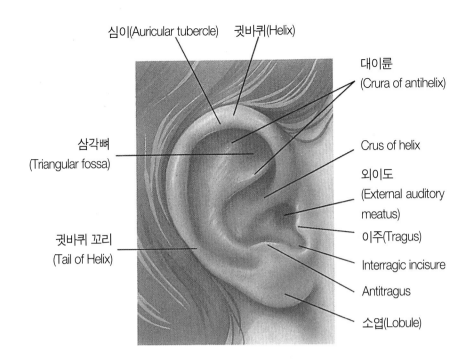

심이(Auricular tubercle)　귓바퀴(Helix)

대이륜
(Crura of antihelix)

삼각뼈
(Triangular fossa)

Crus of helix

외이도
(External auditory
meatus)

이주(Tragus)

귓바퀴 꼬리
(Tail of Helix)

Interragic incisure

Antitragus

소엽(Lobule)

포르타(Giovanni Battista della Porta)

라바터(Johann Caspar Lavater)

귀 비

록 대부분의 인간 해부학의 이상적인 기준에 대한 연구가 많이 이루어졌지만, 귀는 거의 역사적으로 관심을 끌지 못하였다. 16세기의 신플라톤주의자이자 철학자인 Giovanni Battista della Porta는 완벽한 귀를 너무 길지도 않고 너무 짧지도 않다고 정의 내렸다. 인간 인상학에 대한 그의 4권의 논문에서, 외적인 18세기 스위스의 주임목사인 Johann Casper Lavater는 오직 3페이지에만 귀에대한 언급을 하고, 아름다움에 대해 언급할때도 귀의 모양에 대해서는 일체 언급하지 않았다. 그 동안에 부분적으로 손상되거나 완전히 망가졌을 경우에만 재건 수술을 받았다. 최근에 와서야 귀를 미학적으로 개선시키기 위한 수술이 이루어지고 있다.

튀어나온 귀는 의사들의 관심을 오랫동안 끌어온 특징이었다. 두개골의 오른쪽 모퉁이로 자리잡은 귀는 불쾌한 느낌을 전달한다. 불행하게도 이렇게 돌출된 귀를 가지고 있는 사람들은 멍청한 바보라고 조롱 당하기 일쑤이다. 19세기말에, 귀가 머리에 가까이 위치해있을수록 멋있게 여겨졌으며, 의사들은 귀를 납작하게 만드는 방법을 연구하였다.

1881년 3월, 12살의 소년은 Manhattan Eye and Ear Hospital의 이비인후학자 Edward Talbot(1850~1885)를 찾아갔다. 소년은 그의 친구들이 그의 많이 튀어나온 귀를 놀린다고 불평했다. 마취제로 에테르를 사용하여, Ely는 오른쪽 귀와 머리가죽이 만나는 부분의 홈을 절개하여서, 연골조직과 피부를 절개한 후 귀가 소년의 두개골을 마주보게 놓이도록 하였다. 그 수술에 소년과 그의 어머니는 만족하였고, 한달 뒤에 Ely는 그 소년의 왼쪽 귀도 똑같이 수술하였다. Ely의 영리한 절차는 오늘날의 귀수술의 가이드라인을 만들었다. 예를 들어, 귀는 머리크기, 귓불의 크기, 느슨한 정도 등에 더 조화될 수 있도록 비율을 맞추기 위해 사이즈를 줄이는 등의 수술이 시행된다.

콜롬비아 의학대학을 1874년에 졸업한 Ely는 35세에 결핵으로 죽었다. 그의 짧은 경력동안 그는 수술을 했을 뿐만 아니라 두개골의 감염, 신생아 아이들의 굴절도 측정, 시가를 만드는 노동자들의 흡연 영향 등 다양한 연구에 대한 논문을 썼다.

Ely가 개척한 귀의 모양을 고치는 수술방법은 문제가 없던 것은 아니었다. 귀를 평평하게 하기 위해 연골조직을 잘라낸 것이 날카로운 주름을 생기게 했다. 뉴욕에서 사는 강건한 William Henry Luckett(1872~1929)는 Ely의 기술보다 한 단계 높은 수술을 했다. Luckett는 처음으로 귀를 튀어나오게 하는 해부학의 혼란을 정확하게 진단한 사람이었다. 정상적이고, 보기 좋게 생긴 귀는 부드럽게 뒤쪽으로 접혀있다. Lyckett는 튀어나온 귀는 그러한 접힘이 부족하다고 생각하고, 접힘을 만드는 것으로 문제의 치료법을 만들었다. 귀를 접은 후에 그것을 몇개의 바늘로 안전하게 한 선으로 꿰메고 안전하게 했고, 귀는 영원히 두개골 쪽으로 말리게 되었다.

Luckett는 기운찬 삶을 살았다. 그는 제 1차 세계 대전중 프랑스진여의 병원에서 일을 수행한 것으로 표창장을 받았으며, 자기 나라에서는 권총 시합에서 이기기도 했다. Luckeet는 봉합 매듭의 새로운 방법을 고안해내었고, 두개골 파손을 진단했으며, 쓸개와 신장의 종양을 없애는 것을 고안해내었다. 그는 그의 도전의 삶 중에서 하나로 튀어나온 귀를 뒤로 접는 방법을 발견해낸 것이었다.

윌리암 핸리 루켓

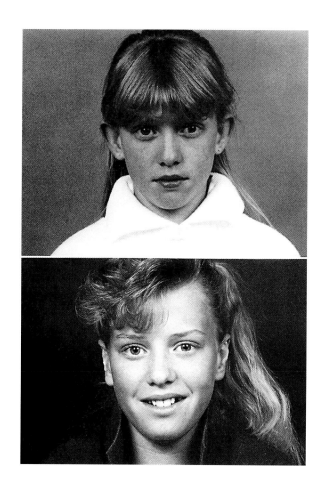

귀수술 전과 후. 연골을 구부리고 제거하여 귀가 얼굴에 더 가까이 붙게 했다.

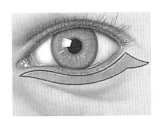
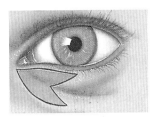
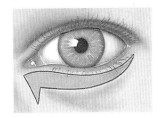
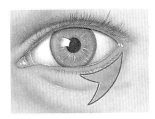
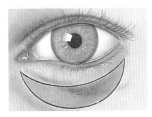
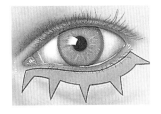

절개수술은 눈 주위의 불필요하게 많은 살을 없애는데 사용되었다. 모든 절개법이 심각한 문제를 일으켰고, 위 사진중 어떤 절개법도 현재 사용되고 있지 않다.

나이를 먹는 얼굴

사람들은 오랫 동안 나이를 먹는다는 사인을 없애기 위해 임시의 방법을 채택하는 방법을 수용해왔다. 19세기 말의 잡지의 광고들은 가죽으로 된 얼굴 마스크를 쓰거나, 신비스런 로션이나 크림을 발라서 주름을 없앨 수 있다고 광고해왔다. 하지만, 효과가 있는 표면상 변화를 위해 수술을 고려하진 않았다. 시도되었다해도, 아주 비밀스럽게 성형수술이 이루어졌다. 이것은 명성이 있는 환자나 의사들의 노력이 아니었다. 환자의 관점에서, 외모를 개선시키기 위해 극단적인 접근을 한다는 것은 변덕스러운 것이었고, 의사들의 관점에서, 성형수술은 거의 연금술처럼 여겨지는 것이었다.

하지만 1920년부터 계속, 의사들은 나이 드는 얼굴의 어려움을 고치기 위해 열심히 연구하여왔다. 목의 늘어진 부분, 눈 주위, 등의 흐트러진 피부를 관찰하고, 코와 입의 양쪽 옆 사이의 피부를 주름을 깊게 인식한 후, 개척 적인 의사들은 해답은 피부를 약간 잡아당겨 얼굴을 좀더 부드럽게 만드는 것이라고 결론 내렸다. 조심스럽게, 그들은 이런 근대적인 절차를 하려고 노력했다. 그 후, 결과가 오래가고 생각했던 것 보다 좋게 나오길 바라며 그들은 더 대담하게 그리고 과학적으로 접근하여갔다.

그들은 피부가 제거되어야만하고, 재빠르게 옮겨지고 당겨지고 잘라져야한다는 것을 알았다. 가장 최고의 결과를 얻으려면, 피부의 표면 아래의 문제 또한 알고 있어야했다. 종종 근육, 뼈, 근막과 지방을 잘 다루어야 했다. 새로운 방법을 시도하는 것은 의사들뿐만 아니라 그 수술을 원하는 환자들의 용기가 있어야했다.

처음으로 주름제거수술을 시도한 사람은 시카고의 의사인 Charles Conrad Miller(1880~1950)이다.

1906년 Miller는 눈꺼풀 위와 아래로부터 늘어진 피부를 제거하는 것을 설명하였다. 처음에 그는 눈을 부풀게 보이는 안구를 둘러싸는 튀어나온 지방을 제거하지 않고 오직 피부만 잘라버렸다. 이 기술은 오늘날도 기준이 되고 있다. 입 옆쪽으로 있는 깊은 주름을 고치기 위해서 Miller는 피부 표면의 아래쪽에 구멍을 내고, 그가 생각하기에 문제를 일으키는 요인인 근육을 자르는 조그만 성공을 시도하였다. 여성들은 이 근육을 비정상적으로 써서 이것이 피부 위로 주름을 만든다고 그는 가정하였다. 이런 원하지 않는 주름은 만약 여성이 감정을 억누를 때 그들의 입술을 꽉 누르지 않거나, 모든 느낌을 표현할 때 자유스럽게 얼굴의 근육을 사용하지 않는다면 생기지 않을 것이라고 결론지었다.

1907년쯤, Miller의 사업은 번성하였다. 그는 성형수술에 관한 첫 번째 책인 The correction of Featural Imperfections을 쓰고 출판과 배급에 투자하였다. 이 책에서 그는 혹처럼 생긴 코를 똑바로 하는 것, 눈꼬리의 주름제거를 위해 눈바깥으로부터 피부를 제거하는 것 등에 대하여 쓰고 있다. Miller는 오늘날은 비도덕적이고, 안전하지 않은 기술로 받아들여지는 것을 제시하고 있다. 나이든 시카고 중년부인들의 피부를 살찌게 하기 위해 그는 파라핀을 주사하거나, Malaysian 나무로부터 나온 실크, 고치실, 셀룰로이드, 라텍스 등으로 혼합된 극약을 주사했다. 사용하기 위해 그는 그의 사무실에서 그가 가지고 있는 식물성 분쇄기에서 요소들을 혼합했다.

1920년 그의 책에서, Miller는 그의 주름제거수술을 세련되게 묘사하고 있다. 그는 이마를 부드럽게 하기 위해 피부를 제거하고 잡아당기는 동안, 머리선 쪽으로 피부를 끌어와 신중하게 절제부분을 옮기는 것을 추천하고 있다. 2중턱을 위해서 그는 턱 바로 밑을 길게 수평으로 절제한 것을 통해 피부와 튀어나온 지방을 제거하는 것을 추천하고 있다. 그의 명성에 맞게, Miller는 의사들에게 의사들이 수술을 하기 전 그들의 환자들에게 결과가 어떨 것이고, 좋은 봉합물질과 신중한 기술을 사용하라고 얘기했다.

밀러(Charles Conrad Miller)

Miller는 그의 현명한 충고에서 추측되는 것처럼 친절하지도 명성이 있지도 않았다. 1903년과 1929년 사이에 출판된 그의 기사의 사진에서 그는 미숙하고 부주의한 모습의 사람으로 나타났다. 그는 환자들, 동료들, 대중들에게 탁월함과 자기자신의 중요하게 여기는 행동을 전달했다. 그는 다른 모든 사람들이 단순하고 그의 탁월함을 이해하지 못한다고 여겼다.

1910년쯤, 다른 걱정거리들 때문에, Miller의 문학은 잠시동안 출판이 중단되었다. 그때 Chicago Tribune는 Miller가 소유하고 있는 약국에서 지은 약을 먹고 죽은 일리노이주의 농부에 대하여 보도하였다. 이 사건은 위스키와 몰핀과 다른 약들을 처방해준 의사라고 불리는 사무원중의 하나의 소행이었고 밀러의 책임은 궁극적으로 줄었지만, 이 사건은 그에게 차분한 영향을 주었다. 그는 마지막에는 성형수술을 중단하고 일반의사로 돌아갔다. 그는 그가 허영심을 만족시켜주는 것보다는 병을 고치는 수술을 하는 것에 더 많은 만족감을 느낀다고 썼다.

성형수술에 대한 다음의 작품은 Frederich Strange Kolle(1871~1929)로 그는 전기, 엑스레이, 글쓰기를 포함한 약이외에 대해 전반적으로 관심을 가지고 있는 유능한 사람이었다. 그의 Fifty and One Tales of Modern Fairyland은 4번의 재판을 할 정도로 인기가 있었다. 1911년에 출판된 500페이지의 외과수술용의 텍스트에서 Kolle는 그의 동료들이 하는 플라스틱 성형수술에 대한 많은 걱정을 썼다. 비록 그가 얼굴의 주름을 없애는 성형수술(face-lifting)을 고려해보지는 않았지만, 그는 눈까풀 아래와 위의 늘어지고 주름진 피부에 대한 문제를 위한 해결책을 제시했다. 눈까풀 위쪽과 아래쪽으로부터 크게 초승달 모양으로 피부를 잘라내는 그의 해결법은 눈꺼풀 아래쪽 피부의 수축으로 눈의 흰 눈동자가 너무 많이 보이는 결과를 가져왔고, 운이 좋지 않은 환자들에게는 둥근 눈동자로 영원히 응시하게 되는 결과를 가져왔다.

수잔느 노엘(Suzanne Noel)

미학수술에 전문적으로 그녀의 연습을 바친 첫 번째 여성은 눈 주위 수술과, 주름제거 수술을 처음부터 옹호한 Suzanne Noel(1878~1954)였다. 그녀는 개인 병원으로 개조한 파리의 그녀의 아파트의 수술을 했다. 그녀의 환자들은 프랑스의 패션 디자이너, 모델, 유럽의 상류계층이었다. 작지만 품위 있는 여성인 Noel은 그녀가 다른 사람에게 한 같은 수술을 그녀 자신의 얼굴에도 했다. 성격에 있어 외모의 영향에 대해 쓴 그녀의 글에서의 개념은 보통 잘 받아들여지지 않았다. 1926년 그녀는 La Chirurgie Esthetique: Son Role Social이라는 책을 출판했으며, 이 책은 성형수술의 심리학적 영향에 대한 그녀의 생각과, 그녀의 진보된 성형수술 기술에 대한 설명을 자세하게 적어 놓았다. Noel은 피부를 잡아당기는 것만으로는 지속되는 결과를 얻기에는 불충분하다고 믿어서, 구조 아래에 있는 피부를 올려서 다시 걸치는 것이 더 좋은 결과를 제공한다고 믿었다.

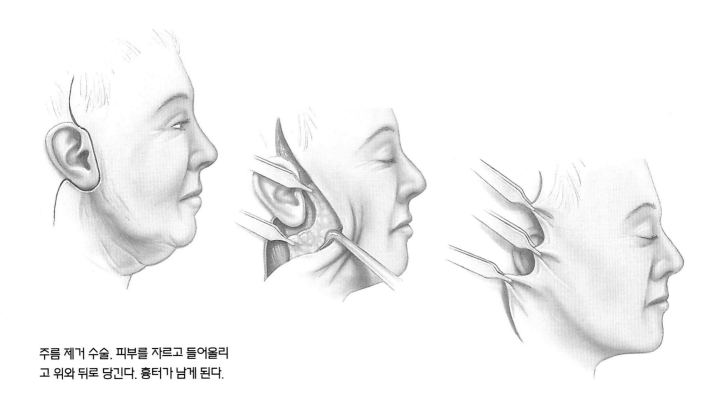

주름 제거 수술. 피부를 자르고 들어올리고 위와 뒤로 당긴다. 흉터가 남게 된다.

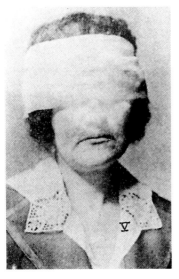

아델버트 메트맨이 주름 제거 수술을 한 환자, 1920. 환자의 프라이버시를 지키기 위해 눈가리게를 했다.

명성 있는 의사들은 주름을 부드럽게 하기 위해 머리선 이나 귀와 얼굴이 만나는 부분의 피부의 조각을 잘라내는 등의 다른 방법을 묘사했다. 7분 동안 다리를 절단하고, 45분만에 두개골에 구멍을 낼수 있었던 뛰어난 의사, Eugen Hollander(1867~1932)는 그가 폴란드 상류층의 얼굴의 주름을 제거했다고 주장했다. 환자의 여성다운 매력이 그가 수술을 결정하는 요인의 확신에 있었다고 인정하는 이 네덜란드인은 20년 동안 그의 수술성공을 발표하지 않았다. 프랑스 의사인 Raymond Passot(1886~1933)도 비슷한 수술을 했으며, 그는 환자들의 피부의 상처를 꿰매기 위해 말의 털을 사용한 봉합법을 사용했다. 1919년에 출판된 글에서 Passot는 수술의 대단한 사회적 가치에 대해 찬양하였다. 그는 과거에는 재건수술로 여겨졌던 성형수술이 대중과 의상 교수들에게 있어 호의론적인 장막에서의 열광적인 수용으로 받아들이게 될 것이라고 예측했다.

의사들은 차츰 사진과 함께인 문서의 중요성을 인식하였다. 1919년 오리건 주의 Portland의 의사인 Adelbert Bettman(1883~1964)은 주름제거수술을 한 환자의 전-후의 모습을 최초로 발표했다. Bettman은 귀 앞과 뒤로 벤 상처는 우수한 실크와 말의 털로 꿰맸고 그것은 오늘날의 기준이 되는 봉합법과 거의 일치한다. 곧 Jacques Joseph는 그가 수술한 환자의 전과 후를 보여주는 사진을 출판했다. 그는 수술을 단계별로 했는데, 처음에는 얼굴 한쪽에 시술하고 몇 주 후에는 처음 시술한 얼굴 쪽에 맞춰 다른 한쪽에 시술하였다. Joseph의 환자들은 그 당시의 주고객이었던 배우나 귀족층 이었던 것에 반해 그의 주름제거 수술 환자는 그녀가 실제 나이보다 늦게 보이기 때문에 사업에서 실패한 평범한 여성이었다.

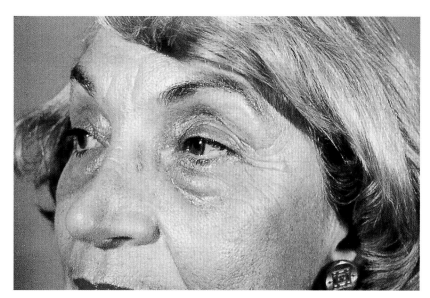

수술전

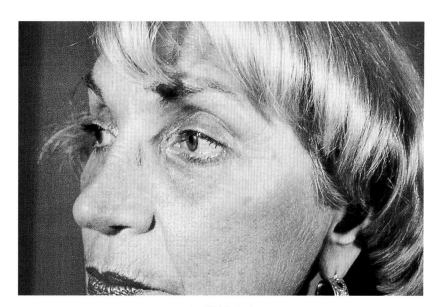

코성형수술 후

러시아 의사인 Serge Voronoff. 젊음을 되찾게 해준다는 그의 주장에 세계적인 명성을 얻었다.

성형수술에 대한 초기의 관심은 수술이 완전한 회춘을 약속한다는 속기 쉬운 성질을 동반했다. 이 영역에 대한 조사는 평판이 좋은 프랑스 생리학자이자 포유동물 척추의 해부조직을 세세하게 연구한 것으로 알려진 Chales-Eduard Brown-Sequard(1819~1894)에 의하여 시작되었다. 그는 젊음의 외모와 느낌을 재건할 수 있도록 개의 고환에서 얻은 추출물을 나이든 남자에게 주사하기로 결정했다. 이 가정에서 한 단계 발전하여, 카리스마적이고, 망명하여 프랑스에 사는 러시아 의사인 Serge Voronoff(1866~1951)는 해부동물의 완전한 고환 전체를 나이든 남자의 몸에 이식함으로써 더 좋은 결과를 얻을 수 있다고 생각했다. 인간의 장기가 가장 좋을 것이라고 그는 당연히 가정하였지만, 젊은 사람이 자신의 고환을 기증하기란 어려운 일이기 때문에, 어린 원숭이가 대신 기증자로 사용되었다.

여성의 회춘은 방사선을 난소에 쬐어줌으로 시도되었으며, 그럴듯한 결과는 소설에 불후의 명성을 주었다. Gertrude Atherton의 Black Oxen(1923)에서 늙은 과부는 그녀의 의사에게 그녀의 난소에 엑스레이를 발사하게 하여 젊음을 되찾고 사랑, 영광을 쟁취하고, 젊은 남성으로부터의 구혼요청도 받게 된다. 주인공 여성은 결국 그녀의 약혼자에게 그녀는 그녀의 외모처럼 그렇게 자신이 젊지 않다는 것을 말한다. "저는 당신이 결혼의 약속을 깨지 않을 것이라는 확신이 있어요, 하지만 이것을 기억해 주세요, 저는 단순히 다시 젊어지게 보이는 것이 아니라 진짜 젊어요. 저는 옛날의 제가 아니에요, 저는 제 몸에서 회춘의 샘을 느끼고 있어요."

비록 정소를 이식하고 난소에 빛을 쬐어주는 아이디는 궁극적으로 믿을 수 없는 이야기가 되어버렸지만, 잠시동안 이러한 과정은 희망에 찬 대중들과 명성 있는 의사의 환상을 사로 잡았다.

거투루드 아더톤(Gertrude Atherton),
소설가이자 회춘 광신자

가슴 축소

이제 의사들의 작업이 그들의 환자를 위험에 더 이상 빠뜨리지 않자, 그들은 가슴을 매력적으로 만들고 적당한 위치에 젖꼭지를 두기 위한 기술적인 연마를 구상할 수 있었다.

Paulus Aegineta(625~690)은 병, 증상, 신장의 담석을 제거하거나, 눈 수술, 그 당시에는 놀랍게도 정확한 가슴 수술 등의 세련된 수술절차를 묘사한 7권의 의학 책을 쓴 비잔틴의 명성 있는 의사였다. 그의 6번째 책에서 Paulus는 피부를 자르고, 해부 선을 조금 뽑은 후, 상처를 봉합해서 남성 젖의 크기를 축소한 것에 대해 쓰고 있다. 3세기 뒤에 아라비아의 의사인 Albucasis는 새로운 수술 법을 만드는 것을 꺼려했지만, 다른 사람들이 이미 시도한 수술을 기꺼이 하였으며 같은 방식으로 남성의 가슴크기를 축소하였다.

Paulus Aegineta

비록 세계 모든 의사들이 가슴 종양에 대한 간단한 해결책인 유방 절단이나 과다하게 큰 가슴의 축소방법으로 가슴 줄이기를 설명해왔지만, 처음으로 여성의 가슴 사이즈를 줄이는 시도를 한 사람은 Michel Poussin(1823~1900)이었다. Poussin은 젖꼭지의 윗 부분을 잘라내고 지방과 가슴조직을 퍼내었다. 상처를 봉합하기 전에 그는 매력적인 가슴의 위치를 보존하기 위해 성공하지 못한 시도였지만, 남아있는 흔들리는 가슴을 고정시키기 위해 갈비살쪽으로 가슴을 꿰매었다.

최초로 20세기에 여성의 가슴 크기를 줄이는 기술을 제안한 의사는 Hippolyte Morestin(1869~1918)이었다. 그의 명성에 맞게 그의 성실함은 상당했고, 수술 기술은 훌륭했으며, 그는 단순한 수술절차라도 사려 깊고 심미적인 접근이 중요하다고 믿었다. 그의 허약한 체질에도 불구하고 Morestin은 거대한 실험을 하는데 정력적이었으며, 교수로서도 굉장히 생산적이었으며 1892년과 1918년 사이에 의학에 관한 글을 634개나 썼다. 그는 몸 대부분을 수술했지만 특히 복원과 성형수술에 관심을 가졌다. 제 1차 세계대전중, 그는 부상당한 몇백 명의 병사들의 얼굴을 고쳐주었다. 그는 전쟁이 끝날 때 49세의 나이로 감기 합병증으로 죽었다.

Morestin은 1906년 가슴제거에 관한 그의 기술을 발표했으나 그의 동료들의 비난을 샀다. 그의 접근은 굉장히 숙련된 것이었으며, 대부분은 오늘날의 수술에서 사용되는 것이다. Morestin은 해부선(gland)이 만나는 가슴 아래쪽 접혀진 곳을 절개를 하고 안쪽에서 가슴 조직의 두꺼운 원형을 제거하였다. 그는 같은 기술로 가슴 비대칭을 고치는 외과수술방법을 묘사한 것과, 그와 함께 해부 유두륜(areola)이나 젖꼭지 주위의 피부제거 등에 대해 쓴 첫 번째 책을 출판하였다.

Hippolute Morestin

그 후 10년동안 의사들은 축소의 여러 가지 방법을 시도했다. 이러한 모든 접근법과 함께 한가지 문제는 여전히 해결책을 요구했다. 만약 가슴의 거대한 부분이 제거된다면, 젖꼭지는 어떻게 되는 것일까? 1921년 시카고의 Max Thorek(1880~1960)에 의하여 해결책이 제시되었다.

Thorek는 매우 큰 가슴의 아랫부분을 절단하고 더 예쁘고 작은 모양으로 남아있는 부분을 재조정했다. 그는 젖꼭지와 해부 유두륜(areola)를 완전히 자르고 나서 잘려진 피부를 이식(graft)하며 그것들을 매력적으로 재위치하였다.

다른 의술에도 관심을 가졌던 Thorek는 성형수술의 분야에 중대한 공헌을 하였다. 그는 동물 고환을 이식하여 회춘하는 지나간 일에 관심을 가졌지만, 궁극적으로는 그러한 노력이 쓸모 없음을 인식하였다. 거의 1942년의 책 Plastic Surgery of the Breast and Abdominal Wall은 전체 몸의 대략적인 수술에 대해 쓰여진 첫 번째 책이다. 이 활동적인 의사는 성형수술의 정당성을 방어하였다. 그는 대중들이 아름다움에 열광적인 관심을 가지고 있다는 것을 인식하였고 이익보다는 해를 끼치는 돌팔이 의사에 의한 불법적인 수술에 대해서 경고하였다. Therek는 "기술의 완벽함은 돌팔이 의사에 대한 프로의사들의 가장 최고의 무기이다" 라고 인식하였다.

1930년대 동안 가슴 축소에 대한 많은 기술자들이 의술 서를 펴냈다. 가장 최고, 최악의 의사들은 이상적인 수술을 창조하기 위해 노력하였다. 그들은 서로 특별한 기술을 먼저 제시했다고 다투었다. 이 경쟁적인 분위기 속에서 여기를 자르고 저기를 자르고는 수술을 독특하게 만들 수 있었고, 작가는 종종 동료가 선수를 치면 분개하면서 비난했다. 오리지널이라고 보고된 방법은 종종 다른 사람의 방법을 모방한 것이었다. 잘못된 예상이 의사의 글에 그려진 미술가에 의해 창조되었다. 그들은 고대 그리스 조각을 완벽하게 복제를 해서 그린 것이었다.

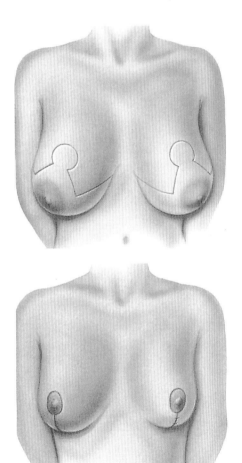

유방축소 수술 뒤의 피부를 봉한 뒤의
큐렛 흡입관을 위한 절개술.

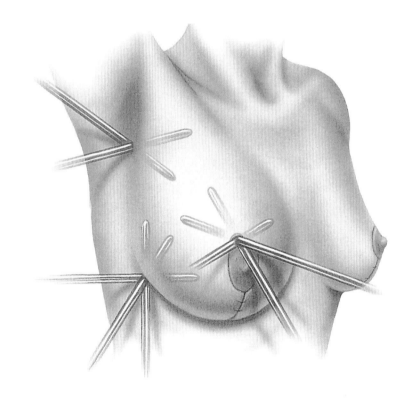

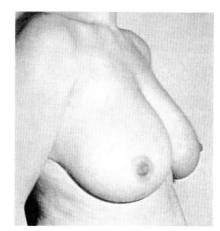

가슴 크기를 줄이기 위한 꾸준히 믿을만한 기술을 디자인하기란 어려웠다. 예쁜 가슴 모양은 어째야 하고, 젖꼭지는 충분한 피를 공급받아야 한다 등의 확실한 표준이 있어야 했다. 적어도 수술은 여전히 위험했다. 상처는 항상 상당하였고, 감각이 바뀔 수 있으며, 젊은 여성들은 그들의 아이에게 젖을 먹일 수 없을 수도 있게 될지도 모른다. 하지만 여성들은 정상적으로 보이고 느껴지는 가능성을 위하여 이 모든것을 무릎쓰고 수술을 했다. 이 환자들은 그들의 용기에 칭찬을 받을만하다.

지난 50년 동안 보고된 몇 가지의 기술은 몇 십년 동안 유명했으며 다른 기술에 또 그 명성을 잃기도 했으며 더 믿을 수 있는 방법이 자리를 찾기 시작했다. 1928년, 독일의 의사 Hermann Biesenberger는 가슴의 부피를 줄이는 방법을 제안했다. 거대한 해부선(gland)의 아래표면으로부터의 조직의 S 모양(s-shaped)의 쐐기꼴(wedge)으로 제거하여, 그는 양쪽의 거대한 가슴이나 단지 약간 큰 가슴 모두로부터 만족할만한 결과를 얻었다. 몇 년동안 이 접근은 일반적인 방법이었다. 왜냐하면 이 방법은 피부와 해부선(gland)의 손상을 최소화하는 가능성을 동반했기 때문이다.

1930년에 안전한 수술의 발전에 커다란 영향을 끼친 방법이 만들어졌다. Emil Schwarzmann은 젖꼭지와 해부 유두륜(areola)에 영양을 공급하는 것은 해부선(gland)가 아니라 피부라고 결정했다. 이 혁명적인 발견은 의사들에게 밑에 놓인 해부선(gland)에 상관없이 독립적으로 젖꼭지를 위치하게 해주었다. 젖꼭지가 피부의 carrier(운송인)으로부터 안전하게 제거될 수 있자, 해부선(gland)는 환자의 선호에 맞는 장소에 재위치될 수 있었다. 이 기술로, 의사들은 해부선(gland) 절제의 패턴에 관계없이 자유롭게 수술을 할 수 있었고, carrier(운송선) 방향은 최고의 결과를 생산하였다.

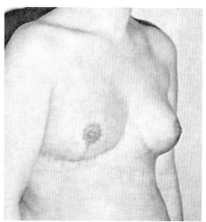

유방 축소 수술. 부피가 큰 가슴 세포를 제거하고, 젖꼭지를 위로 옮기었으며, 가슴을 좀더 매력적이고 작게 보이게 하기 위하여 가슴 피부를 아름답게 꾸몄다.

유방 축소수술

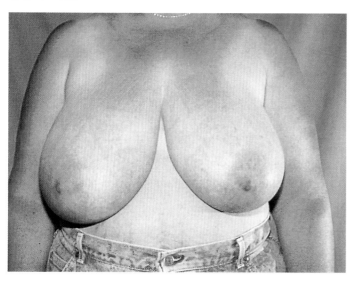

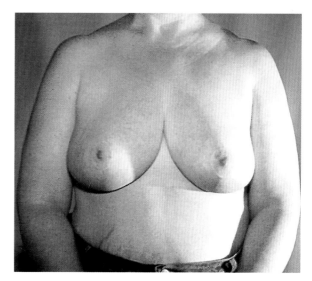

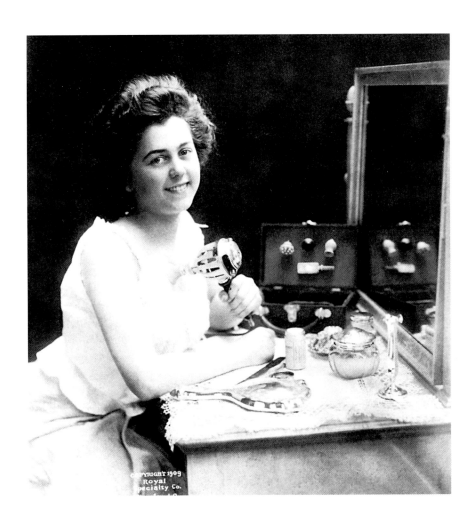

가슴 확대

풍부한 가슴에 대한 마음은 증대하기도 하고 감소하기도 한다. 에드워드 시대의 균형 잡힌 미인과 가슴을 위로 강조하고 엉덩이를 아래로 강조하기 위해 코르셋을 입은 빅토리아인 들은 세기가 바뀜에 따라 여성의 위한 관능적인 모델이 되었다. 극단적인 시기엔 잠깐 역사적으로 평평한 가슴이 패션에 플러스 요인이 된 적이 있다. 1960년 초기에 남성스런 모습의 높은 패션 모델 Twiggy는 키가 크고 작아서 거의 눈에 떠지 않는 가슴을 가지고 있는 늘어진 그녀의 토르소를 자산으로 만들었다. 18세기 이전 Twiggy의 전임자들은 가슴을 평평하게 해주는 보디스로 된 옷을 입었고, 튀어나온 가슴을 위한 공간을 남겨두지 않았다. 그녀가 있었던 시기쯤에, 남성스러운 말괄량이 스타일은 Twiggy의 할머니에게는 매력적이었을 것이다. 이러한 몇 가지 예외를 제외하고는 여성은 항상 둥글고, 게다가 매력적이고, 유혹적이고, 패션 적인 가슴을 추구해왔다.

가슴확대 수술의 역사는 적당한 첨가물질을 찾는 역사이다. 의사들은 환자 당사자의 조직인, 지방이나 진피가 복합된 지방을 이식하는 것이었다. 의사들은 여러 가지 모형과 공식을 사용하였다. 오직 몇 가지 방법만 효용이 있었고, 많은 방법은 심각한 문제를 발생시켰다. 심지어 현대의 기술로도 모든 문제들이 완전하게 풀려지지 않고 있다. 그러므로 가슴 확대수술은 위험과 잠재된 합병증이 완전히 없는 수술은 아니다.

초기의 가슴확대수술은 실용적이긴 않았지만 현명했다. 첫 번째 노력이 Erich Lexer(1867~1937)에 의하여 만들어졌다. 그는 험준한 산을 성공적으로 올라 독일 의사의 불안정한 피라미드를 쟁취한 다재 다능한 능력을 가진 의사중 한 명이었다. 세기가 바뀌면서 그는 이미 전제 해부식도(esophagus)와 소장(small bowel)과 피부의 교환을 시도했다. 그는 환자의 해부요도(urethra)안의 결함을 메우기 위해 부가물(appendix)을 사용했다. 그는 건강한 것을 이식함으로써 손상된 해부건(tendon)을 바꾸었다. Lexer는 수술에 창조적인 접근을 하는 명랑하고 당당한 사람이었다. 한번은 그가 여성의 둔부로부터 지방 덩어리를 제거하고 이것을 그녀의 작은 가슴에 삽입하였다. 하지만 기증된 부분이 볼품없었고, 접목부분은 처음 크기의 반으로 줄어드는 불행한 결과를 가져와서 환자가 추구하던 매력적인 개선과는 거리가 있었다.

비록 피부, 지방, 근육의 부분을 몸에서 떼어내어 다른 부분에 이식하는 기술이 궁극적으로 완전해졌지만, 그 과정은 항상 가슴 확대수술에는 너무 복잡하게 생각되어졌다. 의사들은 단순한 해답으로 외래 물질에 눈을 돌리기 시작했다. 많은 것이 실험되었지만 대부분 실패하였다. 20세기초에, 의사들은 파라핀 주입을 시도했고, 보존된 인간의 피부와 함께 가슴을 채웠다. 그들은 코끼리 상아나, 유리 구를 주입하기도 했고 거의 성공하지 못하였다. 결국 1960년대에 과학자들은 실리콘의 정제된 형태를 합리적인 해답으로 찾았다고 생각했다.

그 당시에 Dow Corning 200의 발견으로 알려져 있는 의학적으로 주입할 수 있는 실리콘은 기름으로 냄새가 없고, 투명하며, 화학적으로 안정되어있다. 미국 식, 의약품국이 이 물질을 새로운 약으로 분류하였을 때, 의사들은 재빨리 이것의 안전을 테스트하기 위하여 동물실험 연구에 착수하였다. 연구는 이 실리콘이 암유발을 하지 않으며 약간의 조직 반응이상의 다른 이상을 일으키지 않는다고 나타났다. 액체 실리콘을 이식하는 것은 완벽하게 안전한 것으로 생각되어졌다.

전자 현미경으로 본 실리콘

하지만 제한되고 특별한 사용에 적당한 이 물질이 무차별로 사용될 수 있다고 생각한 것을 실수였다. 의사들은 너무 많은 양을 주입해야 했기때문에, 액체 실리콘은 가슴 확대에 잘못된 물질로 밝혀졌다. 그들은 그들의 사무실에 저장되어 있는 50갤런의 드럼으로부터 1 파인트의 물질만큼을 끌어내어, 누수방지 총과 비슷하게 생긴 도구를 이용하여, 가슴에 강력한 압력으로 물질을 주입했다. 실리콘이 겨드랑이 밑(armpit), 목, 가슴벽(chest wall)에서 옮겨가는 것을 방지하기 위해서 그들은 물질에 자극제를 첨가했다. 그들은 이 자극제가 몸을 선동하여 실리콘을 제자리에 있게 하는 격하게 하는(inflammatory) 세포(cell)의 방어캡슐을 생산하게 한다고 믿었다. 올리브 오일, 콩기름, 뱀의 독이 차례로 이 자극제로 시도 되었다.

결과는 비참했다. 때때로 실리콘이 직접 혈관에 주입되어 환자들이 죽기도 했다. 비록 물질이 타겟에 닿지는 않았어도 가슴은 부어오르고 감염되고 울퉁불퉁해지고 돌같이 딱딱해졌다. 병리낭포(cyst)도 나타났다. 비록 실리콘이 발암물질(carcinogen)과 연관되지 않았지만, 실리콘 주입된 유방에서는 암검사를 제대로 할 수가 없었다. 실리콘이 소개된 지 10년 후에, 미국 식 의약품 국은 이것을 보편적으로 불법이라고 선언하였다. 실리콘의 사용을 주장한 사람들은 아시아로부터 공급을 받아야 했다.

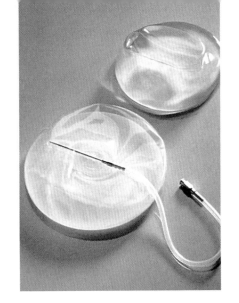

실리콘 인공 삽입물. 위쪽에 있는 것은 눈물 모양으로 된 젤이 가득찬 이식기구이며 아래는 실라스틱 R II 루멘 이식기구로 덮개안에 있는 튜브로 되어있다.

실리콘 주입 전에, 여러 가지 물질이 확대수술의 잠재된 물질로 테스트되었다. 1951년, 동물실험을 하여, 연구자들은 단단하고 스펀지 같은 화학 폴리비닐(polvinyl)인 Ivalon을 테스트하였다. 비록 상당히 화학 약학 불활성(inert)이고 독이 없어도(nontoxic), 이것과 나중의 스펀지 같은 물질들은 시간이 지나면 돌같이 딱딱해졌다. Etheron, polyether, Teflon같은 유기체의 물질이 시도되었지만 이것은 거의 처음 크기의 반으로 줄어들거나, 돌처럼 단단해지거나, 감염을 유발하였다.

액체 실리콘보다 더 단단한 보형물(prostheses)들이 당대의 증가하는 유방수술의 해답을 제공하였다. 1880년대 영국의 과학자인 F.S.Kipping은 실리콘과 화학탄소(carbon)을 혼합한 화학결과를 연구하였다. 그가 "마음이 내키지 않는(uninviting) 풀(glue)"이라고 묘사한 이 혼합물 안에서, 실리콘은 화학분자(molecule)의 유기체의 부분에서 물리 화학적 안정성(stability)을 생산하여서, 그는 화학 중합체의, 합성수지 같은 혼합물을 만들어낼 수 있었다. 이것을 발단으로, Dow Corning 회사는 1945년 실리콘 천연고무를 개발했다. 이 제품은 처음에는 전쟁시 비행기 모터의 진동을 약하게 하는데 쓰여졌다. 전쟁 후에, 과학자들은 생물학과 약학에 있어서의 실리콘의 이용을 연구하였다. 1953년, 생산자들은 처음을 상처 난 생리담즙관조직(bile ducts)을 대체하기 위한 Silastic 배관으로 사용하는, 의학 목적으로 쓰이는 실리콘 천연고무를 소개했다. 1962년, 처음으로 고체의 실리콘 인공기관이 여성의 가슴확대를 위해 이식되었다. 결과를 보여주는 사진은 그녀가 문신을 없앤 오른쪽의 약 3분의 1정도에 있는 커다란 상처를 나타내어, 이 이식수술이 환자의 첫 번째 가슴수술이 아니라는 것을 나타내었다.

Silastic 가슴 이식수술은 아마도 다른 어떤 물질보다 플라스틱 성형수술에 커다란 영향을 주었을 것이다. 매년 의사들은 약 100,000명의 이식수술을 대부분의 사회경제적인 그룹과 연령의 여성들에게 하고 있다. 시간이 지나면서 기술적인 부분에서도 많은 진보가 이루어졌다. 초기의 인공기관은 가슴의 벽에 잘 붙도록 유지하게 하기 위해 직물로 된 조각(cloth patches)을 가지고 있었다. 그 다음에, 가슴을 만질 때 가능하면 사실적인 가슴느낌을 만들기 위하여 염류가 채워진 덮개를 첨가했다. 만약 후에 인공기관을 둘러싸게 될 막이 가죽 같고 두꺼워졌다면 가슴은 딱딱하고 부자연스럽게 보였을 것이다. 너무 단단한 캡슐구축을 피하기 위하여 의사들은 수술의 성공을 더 높이는, 가슴벽 근육 아래에 보형물을 이식하는 것을 알았다.

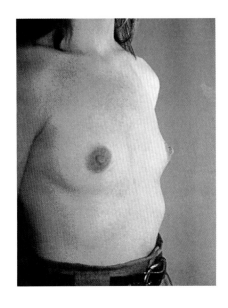 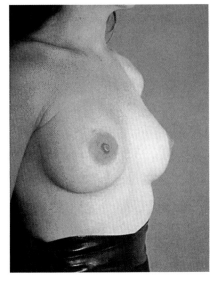

실리콘 인공삽입물을 사용한 유방 확대수술

지방을 없애자 광고, 1878

몸 윤곽 수술 렁거리는 복부, 축 늘어진 엉덩이, 축 늘어진 팔과 다리는 전혀 매력적으로 여겨져오지 않았다. 임신이나 과다한 체중감량 이후에, 체형은 현저하게 매력을 잃게 된다. 덜 명확한 울퉁불퉁한 상태도 골치 아픈 것이 될 수 있다. 복부는 너무 둥글수 있으며, 팔과 다리는 최근의 패션을 유지하기가 곤란할 정도로 두꺼울 수가 있다. 그 결과, 몸윤곽 수술의 새로운 기술이 발전하였다. 초기의 의사들은 배로부터 앞치마처럼 달려있는 피부를 그대로 절단하였다. 후에, 몸통의 지방을 제거하는 방법의 과정이 안전하고 효과가 있다고 생각되어지자, 새로운 방법들이 만들어졌다.

16세기 목판화, 살을 빼기 위해 거머리를 자신의 다리에 놓아 피를 빨아먹게 하는 데니스 헤라클레스

켈리(Howard Atwood Kelly)

몸 윤곽 수술의 중요한 인물은 Atwood Kelly(1858~1943)으로 Hohns Hopkins 병원의 교수이다. 산과학(obstetrics)에서 부인병학(gynecology)이라는 분야를 창립한 사람으로 알려진 Kelly는 570개의 의학적 결과를 썼다. 이 의사는 여성의 문제에 대해 동정적이었다. 그는 디룽디룽 매달린 복부의 피부와 지방으로부터 고통받는 그의 불행한 환자들을 인식하고, 1900년대 초기에 이 문제에 대하여 너무나 관심이 안 기울여지고 있다고 얘기하였다. 지나치게 살찐 여성의 배로부터 살찐 부분을 제거하기 위하여 그는 여성의 몸통부분(mid-section)을 통하여 피부와 지방의 큰 부분을 도려내고, 이 과정 중에 배꼽(umbilicus)이나 belly button을 희생시켰다. 그의 선구적인 역할은 이런 종류의 수술에 가능성을 더 올려주었다. 2년 후에, 동료는 저명한 과학저널에 그가 여성으로부터 17파운드의 지방을 제거하였다고 보고했고, 1910년 Kelly 역시 여러 번의 비슷한 수술을 성공적으로 완성하였다.

이 수술이 가능한 것으로 인식되자, 창조적인 의사들은 다음 50년을 넘는 기간 동안 이 수술을 개선해가기 시작했다. 그들은 배꼽의 중심으로 대를 넣어서 그 구멍으로 지방을 빼내어 배를 평평하게 만들기 위해 노력했다. 배꼽의 접목법의 결과에 아마도 만족했을 Max Thorek는 배꼽 이식 수술을 했지만 결과는 그리 성공적이지 못했다. 다른 의사들도 기여를 했다. 만약 배 중앙 아래 근육의 유출 량이 자체적으로 수평상태로 접혀질 수 있으면, 복부는 평평하고 허리는 가늘게 보일 수 있다. 윗배를 부드럽고 평평하게 만들기 위해 가장 적절한 절개를 선택하기 위해 더 깊은 조사가 수행되었다. 수평, 수직, U자모양, 별모양 등 가능한 모든 절개 법이 시도되었다. belt 피하지방절제 수술이라고 불리는 하나는 복부의 피부뿐만 아니라 뒤쪽의 퍼덕이는 피부 또한 제거하였다. 복부 수술로 생기는 흉터는 환자가 거의 반으로 잘려진 것처럼 보이게 만들었다. 의사들이 복부수술에 점점 숙련되어지자 그들은 몸의 다른 부분의 과도한 피부를 제거하는데 새로 발견된 원리를 적용시켰다.

복부의 과도한 지방과 피부조직을 없애기 위한 절개법. 그림에 나와있는 절개법 대부분은 현재 쓰여지지 않고있다.

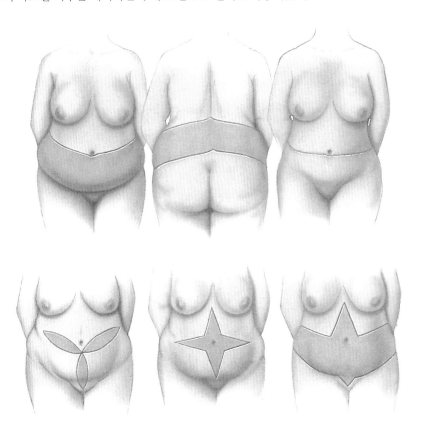

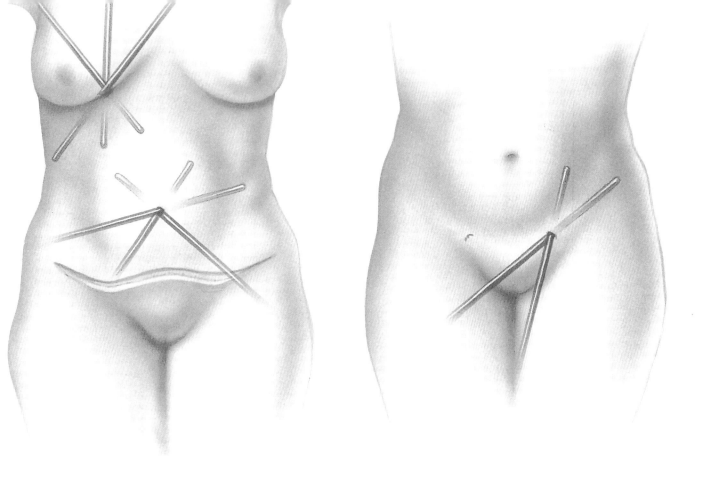

몸 윤곽 수술의 최근에 추가된 기술은 눈에 띄지 않는 작은 절개를 통해 몸 대부분의 지방을 제거하는 지방흡입술이다. 1920년에 프랑스에서 소개된 이 수술은 최근에 와서야 관심을 받고 있다. 지방 흡입술을 처음으로 시도한 사람은 프랑스의 이름 없는 의사로, 그는 연예인의 다리의 지방을 제거하려고 시도하였다. 절개한 부분 등 자세한 것은 기록되지 않았지만, 그 여성은 감염이나 혈관(vascular) 상해로 인해 그녀의 다리를 잃었고, 얼마나 여성들이 날씬한 팔과 다리를 염원하던 간에, 이러한 일은 그들로 하여금 지방 흡입술에 대한 열정을 잃게 만들었다.

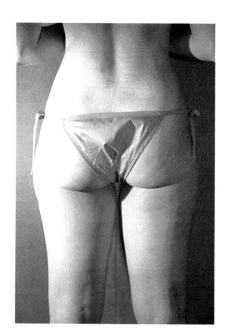 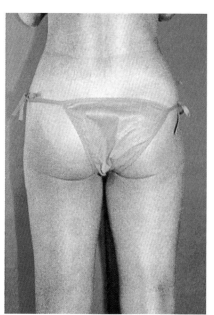

"saddle bags" 라고 불리던 돌출된 넙적
다리는 지방흡입술로 제거할 수 있다.

193

성공의 열쇠는 올바른 도구를 찾는데 있었다. 독일의 Joseph Schrudde는 원하지 않는 지방을 긁어내기 위해 큐레트(curette)를 사용하여 여성의 엉덩이의 굵기를 줄였다. 부인과 의사는 이 기구를 환자의 자궁에서 원치 않는 임신을 제거하는 데에 이 기구를 사용한다. 다른 의사들은 지방을 부수기 위해 피부 아래로 기구를 넣기를 시도하였다. 그러나 다른 상상력 있는 의사들은 강력한 스프레이어(sprayer)와 함께 유동체(fluid)를 주입하여, 기계 흡입기로 액체화되고 희석화된 지방을 뽑아내었다. 1970년대에, 세련된 기구가 특별히 만들어져서 과거의 기구를 대신하였다. 기술 또한 정련 되어서 지방 흡입 술은 다른 수술들과 마찬가지로 매력적이지 못한 외관을 바꾸고 있으며 현재는 안전하고 효과적인 수술방법이 이루어지고 있는 상황이다.

성형수술은 이제 더 이상 경솔하거나 위험한 것으로 여겨지지 않는다. 오늘날 이것은 사람들의 외모를 개선시켜주는 것으로 하나의 선택사항의 부분으로 받아들여지고 있다. 더 많은 사람들이 더 좋은 외모를 추구하면서 성형수술을 둘러싼 분위기는 더 개방적이고 정직해지고 있다.

주름 제거수술 전과 후

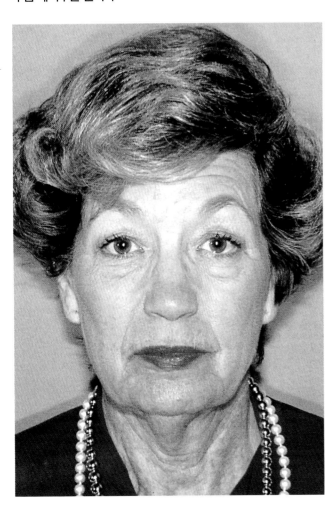

CHAPTER EIGHT

화장품

고대 시대부터 르네상스시대까지

COSMETICS
Antiquity to the Renaissance

5

000년 동안, 사람들은 그들의 외모를 바꾸고 개선시키기 위해 화장품 사용하여 왔다. 거의 모든 사회집단들은 그들의 문화에 비밀스럽게든 드러내놓든 간에 아름답게 만드는 물질을 허용해왔다. 고대 사람들과 현대 사람들의 목표는 같다. 외모를 증대시키고, 결점을 숨기고, 자연적으로 받은 것을 바꾸는 것이 그들의 목표였다.

화장품은 3가지 목표가 있다. 개선, 젊어지게 하기, 감추기이다. 립스틱, 루즈, 아이쉐도우같은 화장품은 외모를 강조하고나 축소, 확대시켜주기 위하여 있다. 패션의 지시에 따르면 눈화장처럼 얼굴의 특정 부위를 강조할 수 있고, 피부색을 개선시키고 지속 시키는 얼굴 화장처럼 매끄러움을 창조할 수 있다.

젊어지게 하는 화장품을 만드는 제조업자들은 나이를 부정하는 젊은 문화의 열망을 지배하였다. 이런 제품종류의 성분들은 좋은 채소 추출물부터 동물 배설물과 위험한 만큼 높은 함유량의 호르몬까지 세기에 걸쳐 다양함을 보인다. 얼굴 크림과 주름을 방지하는 크림 등을 만드는 제조업자에 의한 약속된 성공은 종종 정확한 공식을 고수하는데 있다. 그들의 성공은 비록 오늘밤에는 부드럽고 주름 없게 만들지는 않아도 내일은 아마 작용 할 것이라는 희망을 갖고 믿기 때문이다.

화장품은 또 숨기기도한다. 고대시대의 전사들은 포악하게 보이기 위하여 그들의 얼굴에 색칠을 했다. 1980년대 punks라고 불리던 사람들은 그들의 본래 머리색을 없애고 그들의 정체성을 제거하기 위하여 푸른색과 초록색의 식물성 염색약을 사용했다. 그들은 아름다움을 추악함과 같은 것으로 여기고 그 자신들을 반란의 상징으로 바꾸었다. 화장은 또한 "나는 화장 안 하면 벌거벗은 느낌이야", "난 오늘 내 얼굴을 믿지 않았다." 라고 말하는 많은 여성들을 위하여 감추어주는 기능을 한다. 그들을 위해, 매일의 화장은 그들의 외로움, 슬픔, 불완전함을 감추어주는 중요한 기능을 한다.

화장품은 섹시함을 제시한다. 빨간 입술은 관능적인 행동을 위한 준비가 되어있음을 암시한다. 20세기 중반의 말버릇은 마스카라로 눈을 칠하여 아이셰도우로 깊이를 만드는 "bedroom eyes" 라는 단어를 포함하고 있다. 머리털이 많을수록 정력도 세다 는 통념을 믿는 대머리의 남자들은 그들이 잃어버린 희망을 찾기 위해서 어떤 로션이라도 바르기를 시도해 본다.

몇몇 화장품의 명성은 과학적인 매력에 기초하고 있다. 침팬지의 고환을 첨가한 얼굴 크림은 1900년대 초기에 팔렸고, 그러한 물질이 젊게 한다는 유명한 믿음 때문에 값비싸게 팔렸다. 사실, 제작자들이 그들의 상품은 자연적이거나 또는 화학합성의 에스트로젠을 포함하고 있다고 자랑하는 것을 그만둔 것은 요즘에 들어와서이다. 약을 포함한 제품에 대한 열망은 과학자들에 의해 생산된 제품이 믿을만하다는 개념과 호르몬이 libido를 증신시켜준다는 희망에 근거하고 있다.

화장품은 오랫동안 계급을 상징하는 역할을 해왔다. 어른으로 가는 길을 의미하는 사춘기 의식의 부분으로 고대 이집트인들은 그들의 얼굴에 문신을 했다. 18세기에 어느 특정한 고가의 rouge색을 가지고 있는 유럽 여성들은 부러움의 대상이었다. 아시아 문화에서, 부유한 일본인의 검은 이나, 젊은 힌두 여성의 이마에 색칠된 빨간

점은 혼기를 상징하는 등 지난 몇 세기 동안 화장품은 세속적인 위치의 상징이었다. 오늘날, 미국 10대 소녀들은 확실한 립스틱의 색과 머리에 맞는 무스를 바르는 것이 그들 동급들에게 받아들여지는 것으로 간주하고 있다.

따라서 화장품의 사용은 때때로 제한되거나, 시대에 따라 찬성되어왔다. 사회의 명령에는, 인조적 장신구에 대한 압력은 상당히 클수 있다. 17세기의 윤리주의자들은 여성들이 화장을 하는 것은 그녀의 영혼을 훼손시키며 신의 작품을 망치는 것으로 화장을 간주했다. 화장이 가장 허용적 이었던 사회는 아주 고대시대거나 아니면 기술적으로 진보한 사회였다. 극단적인 그러한 시대에, 얼굴 화장은 점점 대담해져갔다.

패션과 정치는 화장의 스타일을 결정한다. 이집트 여왕인 클레오파트라가 그녀의 눈 주위를 검은 색 콜먹(회교국의 여성이 눈썹 따위를 칠하는 데 쓰는 화장먹) 칠하고, 그녀의 눈꺼풀을 초록빛의 구리색소로 칠하였을 때, 그녀 나라의 여성들은 그러한 추세를 따랐다. 영국 여왕인 엘리자베스 2세가 그녀의 머리를 빨갛게 염색했기 때문에 16세기 많은 여성들이 그렇게 했다. 당대의 정치적 요소는 거의 화장품에서는 지도자의 역할을 하지 않았지만, 미디어의 유명인사가 자신은 특별한 브랜드의 화장품을 사용한다고 했을 때, 제조업자들은 부유하고 유명한 사람들을 본뜨는 현대 여성의 욕구를 맞춰주는 역할을 하였다. 최근의 유행에 따라 화장하지 않는 여성들은 종종 창백하고 흥미 없게 보인다.

고대 시대의 지도

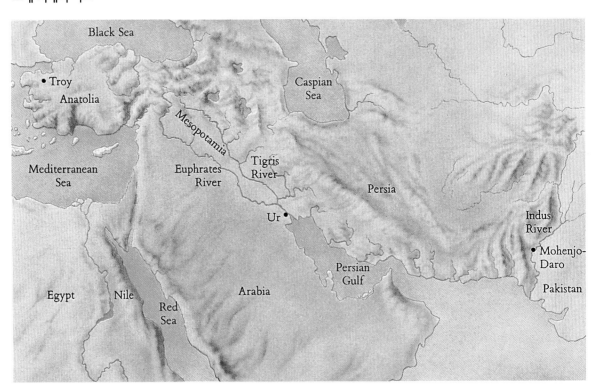

하토르 신이 19번째 왕조의 새로운 왕국의 왕
세티I세에게 마술의 목걸이를 주고 있다.

고대 이집트　허　영심은 아마도 피라미드보다 오래되었을 것이다.
그러나 화장품은 BC2700년대의 고대 왕에서부터
BC1085의 새 왕조가 끝나는 기간동안의 사치와는 거리가 멀었다. 나일 골짜기의 습기
없는 기후에서, 오일과 연고는 피부를 습기 있고 깨끗하게 유지했다. 모든 사람들은 화
장품을 사용했다. 가난한 사람들은 싸구려의 해리향의 콩기름을 사용했고, 부유한 사람
들은 미르라나 유향의 향기가 나는 수입된 값비싼 기름을 사용하였다. 여성들은 그들의
가발 꼭대기에 고체 향료로 가득 찬 용기를 올려놨다는 흥겨운 때가 기록되어있다. 열이
가해지면, 물체는 그녀의 얼굴과 몸으로 똑똑 떨어져서 몸 전체에서 향기를 뿜게 하였
다.

　화장을 하는 것은 부유한 남성이나 여성에게는 흔한 일이었다. 그들은 그들의 볼과
입술을 칠하고, 그들의 손톱과 손바닥, 발바닥을 이집트의 관목 잎에서 채취한 헤나로
착색하였으며, 그들은 그들 가슴의 혈관을 푸른색으로 강조하였으며, 그들의 젖꼭지는
황금색으로 그들의 눈 주위는 구리광석의 거친 파우더인 금속 색으로 둥글게 칠하였다.

철산화물

석영속의 방연광

가장 없어서는 안돼는 화장품은 콜먹으로, 방연광의 검회색의 파우더 또는 부드러운 금속의 안티모니로 된 것이었다. 몇몇 사람들은 콜먹이 거의 방연광으로 되어있고 불순물로 안티모니가 포함된 것이라고 말한다. 콜먹은 그 자체가 예술이었던 항아리에 보관되어졌다. 그것들은 설화석고, 나무, 파이앙스 도자기로 만들어졌다. 콜먹은 침으로 습기 있게 해서 눈 주위에 둥그렇게 발랐다. 이 검은 색의 물감, 페인트 또한 태양의 눈부신 빛으로부터 눈을 보호하는 역할을 하였다.

이집트인들은 놀라울 정도로 다양한 화장도구를 사용하였다. 더운 날씨에 신선함을 유지하기 위하여 그들은 테레빈과 향으로 만들어진 연고를 발랐다. 그들은 피부를 단단하게 만드는 로션을 사용했으며, 사마귀나 여드름을 제거하기 위한 로션도 사용하였다. 주름을 없애기 위하여 그들은 설화석고, 소금 꿀로 만들어진 것을 칠하였다.

이집트인들은 그들의 머리모양에도 특별한 정상을 쏟았다. 그들은 회색이나 얇은 머리카락을 싫어했기 때문에, 검은 소의 피를 사용하여 머리를 검게 물들이거나, 모발 재생을 위해 오일을 머리에 바르기를 시도하였다. 모든 것이 다 실패로 돌아가자 그들은 가발을 썼다. 다른 목적을 위해 특별한 약 등이 또한 사용되었다. 몇몇의 이집트 여성들은 그들의 라이벌의 머리가 다 빠지도록 하기 위하여 비밀스러운 방법을 사용했다고 전해진다.

이집트인들의 화장도구 물품들은 솜씨 있게 만들어졌다. 고고학자들은 고대에 쓰던 화장품의 조각이 남겨진 나무나 상아로 만들어진 조그만 상자를 발견했다. 설화석고나, 유리로 만들어진 병이나 항아리 등은 오일이나 연고를 담아두는데 쓰여졌다. 미술 공예가들은 물고기, 거위, 과일 모양의 물감을 담아놓는 사발을 만들었다. 이집트인들은 또한 아주 잘 다듬어진 구리유리를 사용했다.

화장품은 사후세계를 위해서도 필수적이었다. BC3000년대 이집트인의 무덤에서 초록색 아이쉐도우를 만드는데 사용되는 방연광이나 공작성의 작은 가방이 발견된다. 투탄카맨왕은 다른 어떠한 사람들보다 화려한 부가 넘치는 거의 손대지 않은 무덤으로써 잘 알려져 있다. 그의 무덤에서 발견된 보물중의 하나는 화장품 항아리이다. 그 항아리 안에는 동물 기름으로 만든 크림이 남아있었고, 이것은 죽은 후의 피부를 부드럽게 하기 위해서 였다.

18번째 왕국, 목동의 모습이 그려져
있는 화장품 이집트의 원통

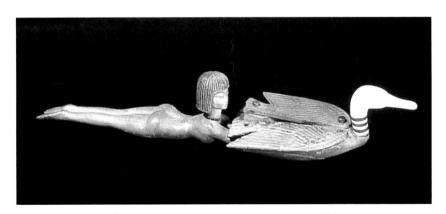

수영하는 여인의 모양으로 된 루즈통, 이집트, 10번째 왕국

여왕 Shub-ad의 무덤

아시리아

아시리아 사람들은 사치에 대한 그들의 사랑과 개인적 과시에서 이집트 사람들과는 라이벌이었다. 아시리아인들은 그들의 몸을 나무 재로부터의 잿물로 깨끗하게 하고 금, 은, 동의 거울로 그들의 얼굴에 관해 연구하였다. 그들의 염색하고 수놓은 드레스, 목걸이, 부적을 보충하기 위하여, 그들은 루즈와 안티몬 반죽을 눈꺼풀에 조각된 상가핀으로 발랐다.

귀족들은 화장품을 맹목적으로 사랑했다. 남쪽 메소포타미아의 도시 Ur의 귀족 묘지 안에서, 고대학자들은 여왕 Shub-ad 의 무덤을 발견하였다. 이 무덤은 BC2500 년경에 만들어진 것으로 그녀의 이름 없는 남편 옆 지하동굴에서 발견되었다. 이 귀족 커플은 그녀의 무덤을 따라간 59명의 수행원들 사이에 둘러싸여져 있으며, 이 수행원들은 작은 사발로부터 약을 마시고 그녀의 죽음을 뒤따랐다. Shub-ad의 교회당 지하실의 보물들 중에서는 입술 루즈를 담는 청록색의 공작석이 포함되어 있었다.

성경시대

비록 유대 지도자들은 개인 장신구에 눈살을 찌푸렸지만, 유대여인들은 향수를 사용하고, 그들의 머리를 장식했으며, 보석으로 그녀의 몸을 치장하고 화장품을 사용하였다. 이스라엘의 강력한 세 번째 왕인 솔로몬 왕 시대에 향수와 방향제는 보편적으로 사용되었다. 성서에서 솔로몬 왕은 연고나 향수는 "마음을 즐겁게 한다"고 썼다. 하지만 그는 정부들이 미르라와 계피향을 사용하여 남자를 꼬시는 미끼로 사용한다고 경고했다. 열왕기의 이세벨의 이야기는 화장품을 쓰는 여성이 사악하다고 지적하고 있다. 이스라엘왕 Ahab의 아내라는 그녀의 고상한 위치 때문에 이세벨은 그녀자신이 선택한 신인 태양신은 숭배하도록 허락 받았다. 이 영향력 있는 여성은 하나님의 예언자인 엘리야에게 바엘과 야훼, 이스라엘의 왕 중 누가 가장 최고의 신이냐고 질문을 시도했다. 야훼의 믿음을 방해하고 엘리야에게 도전함으로써 이세벨은 고약하고 사악한 여성으로 알려져 있다. BC843년, 예후는 이세벨의 아들을 죽이고 자기자신이 왕이 되었다. 그녀 자신의 궁에서 예후에게 대항하기 위해 기다리던 이세벨은 그녀의 눈을 색칠하고, 창문아래로 그를 내려다보면서 그가 궁으로 다가올 때 그를 욕하며 비웃었다. 그녀의 오만함에 화가 난 예후는 즉시 그녀를 땅바닥으로 내동댕이치라고 명령했다. 후에, 신하들이 그녀의 몸을 무덤으로부터 복구하였을 때, 개들이 그녀의 뼈를 드러나게 해놓은 것을 발견했다.

두 세기가 지나고, 두 명의 이스라엘 예언자들은 그들의 나라가 우상을 숭배하며 신에 대한 믿음이 사라졌다고 말하였다. 성경은 눈 화장에 대해 나쁘게도 표현했지만 좋게도 표현하고 있다. 욥기의 불행이 반전되었을 때, 일곱의 아들과 세 명의 딸의 아버지가 되었다. 그 중의 세 번째의 이름은 "Ceren-happuch" 였으며 그 의미는 눈 화장의 호른 또는 아름다움의 원천이라는 뜻이다.

Mohenjo-daro부터 나온
화장품 넣는 통

인더스강 골짜기

500과 BC 1500사이에 지금의 파키스탄인 인더스강 골짜기 주변에는 생물이 번창했다. 인더스강 주변의 고분들의 그룹인 Mohenjo-daro는 문명의 물질을 남겨놓고 있다. 많은 다른 물건들 중에서, 고고학자들은 콜 먹에 의해서 안이 검게 된 흙이나 파이앙스 도자기 등을 발견했다. 구리로 만든 콜 먹 스틱도 발견되었고 동으로 만든 거울도 발견되었다.

풀룻을 연주하는 여인, 아테니의 컵,
BC 15세기,
Lysis

고대 그리스

리스의 고급 매춘부인 hetaera에게 허락되었던 것과는 덕망 있는 그리스의 여인들에게 허락되었던 것과는 거리가 있었다. 토지관리 보고서인 Oeconomicus에서 군인에서 역사가로 변신한 Xenophon(431~349BC)는 Isochamacus와 그의 15살 신부에 관해서 썼다. 이 책에서 Xenophon은 좋은 아내의 의무는 음식을 준비하고 직물을 잘 짜며, 하인들을 잘 관리하는것으로 나타내고 있다. 그래서 그 젊은 아내가 Isochamacus앞에 그녀의 얼굴을 납으로 하얗게 하고, 그녀의 볼을 알카나 염료로 불그스름하게 하고, 하이힐을 신어서 키를 크게 하고 나타났을 때, 그는 역겨운 소리를 냈다. 그녀는 마치 그가 그의 부를 그녀에게 속이는 것처럼 그녀의 외모에 대해 남편을 속이는 정직하지 못한 짓을 했다고 그는 말했다. 그는 그녀가 빵 반죽을 만들고 옷을 개며 자연스럽게 볼이 빨개지는 것이 더 현명하다고 했다.

하지만 그리스의 사회는 세련되지 못한 아내들과 사는 남성들에게 대화, 문화적, 관능적 욕구를 충족시켜주는 고급 매춘부에게는 특별한 곳이었다. 고급매춘행위는 심지어 당대 학자들도 인정하고 있었다. 연설자인 Demosthenes는 즐거움을 위해 매춘부를 허용하였으며, 아내들은 정통의 아이들을 생산하는 역할을 하고 있었다. Phaedrus를 쓴 Plato는 많은 남성들은 그 당시에 다음과 같이 느꼈을 거라고 제시했

그리스의 목욕하는 사람들, 15세기 BC,
꽃병그림

다: "순간적인 기쁨과 우아함만을 즐기며 사는 몇몇 동물이 있다."

    첩들은 화장품으로 치장을 하였다. 기록에 의하면 한 성공적인 창녀가 어떻게 사치스러운 향수 목욕을 즐기고 난후 탈모제로 체모을 제거하고 수입용 오일로 마사지를 즐겼냐 을 알수 있다. 그 당시엔 속눈썹과 눈꺼풀이 검은색으로 칠해졌었다. 식초에 뿌리가 저려진 것으로 문지를 다음 납 혼합물인 백연으로 피부를 희게 하였다. 머리를 금발로 염색하기 위해 칼륨용액으로 탈색을 시킨 후 땋아서 아름답게 꼬아 올렸다. 얼굴화장과는 달리 머리장식은 상류계층의 여성들에게도 받아들여져 머리를 땋거나 말아서 곱실거리게 하였는데 이는 다른 형태로는 거부되었던 화장, 또는 신체장식에 대한 이들의 갈망을 입증해 보이고있다.

카오스의 Kore

로마인들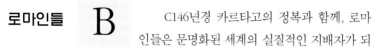

    C146년경 카르타고의 정복과 함께, 로마인들은 문명화된 세계의 실질적인 지배자가 되었다. 그들의 위치를 법적으로 단호하게 하기 위하여, 그들은 그들이 정복한 더 진보한 나라의 관습을 받아들였다. 그들은 그리스인과 동양인들의 문화를 모방하고 심지어는 그들의 노예들의 습관(풍습)을 따라했다. 로마인들은 부에 대해 새로운 접근을 했고, 이 부는 기분전환의 기회를 가져왔다. 이 새로운 사치와 함께, 화장품의 사용은 번창하였다.

높은 신분의 여인의 초상, 로마

만약 로마의 여성이 상위계층에 속해있으면, 노예가 그녀의 명령을 다 하는 시대였다. 비록 그녀가 오늘날의 기준으로 보자면 자유롭다고 여겨지지 않을지도 몰라도, 그리스의 여성들이 그랬던 것처럼 독립적인 로마의 여성들은 화장품에 관해서는 남성들의 명령을 완전하게 따르지 않았다.

Ovid(43BC~AD17/18)로 알려진 Publius Ovidius Naso는 아우구스투스 황제 기간동안 시를 썼다. 그의 시와 편지, 책, 당대 관능적 작품의 그림 문서등에서, 그는 유행을 따르는 로마인들을 위한 요염한 책략을 쓴 핸드북을 제공하였다. 그가 개인적인 경솔함으로 AD8년 아우구스투스에 의해 추방당하기 전에 Ovid는 로마인들에게 어떻게 사랑을 쟁취하는가, 어떻게 화장품을 선택하고 바르는가, 어떻게 젊음을 유지하는가 등에 관한 주제의 가르침을 로마인들에게 제공하였다.

The Art of Love에서 Ovid는 여성에게 어떻게 그들을 최고로 보이게 할 수 있는지에 관해 충고를 하고 있다. 머리는 얼굴의 형태를 돋보이게 하도록 하여야하며, 흰 머리에는 색깔 있는 린스를 발라주어야 한다고 충고하고 있다. 옷은 아름다운 색을 선택하여야하지만, 옷을 입는 사람은 부를 과시하는 것은 불쾌함을 일으키기 때문에 너무 화려하게 보이는 옷은 피해야한다고 충고하고 있다. 여성은 파우더를 복합하여 바르고 창백한 얼굴에 루즈를 칠하고, 그녀의 눈 주위로 마스카라를 발라주어 얼굴의 매력을 몇갑절 증가시킬 수 있다. 하지만 Ovid는 충고하고 있다.

당신의 애인이 당신의 옷 테이블에 있는 모든 병과 단지를 발견하지 못하게 하시오. 가장 아름다운 화장은 주제넘게 나서지 않는 것에 있습니다. 너무 두껍게 얼굴에

로마에서 나온 조각 파편

화장을 하는 것은 반감을 살 수 있습니다.

Ovid는 기분 좋은 성격과 정당한 행동이 보답을 받는다는 것을 부정하지는 않았지만, 그는 아름다운 얼굴이 미덕보다는 더 유용하다고 여겼다. On Facial Treatment For Ladies(여성들을 위한 얼굴 가꾸기)는 Ovid의 간결한 책으로, 좀더 나은 외모를 위한 방법이 들어있는 책이다. 그의 전형적인 복합물은 수선화 구근, 꿀, 수사슴의 뿔 등을 섞은 것이었고, 수사슴의 뿔은 오직 수사슴이 성적으로 활동적인 시기에 얻은 것이라야 효과가 있었다. Ovid는 얼굴의 주름을 지우기 위해 이 얼굴 팩을 사용하는 여성들은 그녀의 얼굴이 더 밝게 빛나는 것을 보게 될 것이라고 독자들에게 확신시켰다.

설화석고로 된 병에 향수를 따르는 소녀

여러 황제에게 명성 있는 개인의사이자 의학 권력가인 Galen of Pergamon (c.130~200)은 화장품에 위험이 도사리고 있다는 것을 인식하였다. 로마의 여성들이 얼굴의 결점을 제거하기 위해 수은 화학물질을 사용할 때, 그는 수은독 때문에 젊은 여성의 얼굴이 유인원처럼 주름지게 만들 수 있다고 경고를 했다. 그는 오늘날 "cold cream(콜드크림)"으로 알려져 있는 장미향수의 연고를 스스로 만들었다.

모든 로마인들이 인공적인 장식품을 선호한 것은 아니었다. 당대의 도덕에 질린 한 풍자시인 Juvenal은 그 시대의 관례에 반대하여 통렬한 비난을 쏟았다. 그의 에세이 "A Gallery of Woman(여성 갤러리)"에서 그는 부유하고 결혼한 여성들이 얼굴에 팩을 하고 잠자리에 들며, 그들은 하루종일 자신의 얼굴에 색칠을 하고 음모를 꾸미는 것밖에 하는 일이 없다고 비난하였다. 하지만 이런 여성들이 온갖 주름제거크림과 검은 점 제거제를 칠할 때, Juvenal은 결과는 여전히 의심스럽다고 쓰고 있다. "우리가 그것을 무엇이라고 불러야 하나", 풍자작가가 심사숙고하였다. "얼굴 아니면 병리궤양(ulcer)?"

초기 서력기원 기 독교 교회사람들은 격렬하게 화장품 사용에 반대하였다. 강력한 신학자 Tertullian (c.155/ 160-after220)은 "그들의 볼을 붉은 색으로 칠하고 그들의 눈에 색을 칠하는 그들의 죄는 신에게 반대하는 행위"라고 말했다. 기독교 신앙으로 개종한 그리스의 교회법학자인 Clement of Alexandris(c.215)는 가발을 쓰는 사람이 축복을 받을 때 축복은 가발에 남고 머리 아래를 통과하지 못한다고 선언하였다. 카르 타고의 성직자인 St. Cyprian(200~258)은 "처음의 악마는 색깔 있는 눈썹의 사용을 가르치고, 뺨에 블러쉬를 하며, 자연적인 머리의 색을 바꾸는 것을 전수했다며, 누가 감히 신이 우리에게 주신 모습을 바꾸고 고치려 하는가"라고 얘기했다.

4세기의 후반에, 두 명의 "라틴의 아버지들"은 화장품을 사용하는 사람을 부도덕하다고 책망하였다. St. Augustin을 개종시킬 정도로 설득력 있던 설교를 한 St. Ambrose(340~397)은 "색칠을 하는 것은 속이는 짓이다. 또한 이것은 땀이나 비로 지워진다."라고 말했다. 최초의 라틴 성서 번역의 명성 있는 학자인 St. Jerome은 "기독교 여성 얼굴의 보라색 흰색 칠들은 무엇이냐"라고 물었다. 젊음에 불을 붙이는 사람들, 쾌락을 즐기고 정숙하지 못한 영혼의 상징! 여성들은 그들의 얼굴과 눈을 인공적인 색으로 칠하는 치욕적인 문제거리이다.

Campaldino에서 죽은 Guglielmo
Berardi 무덤의 말타는 사람. C. 1289

중세시대 **5** ~15세기까지 1000년 동안은 보통 개인 장식품에 대한 관심이 부재했다. 로마의 멸망은 위생시설, 목욕, 향수 같은 로마인의 습관에 대한 관심을 사라지게 하였다. 새로운 야만의 시대가 시작되었다. 포학함을 보증하기 위해 고대 스칸디나비아, 색슨족, 튜턴족 남자들은 자신들을 푸르게 염색하였다. 하지만 그 당시 거의 노예로서 취급받던 여성들의 장식품에 대한 기록은 남아있지 않다.

아이러니컬 하게도, 당대 종교적 이유로 인해 일어난 운동인 십자군전쟁 은 서유럽에 화장품을 소개해주는 계기가 되었다. 1095년 첫 번째 십자군 이후, 예루살렘은 무신론자와 십자군의 용사들이 가져온 아라비아산 향수와 화장품으로 넘쳤다. 기사들은 그들이 마주친 사람들을 야만인이나 더러운 사람들로 묘사했을지도 모른다. 하지만 그들은 또한 동경으로 가득한 동쪽 관습의 부분에 대한 보고서를 가지고 돌아왔다. 유럽에서 머리염색은 갑작스런 유행이 되었고, 귀족의 여인들은 마녀를 나타내는 붉은 색을 제외한 노란 색 검은 색 등으로 그들의 머리를 물들였다. 유럽의 여성들은 몸의 털을 속돌로 문질러 없앨 수 있다는 것을 배웠고, 기사들이 그들에게 가져다준 칫솔로 이를 닦았다. 발진을 진정시키기 위해 유럽여성에 의해 사용되는 허브로션은 이제 얼굴 크림으로 동양의 재료를 가하였다.

한번 화장품이 소개되자, 인기가 계속 치솟았다. 부유한 여성들은 항상 미를 위해 여가시간을 충분히 즐겼다. 하지만 중세시대에 경제적으로 넉넉한 상인과 직공의 새로운 계급들은 그들의 아내들에게 허영심을 채워줄 시간을 주게 되었다. 상업의 발전은 모든 계층 사이에 전달을 증가시켜서 넉넉하지 못한 여성들은 부유함으로 갈 수 있는 기회가 예전보다는 훨씬 많아졌다.

비록 교회는 화장품의 사용을 비난했지만, 몇몇의 중세 여성들은 개인장식품을 통하여 그들을 표현하기 위해 비난을 감수할 준비가 되어있었다. 여성의 외모는 로맨틱한 기사도의 상징을 유지하며 창백하고 금발머리의 귀여움으로 기준화되었다. 선호되던 얼굴 색은 백합처럼 창백한 흰색이었고 입술이나 볼은 장미처럼 붉은 색조였다.

중세시대의 여성들은 창백한 이미지를 만들기 위하여, 사나운 기미를 멀리하기 위하여 화장품을 사용했다. 그들은 덩굴줄기의 재와 식초와 함께 끓인 물푸레나무의 잎을 이용하여 머리를 금발로 염색하는 방법을 배우기 위해 13세기의 책, Ornatus mulierun을 열심히 읽었다. 이 책은 색이 밝지 않고, 곱슬이거나 또는 축쳐진 머리를 위한 자세하고도 복합적인 치료법이 소개되어있다.

아라스(Arras)로부터 나온 프랑스의
태피스트리 , 15세기

여성은 어떠한 것이든지 남성적인 이미지를 피하였다. 몸의 털은 최악이었다. 프랑스의 의사이자 유명한 주석자인 Henri de Mondeville(1260~1320)은 다리, 얼굴, 가슴에 있는 털을 제거하는 방법으로 뜨거운 바늘을 피부 속에 집어넣어 모낭을 제거하는 방법을 추천하였다. 여성들이 화상을 입는 것에 대해 남편에게 하는 최고의 설명은 하녀들이 목욕물을 너무 뜨겁게 한다고 말하는 것이었다.

매력 있는 창백함을 얻기 위해, 중세 여성들은 밀가루 파우더로 그들의 피부를 칠하였고, 밖으로 나갈 때는 베일로 그들의 얼굴을 덮었다. 몇몇 부유한 여성들은 계속 피를 흘려 안색을 창백하게 만들었다. 창백한 안색은 반대되는 밝은 색으로 입술이나 볼을 칠하면 더 창백해 보였다. 하지만 루즈나 입술 색은 명성 있는 여성들보다는 창녀들에게 더 많이 사용되었다. 하지만 예외도 있었다. 14세기 스페인 조각상중에서는 위로 올린 눈썹, 검은 색 물감으로 아이라인을 하고, 입술과 볼을 붉은 색으로 칠한 성모 마리아를 보여주고 있다.

르네상스

네상스시대동안 넓어진 사고력은 중세시대의 사회적 억제로부터 유럽인들을 자유롭게 하였다. 화가와 교수들은 묘사의 자유와 인간의 몸을 논하는 자유를 얻게 되었다. 새롭게 해방된 여성과 남성들은 개인적 장신구의 새로운 수단을 실험하였다.

대체로, 화장품은 비난 없이 공공연하게 사용되어졌지만 때때로 종교적 광신자들은 이러한 것을 근절하려 하였다. 종교 개혁자 Girolamo Savonarola(1452~1498)은 플로란스의 어린아이들에게 재미의 새로운 형태를 제공하였다. 그는 그들에게 유행하는 사악함에 반대하는 그의 개혁운동을 위하여 싸우기 위해 군대를 조직하게 하였다. 1496년 그들의 의무 중에는 일년마다 한번 있는 카니발 Lent에서 모닥불을 피우기 위해 집집마다 땔감을 모으는 것도 있었다. 플로란스 여성들의 화장품, 가발들은 모두 태워졌고, 도덕적이지 못한 개념을 포함하는 책이나 음탕한 것으로 여겨지는 예술작품이 함께 태워졌다. 곧 Savonarola의 과다함이 종말에 가까워졌다. 그는 1497년 교회에서 파문을 당한 뒤 다음해에 화형 당했다.

15세기초기에 화장품은 두루 인기가 있었다. 이탈리아 여성들은 자유스럽게 눈 주위에 색조화장을 하고 심지어는 치아에도 하였다. 프랑스 헨리2세의 부인, Catherine de' Medici(1519~1589)는 이탈리아에서 프랑스로 얼굴화장을 받아들인 약간은 무정하고 정열적인 귀족이었다. 그녀는 불룩한 눈, 두꺼운 눈두덩이, 두꺼운 아랫입술 등 상당히 매력 없었지만, 불가사의한 약으로 그녀의 외모를 더 나아 보이게 하려고 노력했다. 그녀의 생기 없는 안색을 개선하기 위하여 그녀는 새벽에 왕실의 정원에서 복숭아꽃을 모아서 아몬드 기름과 함께 빻아서 얼굴에 바르라는 의사의 충고를 따랐다. 하지만 불행하게도 그녀의 의사는 그녀의 여전히 누르께한 흙빛의 피부 빛이 아니라 그녀의 손에 있는 금빛에 눈이 멀어있었다.

Diane de Paitiers은 20년 동안 헨리 2세의 정부였으며 왕 뒤의 명백한 세력이었다. 대단한 지혜의 여성인 Diane은 Catherine에게 친절하였지만 충분한 재산을 모을 만큼 약삭빨랐다. 자연스러운 미를 가진 똑똑한 여성으로서 그녀는 세월에 겁을 먹지 않았다. 그녀는 세월이 감에 따라 그녀가 젊었을 때 발랐던 것보다는 더 삼가며 화장품을 사용하기를 꾸준히 하고 그녀의 은발머리는 염색하지 않은 채로 두면서 이점을 살렸다.

메디치(Catherine de' Medici), 1355
작자미상

Diane de Poitiers, c. 1571
클루에 (Francois Clouet)

엘리자베스1세, 16세기/ 작자미상

　영국의 엘리자베스 1세 여왕의 대관식은 그 시대에 화장품에 대한 새로운 태도를 시작한 계기라고 할 수 있다. 오만하고 허영심 강한 젊은 여왕은 그 시대의 패션에 거대한 영향을 미쳤다. 그녀는 25세에 왕좌에 올랐을 때 당대 매력의 상징이었다. 하지만 그녀가 나이가 들고 그녀의 아름다운 외모도 시들자 그녀는 외모의 옛 모습을 보존하기 위해 상상할 수 있는 모든 개선된 화장품을 쓰면서 미인의 희작이 되었다.

　젊은 여왕 엘리자베스는 키가 크고 원래 창백한 안색과 풍부하고 물결치는 붉은 빛나는 금발머리를 가지고 있었다. 대륙으로부터 화장기술을 받아들인 영국 여성들은 자신들에게 어울리던 그렇지 않던 여왕의 색과 스타일을 모방하였다. 화장품의 역사에 대한 엘리자베스 여왕 시대의 책인 Fenja Gunn은 엘리자베스 여왕의 몸치장을 묘사하고 있다. 여왕의 창백한 얼굴안색을 흉내내기 위하여, 그들은 연백으로 만든 하얀 파우더를 사용하거나, 설화석고를 부수어 사용하였다. 그들의 얼굴에 파우더를 한 후에, 여성들은 흰 납을 붉은 색으로 불들인 것이나, 붉은 황토로 볼이나 입술에 칠하였다. 이런 루즈의 형태는 근대의 것보다는 훨씬 덜 섬세한 것이었다. 여성들은 후에 그들의 입을 석화석고로 만든 크레용이나, 파리에서 붉게 물들인 회반죽으로 칠하였다.

　엘리자베스 시대의 여성들은 밖으로 외출할 때 계란 흰자를 얇게 입혀서 마스크를 만들어 그들의 얼굴을 보호하였다. 이러한 마스크들은 화장한 그들의 얼굴을 보존시켰을 뿐만 아니라 태양으로부터 주근깨가 생기지 않도록 하였다.

엘리자베스가 나이가 들자 그녀는 그녀의 젊음을 보존해야한다는데 집착하였다. 그녀는 그녀 자신의 조제법을 가지고 있었다. 여왕은 그녀의 얼굴을 푸르게 하여 젊음을 상징하는 반투명의 피부를 만들려고 노력했다. 그녀는 그녀의 머리를 젊은 시절 유지하던 밝은 오렌지색으로 물들이려는 슬픈 시도도 하였고, 보통 가발을 썼다. 1602년, 완벽한 6개의 가발과 사람머리로 만든 100개의 액세서리용 가발을 가지고 있었다.

젊음 유지의 술책에 대한 여왕의 열정은 그녀가 모은 액세서리로부터 짐작을 할 수 있다. 광택제라고 불리는 이 과정에서, 사회적인 여성들은 엘리자베스의 리드에 맞추어 그녀들의 얼굴, 목, 가슴을 흰색 페인트로 덮었다.

엘리자베스의 죽음이 가까워져 오면서, 그녀는 그녀의 늙은 얼굴을 부정하였고, 그녀는 왕궁에서 거울의 사용을 금지하였다. 그녀는 그녀 자신을 보기를 거부하였기 때문에, 영국 극작가 Ben Jonson(1572~1637)에 따르면, 사람들은 그녀의 뒤에서 그녀를 조롱하였다. 여왕이 눈치채기 못하게, 그들은 여왕의 코끝에 붉은 색 루즈를 칠하기도 하였다.

하지만 감히 어느 누구도 여왕을 비난하지 않았다. 청교도 광신자, Philip Stubbs(1543~1591)는 엄중하게 화장품을 반대하였다. 그는 St. Cyprian의 말을 인용하여 말했다. "누구든지 그들의 얼굴에 칠을 하고, 머리에 물을 들이는 자, 그들은 지옥에서 그들이 어떤 색이 될지를 예측하고 있다." 그럼에도 불구하고, Stubb는 공공연하게 엘리자베스를 비난하지 않았다. 몇 년전, 여왕은 그가 여왕 나이의 반밖에 안 돼는 프랑스 공작과 여왕의 결혼을 반대했을 때 오른쪽 팔을 자르라고 명령했다.

16세기동안, 최고의 루즈와 화장용 분, 향수는 베니스로부터 왔다. 인도의 붉은 색, 중국 스페인의 루즈는 "베네치아산"만큼 잘 팔리지 않았다. 향수는 어느 것이든 귀족이나 낮은 신분의 사람들 사이에서나 똑같이 유행하였다. 목욕은 거의 모든 계층에게 관심을 받지 못하였다(전염병이 목욕으로부터 옮겨진다고 믿었기 때문에). 그래서 달콤한 향은 도처에 존재하는 나쁜 냄새들을 가리기 위해 소개되었다.

성 마르크 광장, 베니스, c. 1730, 카날레토(Canaletto)

화장품은 모두에게 상대적으로 낮은 가격으로 구입할 수 있게 되어있었다. 허브 치료법을 팔던 행상인들은 이제 화장품을 팔기 시작했다. 가장 잘팔린 "솔로몬의 물"은 200년 동안이나 시장에서 팔렸다. 이 로션은 여성들이 얼굴에 바르기 위해 산 것이며 주근깨와 사마귀를 제거하였다. 제한된 수입의 여성들은 스스로 화장품을 만들었다. 실용적인 충고를 편찬한 유명한 프랑스의 의사 Charles Estienne(1504~1564)는 시골의 아내들에게 화장품을 만드는데 더 숙련되도록 충고하여 그들에게 그 상품을 팔아서 이익을 남기게 하였다.

16세기 화장품에 대한 또 다른 편찬물은 Delightes For Ladies로 Hugh Platt(1552~1608)에 의해 쓰여졌다. 그는 농업과 가정경제를 전공하고 어린아이들을 위한 알파벳 놀이기구를 또한 발명하였다. Platt는 여성들에게 흰색 와인과 함께 끓인 로즈메리에 얼굴을 씻으라고 충고하였으며 계란 흰자, 레몬, 수은을 혼합한 얼굴팩을 밤에 하라고 충고하였다.

세련된 가톨릭 베네딕토회의 수도자이며 상당히 관능적인 상상력을 가지고 있었던 Agnolo Firenzuolo(1493~1543)는 여성의 아름다움에 대하여 썼다. 1548년, 그는 르네상스시대의 아름다움의 이상향을 금빛 머리에 상아색 피부를 가지고 있는 미인으로 묘사했다. 하지만 그는 그녀의 매력은 "구역질나는 물로 칠해서" 얻어진 것이 아니어야 한다고 했다. 그가 말하기를 여성들이 더 화장을 할수록 더 늙어 보인다고 했다. 그는 화장한 여인을 화학 질소에 푹 빠진 동전과 비교하였다. 하지만 유독한 화장품에 중독 되는 두려움은 오직 그들이 계속 화장을 하면 신의 분노를 사게 된다는 것에 지나지 않았다.

17세기 장품에 대한 환상이 17세기의 문학에 비판적으로도 찬사로도 나타났다. 엘리자베스 여왕 시대에는 너무 화장을 많이 하는 여자는 풍자의 대상으로 그려졌다. Ben Jonson의 희곡은 "상자로부터 얼굴을 꺼내 쓰는" 여성들에 대한 언급으로 가득차 있다. 그의 8개의 풍자극의 적어도 7개에서 Jonson은 다른 여성 등장인물에게 화장품에 대해 충고를 하면서 동시에 난잡함이나 살인적 동기를 제공하는 의사나 여성 친구 캐릭터가 등장한다. 그는 An Epigram to the Small Pox(천연두에 대한 풍자시)의 Hugh Platt의 유명함으로 알려져 있다. 이 시는 질병과 얼굴의 흉터를 가리는 두꺼운 화장의 필요사이의 관계에 대한 시이다.

　　Jonson은 Platt를 결코 찬사하고 있지 않다. 그의 시에서 화장품 전문가는 여성을 꼬드겨 얼굴 화장으로 부자연스러운 습관에 소비하게 하였다. 그는 "Madam Baud-bees bath"라고 불리는 가공의 피부 화이트닝을 추천하였지만 이 화장품을 사용하는 무절제한 여성은 매독에 걸릴만하다고 암시하였다. Joson은 성병인 "large pox"와 순결한사람들도 쉽게 걸리는 병인 "천연두"를 구별지었다.

　　Jonson의 특징은 술책을 많이 썼기 때문에 매력 있기보다는 우습게 나타났다. 1601년 처음 제작된 The Silent Woman(조용한 여인)에서 Jonson의 영웅은 그의 여인이 "치장"을 오래해서 기다리는 것에 대하여 불평을 하고 있다. Jonson은 화장은 개인적으로 끝내야 한다고 강조했다. "여성들이 가발을 쓰고, 가짜 치아를 사용하고, 얼굴 색과 눈 화장을 하는 동안 우리가 보아야하는가?"라고 그는 물었다.

　　"made up"이라는 명사구는 Richard Crashaw(1612~1649)가 쓴 시 Wishes to his Mitress에서 처음 화장품과 연관되어 사용되었다. 이 기간동안의 두명의 더 많은 작가들이 화장품에 대하여 썼다. John Marston(1576~1634)은 The Malcontent(1604)에서 세속적인 부정행위에 대하여 심하게 비난하였다. 셰익스피어의 위대한 작품인 햄릿에서도 햄릿은 오필리아를 "신께서는 네게 하나의 얼굴을 주셨는데 너는 너를 다른 사람으로 만들었다." 추궁하고 있다.

　　합법적으로 화장품에 반대하는 사람들인 과학적인 모임들은 거의 무시되었다. 사람들은 식초의 증발기체와 함께 복합되는 납으로 만드는 분 등 유해한 물질의 위험성을 무시하였다. 이런 유독한 물질에 색을 입혀 이것을 "페인트"로 변화시켰다. 1661년 영국의 의사 Robert Moray는 분을 제조하기 위해 그의 에세이 "Royal Society of Medicine"에서 새로운 방법을 제시하고 있다. Moray는 말의 똥이 있는 접시에 식초를 따르고 섞었다. 3주 후에, 얇게 벗겨지는 조각들은 떼어내어, 분을 만들기 위해

벤 존슨, 1640
로버트 바한(Robert Vaughan)

파우더로 정제하였다. Moray는 어지럼증, 숨이 가빠지는 것, 눈머는 것 등을 앓게 되었고 그와 같이 일하는 사람들은 부산물로써 생산되는 유독한 연기로부터 병을 앓았다.

17세기 화장품 납품업자들은 종종 불법적인 행동을 저질렀다. 1613년, Sir Thomas Overbury는 그가 Essex가의 백작부인과의 결혼을 반대했기 때문에 살해되었다. 화가 난 백작부인은 Turner부인과 약속을 하였고, 창녀촌 집의 안주인과 백작부인의 화장품 납품업자는 수은과 거미로 Overbury에게 독을 먹였다. 살인자들은 궁극적으로 죄 때문에 사형되었다. 이 사건은 Thomas Tuke에게 그에게 살인, 야망, 화장품, 마력이 복합된 소설 Discourse Against Painting and Tincturing of Women(1616)를 쓰도록 영감을 주었다.

또 다른 악명 높은 17세기의 독살자는 시실리의 Tofana였다. 그녀는 두 가지 용도가 있는 악명 높은 화장품을 팔아서 돈을 벌었다. 최고로 많이 팔린 그녀의 상품은 비소로 만든 색이 없는 액체 "aqua Tofana"였다. 이것의 사용에 대한 기록된 정보대신에, 개인적인 설명서는 구입하는 여성들에게 주어졌다. Tofana가 결국 잡혀서 사형을 당했을 때, 그녀의 명성은 그 시대에 가장 최고의 독살자로 되었고, 그녀가 만든 화장품 Aqua Tofana는 600명의 남편들을 살해했다.

가면은 17세기에 유행하였고, 가면은 귀족계급이나 상인층의 여성들에 의해 밖에 나갈 때 쓰는 의복의 하나였다. 벨벳, 가죽 또는 얇은 검은 천으로 만들어진 대부분의 가면은 전체 얼굴을 다 덮었다. 반만 가리는 마스크는 나중에 나왔지만 처음에 나온 얼굴 전체를 가리는 가면을 완전히 대체하지는 못하였다. 꽉 조여지는 마스크는 크림을 안에 발라 밤중에 주름을 펴기 위하여 여성들이 쓰곤 했다.

17세기에 여성들은 특별히 대륙에서는 화장품을 사랑했다. 부유한 프랑스 여인들은 비싼 연고로 그들의 머리를 하얗게 하였고, 노동자계층의 여성들은 밀가루 파우더를 사용해서 같은 효과를 얻었다. 두 계층의 여성모두 그들의 머리를 붉게 물들이고 싶을 때는 썩은 재 파우더를 사용하였다. 향수는 풍부했다. 여성들은 그들의 색에 맞추어 향수를 뿌렸다. 금발은 아이리스 향을 선호했고 거무스름한 피부의 여성들은 바이올렛을 선택하였다. 돼지의 뼈를 갈아만든 화이트닝 얼굴 제품 역시 사용되었고 루즈의 가격은 몇 페니까지 떨어져서 하인들도 살수 있을 정도였다. 심지어 수녀들도 유행하는 스타일로 그들의 머리에 꼭 맞는 모자를 공공장소에서 썼다.

Valois의 신사와 숙녀, 1581

화장품의 사용은 보통 17세기에 와서 더욱 자유스러워졌고, 옷, 화장품의 패션은 파리부터 나머지 유럽까지 빠르게 퍼져나갔다. 왕가에서 쓰여지던 얼굴 크림은 보통 사람들까지 쓰게 되었다. 베네치아의 화장용 분은 여전히 최고로 여겨졌다. 왜냐하면 이것은 다른데서 만들어지는 분보다 더 많은 납을 함유하고 있었기 때문이다. 이것은 계란흰자나 물과 섞여져서 습기가 있는 천으로 얼굴에 발랐다. 여성들은 화장실 세트에 그들의 화장품을 보관하였다. 처음의 미용품 가게는 낮은 명성을 가지고 있음에도 불구하고 파리에서 17세기에 생겨났다.

17세기의 처음 반세기동안 여성들은 그들이 화장품을 사용한다는 것을 숨기려고 노력했다. 하지만 나머지 반세기동안 얼굴 화장 기술은 그들의 민감함을 없애주었다. 영화관이 인기를 얻으면서 모든 사회계층의 여성들은 여배우로부터 힌트를 얻고 그들이 좋아하는 스타의 화장법을 따라하였다.

17세기 대륙을 휩쓸고 지나간 것은 애교 점이었다. 처음 이 "점"은 검은 호박단 또는 붉은 색 스페인계 가죽으로 만들어져서 여드름이나 천연두자국을 가리기 위해 사용되어졌다. 곧 남성들 여성들 모든 계층의 사람들이 처음 것보다는 좀더 크고 복잡한 모양으로 시도하기 시작했다. 천연두자국은 나뭇가지에 앉아있는 사랑스러운 새처럼 잔손질이 많이 갔다. 1650년, 영국 의회는 "검은 애교점을 달거나 색칠하는 나쁜 버릇"을 금지하는 법을 통과시켰지만 거의 효과가 없었다. Madame de Montespan(1641~1707)은 프랑스 왕 루이 14세의 정부로, 그녀의 애교점을 제거하기를 거절하였다. 그녀는 "신에게 반하는 의미는 전혀 없다"라면서 애교점을 하기를 주장하였다.

17세기 화장품 사용법은 정교해졌다. 이가 없거나 늙어감에 따라 움푹 꺼진 볼은 입안에 기구를 물게하여 부풀어 보이게 했다. 여성들은 동공을 크게 하기 위하여 환각성이 있는 벨라도나를 복용하였다. 여성의 머리 스타일은 모든 방향으로 뻗어나갔다. 그래서 자연적이고 인공적인 머리 모양은 많은 수의 컬머리를 공급해야했다. 화장품의 값이 올라가는데 반해 비누는 값이 내려갔다. 하지만 목욕은 여전히 여성들의 아름다움을 유지하는 생활에서 중요한 역할을 하고 있지 않았다. 17세기가 끝나가면서 화장품 시장은 번영하였다.

CHAPTER NINE

화장품
19세기부터 현재까지

COSMETICS
The Eighteenth Century to the Present

세기 동안 화장품에 대한 관심과 허용은 늘어나기도 하고 사라지기도 하였다. 1700년대 초기 화장품은 보통 구속 안에서 사용되어졌다. 하지만 중반에 여성들은 굉장히 많이 루즈를 바르고 그들의 머리를 다듬는데 많은 시간을 보냈으며 향수를 사려고 꽤 큰돈을 썼다.

괴짜 영국 에세이스트 Oliver Goldsmith(1730~1774)는 그의 사회를 가볍게 풍자하였다. Citizen of the World(세계의 도시인)이라는 책에서 그는 가공의 동양적 방문자의 눈을 통해 런던 사람들의 모습을 집어내었다. Goldsmith는 대부분의 여성들은 친구들에게 보여주기 위한 모습과 그렇지 않은 두 가지의 모습을 가지고 있다며 당대의 아름다움을 위한 관행을 풍자하였다.

1770년대, 패션을 추구하는 여성들의 얼굴 색은 루즈로 색을 입히고 입술을 칠하는 것이었고, 현대풍의 머리스타일은 영국 의회가 "향수, 가발, 크레퐁 천으로 국왕의 철학을 위험에 빠뜨리는 모든 여성들은 마법사로 취급되어야한다" 라는 법을 통과시키기에 충분히 정성 들여졌다. 이 법령은 의심의 여지없이 식민지까지 적용이 되었다. 1789년의 정치적, 사회적 개혁은 패션세계에 절도 있는 영향을 주었다. 하지만 이 세기가 끝날 때쯤 여성들은 신중하게 다시 화장을 하기 시작하였다.

18세기 중반 미인은 예쁘고 잘 꾸며진 얼굴 덕분에 명예 있는 위치를 획득하였다. 여성은 제한 없이 납과 수은이 첨가되어있는 화장품을 사용하였다. 화장품의 양과 색은 여성들의 관심에 따라 선택되어졌으며, 화학적 첨가물에 대해 사람들은 거의 관심을 가지지 않았다. 여성들은 이러한 유독성 물질이 그들의 건강에 위협이 된다는 것을 거의 무시하고 있었다. 허영심은 죽음의 위험을 몰고 왔다.

18세기의 미인 Maria Gunning (1733~1760)은 그녀의 무모함으로 목숨을 잃었다. Maria와 그녀의 여동생 Elizabeth(1734~1790)은 영국사회에 의해 발견되기 전까지 가난한 아일랜드의 10대 소녀였다. 그들이 "살아있는 최고의 미인" 이라고 생각되어질 때, 그들의 자기만족은 한도가 없었다. 한번 헨리8세의 16세기 주택, Hampton Court로의 소풍에서 안내원들은 관광객들을 "Hampton Court beauties" 로 보통 알려져 있는 몇몇의 작품을 보여주는 여행코스가 있었고 여기에 유명한 자매가 관광객으로 갔다. 관광객들을 관리하기 위해서 안내원은 "이 길이 미인들 쪽입니다" 라고 외쳤다. 자매들은 화가 나서, 그들은 궁을 보러 온 것이지 관광지의 일부로 보여지러 온 것이 아니라고 외쳤다.

Maria는 그녀가 사용하던 화장품의 납중독과 복합성으로 27세에 죽었다. 그녀가 죽는 마지막까지도 자기 외모에 신경을 가장 많이 썼다. 그녀는 방문객들에게 병과 독이 얼마나 그녀의 얼굴을 망쳐놨는가를 보이지 않기 위해 항상 방을 어둡게 했다.

화장은 극단적인 허영심을 위해 제한되지 않았다. 화장품을 쓰는 사람들 중에는 카드놀이를 위해 똑똑한 사람을 대신하여 사회적 지위를 높이길 원하는 영국 여성들의 모임인 "bluestocking" 도 있었다. 이 저녁 모임은 "conservation(보존, 유지)" 로 불렸다. 이 모임의 리더인 Elizabeth Montague는 "옷과 취향의 결핍" 으로 얘기되어졌지만 "화장 도구에는 많은 영향을 주었다" 라고 얘기되어진다.

엘리자베스 거닝, 해밀턴의 공작부인, 1751, Francis Cotes

9명의 살아있는 정령들에 조각된 학문을 좋아하는 여성, c.1779, R. Samuel

의회의 몇 명의 회원들은 화장품의 위험성을 인식하고 있었다. 그래서 규칙을 만들려는 약간의 진전이 있었다. 1724년 정부의 법규는 런던과 그 교외에서 팔리는 의약 물질의 모든 형태에 대한 조사가 진행되었다. 비록 화장품은 특별히 언급되어있지는 않았지만, 임원회는 화장품들이 법의 지배를 받는다고 가정하였고 이것은 현명한 결정이었다. 왜냐하면 화장품에 사용되는 많은 첨가물들이 납, 녹청, 화학비소 등을 포함한 유독성 물질이었기 때문이다. 하지만 법은 거의 효력을 발휘하지 못하였다. 사람들은 여전히 위험을 무시하였다. 유명하고 과학적인 출판사는 사용에 대한 주의를 하기보다는 해로운 화장품 사용의 결과를 해결하는 방법에 대한 충고만 제공하였다.

18세기 여성들은 얼굴 파우더, 아이브로우, 루즈에서 다양하게 선택할 수 있었다. 숱이 적은 눈썹을 보충하기 위하여 이마에 붙이던 화장품들은 짧게 유행하였다. 애교 점을 붙이던 유행은 지속되었고, 여성들은 자기제품과 값비싼 보석을 넣은 화려하게 장식한 상자들을 가지고 다녔다. 프랑스 왕 루이15세의 정부 Madame de Pompadour는 백조처럼 생긴 정교한 컨테이너 안에 그녀의 장식품을 넣어 가지고 다녔다.

태양과 바람으로부터 여성의 얼굴을 보호하기 위하여, 방패용으로 부채가 마스크를 대체하였다. 레이스, 상아, 깃털로 만들어진 부채는 완전하게 펼쳐지면 2feet의 지름이 되었다. 작건 크건 간에 부채는 보호와 유희라는 두 가지 기능을 하였다.

18세기의 여성들은 그녀들의 머리에 집착하였다. 가발을 쓰기 전에 여성들은 파우더 침실에서 그것을 하얗게 하였다. 자신의 머리보다 가발을 쓰기를 더 선호하는 여성들은 가발을 쓰는데 더 복잡한 과정을 거쳐야 했다. 이런 여성들의 하녀나 머리손질하는 사람들은 작은 머리를 다량으로 만들어놓고 그것을 점점 크게 만들어 인공

마지막 붓손질, 1789.
제임스 길라이(James Gillray)

218

여성들의 가발! 1798
크룩섕크(Isaac Cruikshank)

적인 머리를 더하였다. 완성된 모양은 라드로 단단하게 만들어졌고, 마지막에는 리본과 꽃으로 장식을 하였다. 머리에 해충이 들끓으면 여성들은 가느다란 상아색 막대기로 머리가죽을 긁었다. 밤에는 설치류의 공격을 방어하기 위하여, 여성들은 철줄로 망사가 된 방어 캡을 쓰고 잤다. 가발이 만들어진 약 한달 뒤에, 가발을 쓴 사람은 "머리를 연다"라고 불리는 방법을 따라서 이 가발을 제거하였다.

마지막 반세기동안, 아름다움을 다루는 정기간행물, 소책자와 책이 굉장히 많이 출판되었다. 그런 책들 중의 하나인 "The Toilette of Flora(1775)"는 굉장히 인기 있어서 10번이나 재판되었다. 저명한 책은 별채 정원으로부터 얻을 수 있는 무해한 재료들로 만들 수 있는 화장품 제조법에 대하여 다루었다. 좀더 이국적인 조제법을 원하는 독자들을 위하여 The Art of Preserving Beauty(아름다움을 보존하는 예술)에서는 이마의 주름을 없애기 위해 밤에 이마에 하고자는 가죽끈을 묘사하고 있다. "Chicken skin" 장갑은 식용 사육조류의 살로부터 만들어지지 않고 부서진 아몬드나 경랍 기름으로 가득찬 가죽으로 만들어졌다. 이것은 밤에 차고 있어 손을 부드럽고 하얗게 하는 역할을 하였다.

프랑스 패션 캐러커쳐, 18세기/ 작가무상

219

19

세기 초기에는 18세기 후기에 유행하던 화려한 화장법이 약간 줄어들었고 더 정교한 섭정시대의 스타일을 수용하였다. 세상이 진보함에 따라 화장품은 점점 정교해졌다. 하지만 영국 여왕 빅토리아 시대의 엄격한 영향력아래에서 화장은 서부세계에서는 전혀 버려지지 않았다.

영국의 섭정시대는 1811년부터 1830년까지 이어졌다. George 3세의 광기 때문에 그는 나라를 다르시기가 불가능했고, 정부는 방탕하고 그의 행동과 패션에 과다하게 지출하는 영국 황태자에 의해 운영되었다. 고대에 대한 관심이 다시 증가함과 동시에 남성들은 멋쟁이처럼 보이도록 장식되었고 여성은 그에 비교되게 창백하고 순수하게 보였다.

그들의 미에 대한 개념을 유지하면서 여성들은 순수함의 환상을 창조하기 위해 노력했다. 그 당시의 유명하던 미인들은 허리 위쪽으로 선이 들어간 드레스와 돌돌 감겨진 부드러운 머리를 선호했다. 그들은 섬세한 외모, 큰 눈, 창백한 안색을 바랬다. 덜 예민한 여성 사회의 요소는 나폴레옹의 부인인 프랑스의 황후 Josephine을 기준으로 하여 맞추었다. 그녀는 그녀가 사용하는 화장품에 대해 비밀을 유지하였지만 그녀가 얼마만큼의 양을 사용하는지는 숨길 수 없었다. 왕실의 회계장부는 매년 그녀가 3000프랑을 화장품을 사는데 썼다는 것을 보여주고 있다.

19세기의 화장품은 과거의 것보다는 위험이 덜하였다. 납보다는 상당히 양호한 화학 비스무트(창연) 소금이 파우더와 루즈의 기초 재료로 선택되었다. 하지만 이것이 납에 비하여 해가 없는 소금이라지만 단점을 가지고 있었다. 이것은 비쌌고, 햇빛에 검게 변하였다. Corson은 집에서 자신의 성향대로 화장품을 만들고 싶거나 너무 가난해서 화장품을 못하는 사람들을 위하여 조제법을 쓴 책에 대해 언급하였다. The Art of Beauty(미의 예술), 또는 the Best Methods of Improving and Preserving the Shape, Carriage, and Complexion(외모, 몸가짐, 용모를 개선시키고 보존하는 최고의 방법)은 무명인에 의해 1825년에 출판된 책으로 유해한 조합물 대신에 허브, 꽃, 야채 등 자연 재료를 주창하였다. 작가는 얼굴의 결점을 두꺼운 화장으로 숨기는 것보다는 피부의 자연적 상태를 개선시키는 것을 강조하였다. "사람들은 색칠하는 것을 해야만하나" 작가는 묻고 있다. "왜", 사람이 젊고 건강할 때, 화장을 한다는 것은 웃긴 일이다. 하지만 반대로 노령의 존경할 만한 미망인이 그녀의 주름진 피부를 선홍색 빛깔과 함께 희게 칠한다면 우리는 진심으로 그녀에게 감사해야 한다. 왜냐하면 우리는 혐오감 없이 그녀를 바라볼 수 있기 때문이다. 예술은 경이로움을 만들어낼 수 있다.

집에서 만드는 조제법은 안전하게 여겨졌다. 하지만 몇몇 제품은 가게에서 구입해도 유해하지 않았다. 여성들은 붉은 납이 포함되어 있는 것 대신에 식물 샤프란으로 만든 식물성 루즈를 사게 되었다. 그들은 런던에서 유대인에 의해 만들어진 포르투칼의 루즈 "Spanish wool"과 중국에서 온 "Spanish papers"에 대해 들었다. 여성들은 눈, 얼굴을 위한 화장품을 선택할 수 있었지만 입술 화장은 상스럽게 생각되었기 때문에 입술화장은 잘 하지 않았다. 칠하거나, 겉치레를 한 상자는 그림물감이 가득 차 있었다. 더 비싼 것이 더 재료가 좋고, 더 효과가 있다는 믿음이 지속되었고, 진주

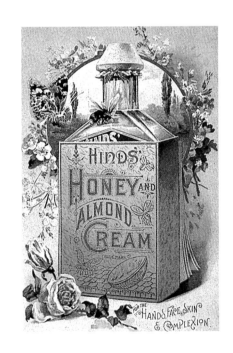

를 갈아서 만든 얼굴 파우더도 등장하였다.

19세기 중반의 연구자들과 아마추어 약사들은 더 나은 화장품 재료를 찾았다. 제조업자들은 아연산 또는 아연 화학 스테아린산염을 광물 활석(talc)과 전분 약간과 함께 섞기 시작하였다. 활석에 넣는 아연의 비율은 다양했다. 아연의 비율이 높을수록 화장은 짙어졌다. 창연(bismuth)보다 값이 덜 나가는 아연은 화이트닝을 더하였고 피부에 잘 부착하였으며 활석은 지속력을 주었다. 활석은 얼굴에 바름과 동시에 떨어지기 때문에 그 자체로는 사용될 수 없다. 가장 좋은 활석인 화학 마그네슘 규산염은 이탈리아에서 채석된 것이었고 탐탁지 않은 반짝임이 들어있는 석회분, 철 또는 운모를 포함하고 있지 않았다. 세 번째 재료인 전분은 알콜을 포함한 향수가 녹말을 탈 때 쉽게 산패되기 쉽기 때문에 조심스럽게 혼합해야 했다.

Every one recognizes your ability to paint (Yourself).

몇몇 작가들은 화장품의 사용에 대해 불안정한 상태를 표현하였다. 1840년, 영국의 비평가 Alexander Walker 부인은 Female Beauty(여성의 아름다움)이라는 책을 썼다. 그녀의 남편은 이미 정말로 아름다운 여성을 위해 가장 중요한 해부학적 요소에 대해 쓴 책을 널리 알려놓고 있었다. Walker 부인은 화장품이 불필요하고 마음에 들지 않는다는 것을 발견했지만, 그녀는 만약 여성들이 화장품을 사용해야한다면 적어도 안전하게 쓰는 방향으로 해야한다고 충고했다. 선홍색을 포함한 루즈는 진사(cinnabar)나 수은이 포함되어 있으며, 치아를 부식시킬 수 있다고 그녀는 경고했다. 하지만 연지벌레의 암컷을 말려서 만든 진홍색 염료인 코치닐을 포함한 루즈는 그렇지 않다고 했다. 그녀는 그녀의 독자들에게 가장 비싼 코치닐 제품인 중국산을 사도록 권장했다. 그녀는 또한 눈썹을 검게 하는 방법 등을 제시하고 있다.

1937년 빅토리아 여왕의 대관식에서는 영국에서 그녀의 제위 60년 동안 계속될 비밀스러운 화장법에 대한 도래를 예고하였다. 빅토리아시대의 여성 미인의 이미지는 전보다 화장을 덜하는 것을 요구하였다. 빅토리아시대의 미는 있는 그대로의 귀여움, 어린아이다운 얼굴을 새긴 동판화로 불후의 명성을 남기었다. 하지만 이 포착하기 어려운 목표를 얻기 위해서 여성들은 그들의 상상력을 사용하여야만했다. 여성들은 토끼의 발이나 브러시로 파우더나 립스틱을 가볍게 발랐다. 여성들이 비난 없이 바를 수 있는 화장품은 오직 심홍색 빛의 입술연고였다. 갈라진 입술에 윤기를 주는 것은 종교를 모욕하는 것도 윤리를 어기는 것도 아니었다.

청결에 대한 강박관념이 빅토리아시대에 유행하였다. 아름다움을 최고로 보조하는 것은 비누가 되었다. 아주 가난한 사람들을 빼고는 매일 샤워하는 것은 일상생활이 되었다. 비록 많은 사람들이 여전히 목욕 튜브를 사용하고 있었지만, 화장실을 따로 만드는 것은 이 세기의 말쯤에 나타났다. 청결을 부르짖는 잡지와 포스터에서 화장품의 넓은 의미로서의 비누는 비누산업이 번영하는 이유가 되었다. 1888년 투명하고, 황갈색이며 달콤한 향기가 나는 비누의 제조업체 Pears사는 Jean Francois Millet의 잘 알려진 그림 "Bubbles(비누방울)"을 구입하여 센세이션을 일으켰다. 아름다운 여성과 비누의 합동은 "깨끗하다"와 "사랑스럽다"를 거의 같은 의미로 만들어주게 되었다.

아이보리 비누 선전 포스터, 1898

청결에 대한 관심은 이 시대의 혁신이었다. The Art of Beauty(미의 예술)의 작가는 그의 독자들에게 목욕은 투명하고 상쾌한 용모를 만든다고 확신시켰다. 이 작가는 또한 목욕후 자연적 아름다움을 강화하기 위하여 바르는 여러 가지의 로션과 연고에 대하여 제시하였다. 빗물, 라벤더, 레몬, 포도 등을 합하여 만든 것처럼 수동의 처방전들도 볕에 타는 것을 방지하여주고 주근깨를 지워주며, 유행하는 창백한 얼굴의 색을 보존하여 주었다.

빗으로 머리빗는 여인, 1875~1876
에드가드 드가(Edgar Degas)

222

유명한 미인들은 베스트셀러 책에서 성공의 개인적 비결을 가르쳐주고 있다. 아일랜드의 모험가 Lala Montez(1818~1861)은 그녀의 외모를 유리하게 바꾸었다. "모든 여성들은 남성들이 숭배하는 것이 여성들의 지능이 아닌 외모라는 것을 알고 있다." 라고 그녀는 말했다. 바바리아의 늙은 왕 루드위그 1세의 정부인 Montez 요구는 그가 퇴위하는 원인이 되기에 충분한 광기를 갖게 만들었다. 그녀의 짧은 삶이 끝나갈 때 그녀는 패션과 미의 상징으로 알려지게 되었고, 그녀의 죽음 전에 한 종교개종 전에 그녀는 Montez의 학술논문 "The Arts of Beauty"라는 책을 썼다. 이 책은 빅토리아시대 숙녀인 체하는 것에 대한 혼란, 음식과 화장품에 대한 처방전, 상식 등을 담고 있다. Montez의 화장품에 대한 의견은 완고하다. 그녀는 광택제와 파우더를 과다하게 사용하는 것, 눈 화장 등을 옳지 않다고 보았다. 이슬에 젖은 것 같은 촉촉한 입술로 보이는 것이 가장 유행하였다.

(몬테즈)Lola Montez

역사적으로, 사회가 비밀스러움에 특별함을 부여하였을 때, 돌팔이 의사들은 더 번영할 수 있었다. 빅토리아 시대에 아름다움을 추구하는 것을 눈에 띄지 않게 하기 위한 노력은 Madame Rachel 이라는 이름으로 장사를 한 Sarah Rachel Leverson 의 성공을 설명해준다. 그녀의 모토였던 "아름다움은 영원히"는 그녀의 우아한 런던의 살롱의 문에 적혀있었다. 이 살롱은 부유한 고객들이 신중함을 믿고 아름다움을 가꾸기 위해 찾았던 곳이었다. Madame Rachel은 그녀의 고객들의 깊은 마음을 어떻게 움직이는지 알고 있었다. "우리는 얼마나 자주 얼굴에서 작은 흠을 발견하는가? 그것만 없다면 아주 훌륭하게 아름다운데 이 작은 흠 때문에 여성은 슬픔과 고독에 빠지게 된다. 라고 그녀는 말하였다. Madame Rachel의 치료법은 엄청나게 비쌌다. 그녀의 조제품들은 "Circassian Beauty Wash", "Armenian Liquid for Removing Wrinkles", "Chinese Leaves for Lips and Cheeks" 같은 색다른 이름을 하고 있었다. 그녀는 또한 마사지와 목욕 용품인 "Royal Arabian Toilet of Beauty"도 판매하였다. 그녀가 미망인의 유산을 가로채려 했을 때, 그 결과로 법정에서 격분한 대중들에 의하여 그녀는 법정에서 유죄를 선고받았다.

어떤 여성들은 좀더 정직한 수단으로 화장품을 팔아서 부자가 되었다. Harriet Hubbard Ayer(1849~1903)같은 기업가가 바로 그 예이다. 그녀는 16살에 결혼을 해서 20년 동안 부유한 사회의 기혼녀로 살았다. 이런 생활에 환멸을 느끼게 되면서 그녀는 그녀의 남편과 이혼을 하였고, 그녀의 남편의 사업이 망했을 때 그녀에게 돌아오는 별거수당이 갑자기 끝이나버렸고 그녀는 스스로 얼굴 크림을 제조하기 시작하였다. 후에 그녀는 그녀의 스폰서중의 하나와 다툼 때문에 모든 것을 잃었다.

(아이어)Harriet Hubbard Ayer

엘렌 테리(Ellen Terry)

턱유지기 광고, 20세기 초

19세기가 막을 내려가면서, 성공하고 명성 있는 여배우들이 화장품 모델로 등장하기 시작하였다. 여성들은 무대에서나 무대 밖에서나 진하게 화장을 하던 Sarah Bernhardt(1844~1923)를 모방하기를 원하였다. Bernhardt가 레스토랑 탁자에 앉아서 오소리 브러시로 붉은 색 루즈를 칠했을 때, 이것은 약간의 비난을 일으켰다. 하지만 어느 누구도 공공 장소에서 립스틱을 바르는 여성에게 감히 대들지 못하였다. 영국 배우 Ellen Terry(1847~1928)가 그녀의 눈 주위를 검게 한다는 것과 연기실력보다는 미모로 더 알려졌던 무대 연기자 Lillie Langtry가 그녀의 검은머리를 염색한다는 것이 알려지자 다른 여성들은 좀 더 개방적으로 화장품을 바르기 시작하였다.

19세기가 끝나갈 무렵, 어떻게 하면 미를 얻고 유지할 수 있는지를 선전하는 여성들로 이루어진 출판물로 시장은 홍수를 이루었다. 잡지와 뉴스의 페이지는 온통 메이크업 광고로 가득 찼고 시골길은 화장품을 선전하는 광고판으로 가득 찼다. 접혀지는 욕조, 인공머리, 의학적으로 인정받은 얼굴 마스크는 아름다운 피부를 보장하였다.

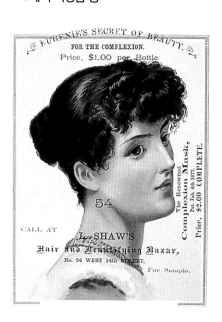

19세기 화장품 광고

영국의 풍자만화가 Max Beerbohm의 책 In Defense of Cosmetics(1896, 화장품 옹호)라는 책에서 그는 화장품이 다시 돌아온 것을 환영했다. 왜냐하면 그는 이러한 외모에 대한 관심이 여성들이 테니스나 사이클 같은 운동에 대한 관심을 증가시킬 것이라고 생각했기 때문이다. "화장품은 단순히 늙거나 못생긴 사람들을 위한 것이 아니다"라고 그가 예견하였다. "하지만 모든 여성들과 젊은 소녀들은 화장품을 사랑하게 될 것이다."

웨일즈의 공주 알렉산드라

20세기

1 901년 빅토리아 여왕이 죽은 후, 서부 세계는 구속의 덮개를 벗어버렸다. 빅토리아의 아들 에드워드는 기꺼이 그의 어머니의 진부한 윤리를 면제하였다. 그가 집권하던 1910년까지, 대부분의 부분에서 여성들은 아름다운 외모의 유행하던 이미지를 만들기 위해 어떤 수단이든 자유스럽게 사용할 수 있었다. 영국의 새 여왕 알렉산더는 그녀의 의복 테이블에 화장 도구를 거리낌없이 배치하였다. 여성들은 그들이 선택한 책략을 사용할 수 있도록 확인 받았다.

미용 용품을 파는 기업가들은 20세기로 들어오면서 번영하였다. 첫 번째 미용 전문 가게는 파리, 런던, 뉴욕에서 열었는데 머리 트리트먼트제를 전문적으로 다루었다. 창의성이 풍부한 파리의 미용가 Marcel은 "marcelling"이라고 불리는 그의 방법을 소개하였다. 머리의 부분을 싸고 열을 가하여 그는 단단하고 균형 잡힌 곱슬머리를 만들었다. 1906년 Charles Nestle 한 단계 더 나아갔다. 그는 오래가는 파마를 소개함으로써 여성들이 매일 머리를 말아야하는 일에서 벗어나게 해주었다. 처음에 이러한 과정은 1,000$라는 가격에 10시간이나 걸렸다. 1915년 파마가 미국을 강타하면서 파마하는 시간과 가격은 급속도로 줄어들었다. 제 1차 세계 대전 이후, 화려한 메이크업이 침울함이 가득한 분위기를 경감하게 하는데 일조 하였다. 미용 전문점은 보편적으로 유행하였다. 주요 도시의 큰 백화점에서는 살롱을 열었고 작은 도시에서는 중개업자 여성들이 그들 자신의 미용 전문점을 차리거나 자신의 거실을 동네 살롱으로 개조하였다.

참신한 물품들이 아름다움을 추구하는 여성들의 관심을 끌었다. 미국에서 Chappin Daggett는 부패하기 쉬운 동식물의 기름을 하얀 미네랄 기름으로 대체함으로써 콜드 크림의 기본 제법을 개조하였다. 새로운 크림은 예전 것보다 덜 부패하였고 즉각적인 상업적 성공을 이루었다.

20세기 중반 상업적인 경쟁이 격화되면서, 상품을 포장함으로써 고급스럽게 만드는 것이 더 중요하게 되기 시작하였다. 즉각적인 사용을 위해서 파우더를 넣고 다니는 근대적 휴대용 분갑의 선조는 파리에서 소개되었다.

입술 색을 위해 여성들은 그들의 화장대 위의 유리병 안에 살짝 담그었다. 이 부서지기 쉽고 번거로운 용기는 핸드백에 넣어 가지고 다닐 수 없었다. 휴대용 카트리지로 된 립스틱은 1915년 Scovil 제조 회사에 의해서 처음으로 만들어졌다. 첫 번째 케이스는 단순한 원통형으로 2인치 길이였고, 평범하며, 립스틱을 배출할 수 있도록 미끄러질 수 있도록 만들어졌다. 더 길고, 얇은 물건이 눈썹 그리는 연필을 위해서 또한 만들어졌다. 제 1차 세계 대전의 뒤에, 여성들이 공공연하게 화장품을 편안하게 쓸 수 있게 되자, 여성의 핸드백은 종종 얇고 메탈로 된 루즈통과, 향수병, 하얀 파우더로 가득 차게 되었다.

1918년쯤, 여성은 남성의 전유물이라고 생각되었던 짧은 머리를 하기 시작하고, 전쟁시 남성의 일을 대신하였다. 역설적으로, 여성 해방은 여성에게 화장품 사용을 더 하도록 만들었다. 비록 여러 여성 잡지의 편집자들은 남성의 민감함을 더 생각하라는 내용을 내보냈지만, 여성들은 공공 장소에서 머뭇거림 없이 화장을 했다.

처음에 본격적인 영화관, 그 후에는 활동 영화가 옷과 화장품의 패션을 이끌게 되었다. 1900년대 초기 Ballets Russes of Sergey Pavlovich Digfhilev는 런던에서 센세이션을 일으켰다. 1920년대의 영화스타들은 아름다움의 이상향이 되었다. 그들이 무엇을 하던 지간에 모든 여성들은 그것을 본뜨고 싶어하였다. Clara Bow의 입이 작았기 때문에 여성들은 그녀가 발랐던 것과 같은 붉은색 립스틱을 발랐다. 눈 화장이 유행을 했고 원래 눈썹 위로 얇고 곡선이 진 선을 그리는 것이 유행을 하였다. 입이나 눈 주위에 "미인 점"을 찍을 때도 같은 연필이 사용되었다. 여성들은 마스카라로 그들의 속눈썹을 검게 하였고, 색깔 있는 쉐도우로 눈두덩이에 색조를 주었다. 젊거나 늙었거나 모든 여성들은 자른 머리의 얼굴에, 때때로 창백하고 백금 색의 금발로 염색을 하기도 하였다.

Greta Garbo가 유명해지면서, 그녀가 화장품을 드물게 사용하는 게 알려지자 여성들은 그들의 얼굴에 색조화장을 덜 하기 시작하였다. 하지만 Garbo는 유명세를 지속했던 한가지 기술을 소개하였다. 그녀는 위쪽 눈꺼풀 위의 눈썹 위에 검은 라인을 그림으로서 눈을 강조하여주었다.

기업가들은 스크린에서 보여지는 스타들을 따라하고 싶어하는 여성들의 욕구를 자본화하였다. 영화 스타의 화장 전문가 Percy Westmore는 "할리우드에선 펜보다는 립스틱이나 눈썹 그리는 칼의 힘이 더 강하다." 라고 말하기도 하였다. 할리우드의 미용전문가 Max Factor는 1936년 처음으로 그의 미용 살롱을 열었다. 영화 제작시의 그의 경험을 바탕으로 그는 영화배우들이 사용하는 것과 똑같은 립스틱과 파우더를 팔았다. Factor는 그의 제품들을 선전하기 위해 영화적 성격을 사용하였다.

Ballets Russes의 공연을 알리는 포스터,
1939, Jean Coctear

"LOTUS"

"LOTUS"
NAIL ENAMEL
A Distinctly Rare and Different
from the others, Nail Polish.
A Marvelous Beautifier

영화 배우들은 또 다른 화장의 새 기틀인 매니큐어를 보급시켰다. 프랑스 파리에서 시작된, 손톱에 매니큐어를 바르는 것은 영화 스타들이 시작한 이래로 넓게 관심을 끌게 되었다. 금색, 은색, 오렌지 핑크 같은 밝은 색을 사용하는 것이 인기를 끌었고, 붉은 색, 심지어는 검은 색같이 강렬한 색이 1930년대에 유행하였다.

알코올이나 석유 같은 성분이 군수 용품을 만드는 데로 전환되어 쓰여지자 제 2차 세계대전동안 화장품은 부족하였다. 영국의 비누와 향수를 만드는 Yardley 회사는 항공기의 구성요소와, 정수기를 만드는 회사로 전환하였다. 유명한 영국의 회사 Cyclax는 화장품을 만드는 회사에서 사막에서 싸우게 될 군인들을 위한 썬 크림과 정글에서 싸우게 될 군인들을 위한 초록색의 위장 페인트를 만드는 회사로 전환하였다.

해로운 화장품 사용으로부터 소비자를 보호하기 위한 정부의 개재가 1950년대에 시작되었다. 법률제정에 대한 관심은 화학 탈륨 아세테이트를 포함하고 있는 유명한 탈모제 Koremlu의 독성에 관한 American Medical Associaion의 저널의 리포트에 의해서 야기되었다. 비록 이 제품이 시장에서 제거되진 않았지만, 이 상품의 제조업자는 이 상품의 라벨에 "(약제가)오직 외용으로 사용할 것" 이라는 문구를 적어야만 하는 의무를 지게 되었다.

석유의 타르를 기본으로 한 눈썹 마스카라 역시 대부분의 소비자들에게 나쁜 결과를 일으키지는 않았지만, 한 여성이 장님이 되고, 다른 한 여성이 속눈썹에 마스카라를 한 뒤에 1933년 목숨을 잃게 되자, 미국식품의약국은 중재하기로 결정하였다. 식품의약국의 행위 법령은 1938년 국회에서 통과하여, 마스카라는 처음으로 대중에게 판매가 금지되는 위험한 제품이 되었다. 이 법은 모든 화장품이 안전해야만 한다는 것을 명령하였고, 후에 이 법은 1966년에 통과하였고 1977년에는 물건에 물건의 성분을 표시하도록 하는 법령을 통과시켰다.

오늘날 미국식품의약국은 몇십 조의 산업을 조사하기 위해 아주 조금의 예산을 할당한다. 왜냐하면 이제 제조업자 스스로 자신들을 규제하기 때문이다. 명성이 있는 회사들은 만약 일어날지도 모르는 불리한 반발을 방지하기 위하여 자신들의 물품을 종합 테스트를 거치게 한다. 조그마한 소비자의 불평에 대해 즉시 조사하는 것은 기본이 되었다.

2차 세계 대전이 끝나고, 화장법은 빠르게 변화하기 시작하였다. 전에는 아름다움에 대한 대중적인 이상향은 10년이나 통치자의 기간에 따라 변해갔다. 하지만 1940년대 말부터는 계절별로 변화하기 시작하였다. 적극적인 마케팅이 소비자를 계절마다 새로운 패션을 따라오도록 만들도록 성공하였다. 생산자들은 변덕스러운 20세기말의 시장에서 관심을 끌기 위해 더더욱 매력적인 화장품을 만들기 위해 도전하였다. 품질이 뛰어난 물품들을 출시하는 것은 단지 시작이었다. 어떻게 화장품을 이름짓는가가 그 화장품의 매력을 키워주었기 때문에 생산자들은 잘 선택되어진 브랜드 이름의 중요성을 인식하기 시작하였다. 1950년 오랜기간동안 상당한 숙고 후에,

FDA 연구소의 과학자가 화장품의 안정성을 조사하기 위한 안전실험을 하고 있다. 1950

휴스턴의 Foley 백화점에 있는 미용실/ 1949

Revlon은 "Fire and Ice(불과 얼음)"이라는 것을 붉은 립스틱의 새로운 이름으로 선택하였다. "Fire"는 정렬을 불러일으켰고, "Ice"는 그 립스틱을 바른 여성의 통제력과 시원스러움을 넌지시 비추었다. 또 다른 책략은 부유한 이미지를 주는 화장품 이름을 만드는 것이었다. Gala는 "Mutation Mink"이라는 화장품을 출시하였다. 피부를 핑크색이나 하얗게 바꾸기보다는 이 화장품의 갈색 톤은 자연스러운 검은 톤의 얼굴빛을 강화하였다. 역사적으로는 처음으로, 황갈색이 부유한 이점으로 생각되어졌다. 거무스름한 피부색은 전통적으로 들판에서 일하는 영세 농민의 피부색이라고 여겨져 왔다. 하지만 1950년대 패키지 화장품이 출시되자, 그을린 피부색은 이제 호화로운 해변 휴양소에서 태양을 즐긴 후를 암시하는 것으로 여겨지게 되었다.

화장품 가게는 매력 있게 포장되고, 바르기 쉬우며, 핸드백에 들어가기 충분하도록 작게 만들어진 제품을 팔았다. Helena Rubenstein의 "Mascaramatic"은 전의 촉촉한 브러시를 사용하며 발라야했던 케이크 타입의 마스카라를 대체하였다. 열광적으로 용인된 이 새로운 유형의 마스카라는 즉각적이고 영원한 인기를 얻게 되었다.

구매자를 이끌기 위해 잘 포장된
향수, 화장품, 비누, 1949

Toni Home 염색제 광고 , 1949

다른 제품들도 즉각적인 변화를 창조하였고 길었던 미용 관례를 바꾸면서 잘 판매되었다. 가짜 손톱은 여성들이 시간을 많이 들었던 매니큐어 바르는 시간을 줄여주었고, 가짜 눈썹은 눈썹을 일그러지게 하고 망가트렸던 기계적인 눈썹 구부리는 장치를 대체하게 되었다. 선택의 폭이 넓은 조제품은 여성들에게 집에서 그들의 머리를 물들일 수 있게 하였다. 크림, 스프레이, 약물을 섞은 트리트먼트는 미용실에 가지 않고도 집에서 머리를 쉽게 가꿀 수 있게 하였다.

이 시대에는 전의 세대처럼, 사람들은 인위적인 모습에서 자연스러운 모습으로 그리고 또 다시 인위적인 모습으로 격심하게 유행이 변하였다. 건강과 환경적인 이슈에 여성들이 관심을 표명하기 시작하자, 그들이 사용하는 화장품은 인공적이라는 것을 부각시키지 않기 시작하였다. 이런 시기에 가장 잘 팔리는 화장품은 실제 식물과 동물의 이름을 따거나 허브나 채소의 요소가 라벨에 포함되어있는 것이었다. 자연스러운 매력을 원하는 여성들은 야외 분위기를 일으키는 향의 향수를 선호하였다.

하지만 자연스러움에 대한 의문은 스킨 크림에 에스트로겐이 혼합되는 최근의 유행에서 볼 수 있는 것처럼 잘못될 수도 있다. 여성의 난소에 의해 생산되는 이 호르몬은 뼈를 튼튼하게 하게 하는데 극히 중대하고 심장마비를 줄려주지만, 피부의 주름을 없애는 데는 별 효용이 없다. 이런 에스트로겐을 포함한 피부 크림들은 너무 심하게 사용하면 복부의 통증이나, 질의 출혈이라는 부작용을 일으킬 수 있다.

여성을 유혹하고 물건을 사도록 하는 화장품 산업에 의해 성취된 변화는 끝이 없다. 오늘날 화장품 광고는 여성을 유혹적이고, 잔인하고, 색다르고, 어린아이처럼 묘사한다. 화장품의 도움으로 여성들은 완전하게 세수를 하고 난 후에 자연스러운 여성 자신의 모습을 제외한 모든 원하는 모습을 성취할 수 있게 되었다.

CHAPTER TEN

인종 특유의 아름다움

세계의 다양성

ETHNIC BEAUTY
A World of Differences

지구에서 두 번째로 큰 대륙인 아프리카는 40개의 나라들 안에서 사는 5억의 인구를 자랑한다. 북아프리카는 아랍문화의 특징을 가지고 있지만 사하라 사막의 남쪽에서는 수천 개의 다른 언어들이 쓰여지고 있으며, 심지어 같은 나라안에서 사는 사람들도 그들 주위 부족의 지방어를 알아듣지 못하고 있다. 그러므로 선호에 대한 차이점도 많은 사람만큼 다양하다. 아프리카인들 사이에는 아름다움에 대한 몇몇 공통적인 개념이 있다. 하지만 전체적으로 볼 때, 아프리카의 문화만큼 많은 의견들이 있다.

아프리카의 미(美)

고대 북아프리카의 여성의 아름다움은 전설적이다. Akjnaton의 왕비, 흑인 이집트 여왕 Nefertiti의 사랑스러움은 BD 270년 시인 Asclepiades에 의해 노래 불린 노예 Didyme의 아름다움처럼 유명하였다. 시인은 "그녀의 매력은 황홀케 한다. 그녀는 흑인이다, 사실이다, 하지만 무엇이 문제인가? 석탄도 또한 검다. 하지만 석탄이 빛을 낼 때, 그것은 로즈버드처럼 새빨갛게 불타오른다." Algiers의 900마일 남서쪽의 동굴의 벽에, 석기시대의 예술가들은 지금 아프리카 여성들이나 아프리카 아메리카의 여성들과 닮은 땋은 머리를 한 여인들을 그려놓고 있다.

Lage 여인, 자이르(Zaire)

Yoruba 나무 조각에 새겨진 여인의 모습

문명은 사하라사막 이남 아프리카에서 그리스도의 탄생 이전에 번영하였다. 대륙에 걸쳐, 부족들과 왕국들이 나타나고 사라졌다. 미에 대한 초기의 동, 서 아프리카인들의 개념은 추측으로 남아있다. 몇몇의 아프리카인들이 16세기 이후에 고대학적 발굴에서 매력에 대한 유물을 발견하기도 하였다.

여성의 지위는 고대 아프리카에서는 다양하였다. 어떤 부족의 규칙은 여성에게 유리하였다. 딸들이 그들의 어머니로부터 땅을 상속받고, 그들은 성적, 모성적 자유를 누렸으며 여성들이 정치, 경제, 지적 권리를 행사하였다. 다른 부족들은 여성을 노예로 다루었다. 이런 부족에서의 여성들은 사회적 결속을 강화하기 위한 결혼의 담보물로서 취급받았을 뿐만 아니라, 남편의 농장에서 남편의 다른 아내들과 함께 일하였다. 하지만, 고대 아프리카에서 여성의 지위는 중세 유럽 여성들의 제한된 지위에 비해서는 굉장히 자유가 있었다.

아프리카인들의 매력에 대한 초기의 근거는 1609년 Madagascar의 여행자로부터 나온다. 그의 리포트는 흑인 여성들에 대해 묘사하고 있다. 여성들은 길고 엮어만든 스커트와 가슴을 가린 옷을 입었다. 이런 의상을 위해서 그들은 화려한 팔찌를 하고, 반짝이는 벨트를 하였다. 그들은 야자수 기름으로 그들의 짧은 팔을 윤기가 나게 만들었다.

1715년, 이탈리아의 성직자는 중아프리카를 여행한 것에 대하여 썼다. 그의 목적은 가능하면 많은 부족들에게 하나님을 알리는 것이었다. 하지만 일시적으로 그는 임무를 변환하여, 그는 그 주위의 잘생긴 사람들을 알리었다. 그는 여성들의 보석에 감탄하였고, 여성들이 목과 발목주위에 하는 속이 비어있는 황동 체인과 유리에 탄복하였다. 감탄한 그는 그들의 가슴, 배, 어깨를 자른 디자인에 대하여 설명하고 있다 (그는 이런 디자인을 문신이라고 부르지 않았다. 왜냐하면 타히티안의 "tatau"는 "정확하게 그린다"라는 뜻에서 나왔고, 나중에 폴리네시안의 발견 전까지 유럽언어에 포함되지 않았었다).

동, 서 아프리카는 19세기에 방문한 군인 항해자들과 목사들은 아름다움을 위해 여성들이 노력한다는 것을 이야기했다. 한 여행자는 거의 보이지 않는 유리조각들로 그들의 엉덩이를 둘러싼 Senegalese여성을 묘사하였다. 그들이 숲을 통해 걸을 때, 이 여성들은 짤랑짤랑대는 소리밖에 내지 않았다. 그들은 또한 귀걸이를 하고 있었는데 귀걸이가 너무 무거워서 그들의 귓불이 찢어지는 것을 막기 위해서 사람들은 끝으로 그들의 머리를 묶어야했다. Sierra Leone을 방문한 한 방문자는 여성의 산호 보석과 화장, 그들의 어떻게 그들의 피부를 빛나고 부드럽게 하기 위해서 붉고 노란 오일을 얼굴에 문지르는지에 대해서 말했다. Madagascan의 기혼녀들과 그들의 친구들이 어떻게 그들의 머리를 꾸미기 위해 하루를 다 보낼 수 있는지에 대해서도 언급되었다. 모든 사람들은 아프리카인들이 "더 문명화된" 나라의 여성들보다 훨씬 더 그들의 몸에 대해서 신경을 쓴다는 것에 동의하고 있다. 거의 유럽 여성들은 매일 목욕하는 것에 신경을 쓰지 않았다.

세네갈의 여인, c.1880

사하라 사막 이남 아프리카의 많은 부족들은 인간의 아름다움에 대한 믿음을 공유하였다. 이러한 개념은 매일 삶을 지배하는 보통의 전통적 가치에 반영되어있다. 많은 아프리카인들에게, 아름다움은 단지 단순하게 아름다운 것보다는 선(善)함과 맺어져있다. 진실로 아름다운 사람은 정직하고, 도덕적이며, 진실되어야 한다.

어떤 아프리카의 언어는 정신적이고 육체적인 아름다움 사이의 결속을 반영하고 있다. 동아프리카의 스와힐리어, 바야어, 바테켄어, 보울로우어는 아름다움이나 아름다운 같은 단어가 그들의괌 언어에 존재하지 않는다. 그들의 2중 목적의 형용사는 고대 그리스의 단어 "aghatos" 와 비슷하다. 이 단어는 아름답고 선한 것을 동시에 의미한다.

약 30,000명의 남쪽 Nigerian 부족 Adjukru족은 아름다움과 선함을 몸 부분과 연관지어 생각한다. 심장은 삶의 원소로 상징화하며, 복부는 생각의 장소로 여겨진다. 검은 색이 사악함과 추함을 의미하기 때문에, "검은 마음"이나 "검은 배"를 가진 사람은 나쁘거나 매력이 없거나 두 가지 다일지도 모른다고 생각되어졌다.

아프리카의 예술가들은 전통적으로 아름다움을 찾기 위해서 그들의 주제의 겉면 속에 있는 것을 찾았다. 유럽의 예술가들이 처음으로 아프리카의 예술에 대해 알았을 때, 그들은 그들이 본 것을 "표현주의"라고 분류하였다. 하지만 유럽인들은 이런 작품에 매료되었고 이런 작품은 Paul Klee나 피카소 같은 예술가들의 그림에 영향을 주었다.

아프리카의 어린아이들은 이야기를 듣고, 어른들의 가르침을 통해서 장애가 있는 또래를 받아들이는 법을 배운다. 소년들과 소녀들은 하루를 구한 꼽추이야기와 마을에 큰 부를 가져온 절름발이에 대한 이야기를 듣는다. 그들의 초기 시절부터, 아프리카인 들은 장애인 안의 아름다움을 찾는 법을 배워왔다.

매력의 비교는 나이 집단의 선에서 제한되었다. 각 그룹은 그들 자신의 기준을

쿠바의 아이들, 자이르

얼굴과 몸에 페인트를 칠한 Mbuti 소녀, 자이르

가지고 있었다. 예를 들어 10대의 아름다움은 기혼녀의 매력과 비교될 수 없었고 한 사람을 다른 사람과 비교하는 것은 생각할 수도 없었다.

모든 나이에서 아름다움을 가꾸는 것은 미덕으로 여겨진다. 시골의 동아프리카와 콩고의 10대들은 최고의 메이크업을 한다. 왜냐하면 페인트와 문신은 젊음의 생산자가 아니라, 강화자로 보았기 때문이다. 젊은 사람들은 그들의 몸을 기름으로 빛나게 하였다. 멀리 떨어진 지역에 사는 10대들은 여전히 시냇가에서 공공의 목욕을 즐기고 있으며, 이것은 누드를 할 좋은 기회이며 자신을 가능한 애인이나 결혼상대자에게 알릴 수 있는 기회도 되었다.

중년 여성들은 결혼한 상태를 나타내는 어떠한 자유를 주창하기 위하여 메이크업을 사용하였다. 더 이상 남성 배우자를 찾지 않는 아프리카의 몇몇 지방의 여성들은 그들의 얼굴을 하얗게 하고, 초크로 어깨에 파우더를 칠하였으며, 유혹보다는 편안함을 위한 디자인으로 메이크업을 하였다. 하얀 파우더는 활석의 종류로서 땀을 흡수하고 뜨거운 열로부터 피부를 보호하였다.

노인들은 고상함과 동등하게 다루어졌다. 품위 있게 보이기 위하여, 여성들은 크고 침착하게 보여지기를 원한다. 만약 노인여성이 너무 마르면 그들은 옷에 솜을 넣거나 겹겹으로 옷을 입어 뚱뚱하게 보이도록 했다.

대부분의 아프리카인 들은 나이를 먹는 현실을 직면한다. 나이를 먹고 아픈 것은 피할 수가 없다. 하지만 아프리카인 들은 이 현실에 저항하기보다는 관대하게 받아들인다. 전통적인 사회들은 삶의 단계가 지나가는 것을 인식하고 각각의 아름다움을 음미하였다.

순수하게 신체적 아름다움을 높게 평가하는 아프리카인 들은 이야기나 전설에서나 보여질 수 있다. 별에 비유되는 신화 Senegalese의 여자영웅 Fanta의 아름다움에 대한 이야기에서는 도덕적 함축이 없다. Chad(아프리카 나라중 하나)에서, 아름다움의 본은 Am-Sitep의 딸이며, 그녀는 물의 초록색 수면에 놓여있는 백합으로 불려졌다. Ivory Coast로부터의 이야기는 너무 아름다워서 별의 여왕이 되었다는 Ahoua를 묘사하고 있다.

아프리카인들은 아름다움의 힘을 과소평가하지 않는다. 이야기는 Rameau Lobi 종족이 밝은 피부, 단단한 가슴, 작은 허리를 칭찬하면서 전해졌다. 하지만 그녀의 사랑스러움은 그녀를 비난에서 면제되게 하지는 않는다. 그녀는 남편과 이혼함으로써 매력이라는 선물을 악용했다고 심하게 비난당했다.

같은 종족은 신체적 매력에 큰 무게를 둔다. 그들은 못생긴 것을 부정직하고 인색한 것과 같이 경멸하였다. Lobi의 기록은 이혼을 바라는 한 남자와 연관된 사건을 보여주고 있다. 간단하게 이 남자는 그의 젊은 부인의 난잡함에 낙심한 내용이다. 이 같은 기록은 여성이 그녀 남편의 회색 턱수염과 뚱뚱한 배에 혐오감을 느꼈다고 주장하는 진술서의 페이지를 포함한다. 그녀는 그녀의 불륜을 젊은 남성의 단단한 팔과 아름다운 눈에 저항할 수 없었다는 이유로 변명하고 있다. 그녀의 항변은 받아들여져서 남편에게 결국 크게 승리하였다.

Mangbetu 추장의 아내. Medue 마을의
전통적인 머리스타일을 하고 있다./ 자이르

정말로 다양한 아프리카 문화들이 있기 때문에, 아름다움의 표준은 없다. 그럼에도 불구하고, 많은 아프리카의 부족들이 검은 색보다는 밝은 톤의 피부를 선호한다고 말할 수 있다. 이런 경우에, 이상적인 피부색은 인류학상의 우성형질의 반대색이다. 선호되는 여성은 풍부한 머리와, 둥근 엉덩이, 두껍고 튼튼한 장딴지, 건강과 힘의 리듬에 맞추어 움직이는 몸을 가진 사람이다. 검은 잇몸은 높이 평가되었다. 어떤 종족은 두 앞니사이에 새가 떠 있는 것을 완벽하다고 여겼다.

각각 문화 집단은 특수한 선호대상을 가지고 있다. 대륙의 대부분에 걸쳐 찾아볼 수 있는 반투어를 하는 집단들은 영양처럼 긴 얼굴을 가진 여성을 칭송한다. 또 가나의 Akan과 Ivory Coast는 그들의 이상적 여성을 현저하게 나타나는 흑인들의 성질의 다양성과는 반대인 길고 곧은 코를 가진 사람이라고 주장한다.

남서쪽 Nigeria의 2000만의 한 부족인 Yoruba에게 미학과 윤리학은 친밀하게 서로 얽혀있다. Yoruba 언어 속의 단어들은 두 가지 의미를 가지고 있다. dara라는 단어는 선함과 아름다움 두 가지를 뜻하며, 반면에 burewa는 못생기고 나쁜 것을 동시에 의미한다. 주목할만한 단어는 iwalewa로 이것은 "특질(성질)은 아름다움이다"라고 번역된다.

Yoruba는 사람들의 눈과 공동체의 도덕을 동시에 즐겁게 하는 특질을 포함하는 인간의 이상적 의미를 가지고 있다. 보기 좋은 외모는 오점 없는 영혼을 보증할 수 없다. 하지만 평범한 몸의 매력을 증진시키는 것은 확실히 영혼적 우아함을 증대하게 할 수 있다. Yoruba는 사람의 멋진 성격은 말다툼에 의해 훼손된다라는 의미인 "Akisa ba eni rere je"라는 말로 이러한 믿음을 확실히 한다.

신체적 아름다움은 강렬한 색으로부터 나오는 건강함과 같은 의미이다. 창백한 아름다움은 Yoruba 사람들의 생각에는 이질적이었다. 왜냐하면 가냘프다는 것은 약하다는 것을 의미하고, 창백하다는 것은 건강하지 못하다는 것을 말해주기 때문이다. Yoruba는 색(color)을 신의 영혼을 비추는 거울로 여겼다. 흑단같이 새까만 색은 힘을 상징하는 색이다. 그렇기 때문에 지혜의 신 Ifa와 전쟁의 신 Ogun은 검은 색으로 표현된다.

붉은 색은 고귀함과 여성다움과 연관되어있다. Yoruba는 붉은빛과 구리 빛이 도는 피부를 칭송하고, 금빛 색이 도는 붉은 색인 윤이 나는 털 있는 설치류인 egbara에 비유되는 남성이나 여성은 그것을 칭찬으로 여긴다. 하지만 붉은 색 역시 부정적인 의미를 가지고 있다. 붉은 색은 camwoodskan의 색으로 이색을 좋아하는 사람은 사치스럽고 예언할 수 없는 본성을 가지고 있다고 여겨진다. 여성은 붉은 화장품을 그들의 신체적 매력을 증진시키기 위해 사용한다. 차가운 색 계열의 화장품은 아이를 가질 수 있는 여성들이 자신들의 상태를 나타내기 위하여 사용하였다.

Yoruba는 색과 크기를 극단적으로 사용하는 것은 피하였다. 다른 부족들은 지역 사회에서 자신들의 위치를 크게 하기 위해 결혼 전에 비옥한 집으로 그들의 여성을 보내곤 한다. 하지만 Yoruba는 이런 관행을 피한다. 청결이 실제적으로 추구되는 오직 하나의 질이었다. 몸을 씻는 것은 매우 높게 평가되어 더러운 아름다운 여성보다는 못생겼지만 깨끗한 여성이 더 선호되었다.

Yoruba의 여성들과 이웃 Nigerian 종족의 여성들은 자연스러움을 추구하였다. 선호되는 머리스타일은 땋은 머리나, 완전히 웨이브도 아니다. Yoruba의 여성들은 일부러 땋은 머리를 강조하지 않았다. 비록 남편들이 젊은 여성들이 찾을지도 모른다는 것을 알고 있을지라도, 전통적인 Nigerian 여성들은 나이가 든다는 것과 살이 찐다는 피할 수 없는 징조를 받아들인다.

서구문화를 접해본 여성들은 바지나 스커트를 입어보고 싶어할지도 모른다. 하지만 많은 기혼녀들은 이런 현상을 미심쩍은 눈으로 바라보며, 이런 것은 자신들의 정체성에 맞지 않는 것이라 여긴다. 여성들이 중년의 허리둘레를 가지게 되면서 그들은 헐렁한 아프리카인 들의 옷을 입기를 선호한다. 그러한 옷은 몸을 과시하는 것보다는 옷에 새겨진 자수와 직물 때문에 아름답다. 여성들은 젊음이 지나가는 것에 편안함을 느끼고 성숙함과 고상함을 즐길 수 있다.

Yoruba 소녀, 나이지리아

Yoruba 여인과 아이, 나이지리아

Anants Paramount 추장 Nana
Akyano Akowuah Dateh II와
사람들, 가나(Ghana)

자이르 여인

또 다른 서쪽의 아프리카나라 가나의 전통적 부족은 외양이라는 관점에서 아름다움을 정의한다. 원, 4각 무늬 모양, 별 모양이 특별한 의미와 함께 물들여져있고 삼각형과 타원형도 있다. 머리는 목을 이루는 동그라미의 연속의 제일 위에 놓여있는 타원체이다라는 식으로 가나인은 삼각형과 원형으로 인간의 모습이 이루어졌다고 인식한다. 아름다운 모습을 위해 이런 모양들은 조화롭게 비율이 맞춰 있어야 한다. 적당한 타원체 모양의 팔과 다리를 만들기 위하여, 가나의 어머니들은 갓난아기 소녀들의 팔과 다리를 마사지한다. 남자아기들은 이러한 것을 잘 받지 못한다. 왜냐하면 가나인 들은 딸들의 매력이 아들의 매력보다는 더 중요하다고 생각하기 때문이다.

가나인 들은 또한 다른 방법으로 아름다움을 평가한다. 여성은 목 피부의 주름의 수가 홀수여야 진정한 미인으로 인정받으며, 엉덩이는 둥글고 넓어야한다. 그들의 외모를 강조하기 위하여, 심지어 일요일 교회의 예배를 보고 계단을 내려오는 가장 세련된 여성들도 날씬한 허리에 포인트를 주기 위하여 엉덩이를 뒤로 뺐다.

남부 나이지리아의 조그만 부족 Kalabari는 풍성한 여성을 선호한다. 아마도 이런 차이점은 Kalabari의 신화에 나오는 어머니 이미지로부터 유래된 것일 것이다. 이 부족은 하늘에 사는 최고의 여신 Tamuno과 부족에게 춤과 드럼의 리듬을 가르치는 인자하고 거대한 물의여인 Owuyingi를 숭배한다.

과거에 결혼연령의 Kalabari 소녀들은 그녀 허리 주위에 구슬 줄을 제외하고는 아무 것도 입지 않았다. 그래서 사람들은 여성이 임신을 하기에 가능한지를 가늠 할 수 있었다. 오늘날 Kalabari의 10대소녀들은 블라우스와 스커트를 입는다. 어른들은 소녀들의 엉덩이를 만져보아 소녀들이 정상적으로 크고 있는가를 가늠한다.

Kalabari는 결혼 전에 "fatting house"를 사용한다. 여성들은 격리된 장소에서 그들이 충분히 통통해질 때까지 먹고 살찌우는 일에 몰두하게 된다. 비록 이런 관습이 과거보다 오늘날 덜 행해지지만, 이상적인 Kalabari 여성은 풍부한 가슴과 엉덩이를 가지고 있어야 한다.

또 다른 아프리카 부족은 Mende로 약 100만 명의 소수민족 그룹으로 대부분 농업가이며, 아프리카의 서대서양 해안의 남동부 Sierra Leone에 살고 있다. 아름다움은 현저하게 그들의 문화의 특색을 이루며, 그들의 음식과 집 등 그들의 삶에 중요하게 여겨진다.

Mende는 Sierra Leone에 거의 1000년 동안 살아왔다. 그들은 과거에 그들의 재빠른 용사로서의 명성을 격려하고, 지역에서 그들의 입지를 확고히 하였다. 현재 그들은 거의 작은 마을에서 살며 쌀 농사를 짓고 있다. 남성들 주위의 사회에서 남성들은 한 명 이상의 아내를 얻었다. 하지만 이런 harem(한 남자와 여러 아내들) 제도는 아름다움에 의해서 좌우되었다. 비록 전의 아내가 그녀의 지위를 확고하게 하는데는 더 많은 이점이 있지만, 공적으로 남편의 옆에 나타나는 사람은 아내들 중 가장 아름다운 사람이었다.

캠우드 나무 분을 뒤집어쓰고 있는
Mende여인, 자이르

241

여성의 아름다움은 예술 역사가 Sylbia A. Boone에 의하여 기품 있는 세부항목이 조사되었다. 그녀는 남성의 아름다움은 경시되는 Mende에서 신성시되는 여성의 아름다움을 묘사하고 있다. Mende사회에서 아름다운 여성은 공동체의 기쁨과 전시를 위한 예술작품으로서 존경받았다.

Mende의 여성은 그들의 비밀 사회조직 Sande의 멤버십을 통해서 아름다움의 의식적인 행사에 대해 배웠다. 이런 높은 위치에 구성되어 있는 조직은 여성의 행동의 모든 면을 규정하고, 그녀의 매일의 행동을 조절하였다. Sande는 종교적이고 법적직능을 가지고 있었으며, 예술의 후원자로서 여성의 창조적인 노력을 넘은 전체적 통제를 발휘하였다.

사춘기에 소녀들은 Sande에 가입한다. 겨울동안에, 여성들은 신성한 입문을 하는 작은 숲인 kpamguima에 모인다. 거기에서 그들은 노래를 부르고 춤을 추는 동안 사회적 위치를 무시할 수 있다. 입회자들은 예의바른 행동을 공부한다. Sande의 삶에 완전히 들어가기 위해, 젊은 여성들은 음핵 절제의 고통을 참아야만 했다. 오직 이 수술을 받은 여성만이 이 공동체에 참가할 자격이 주어 진다.

하얀 고령토인 Hojo라는 흙은 Sande를 상징하는 Sierra Leone의 강바닥에서 퍼냈다. Hojo의 시원함과 습기는 Mende의 젊음을 표현한다. 이 흙의 흰색은 아름다움을 상징하는 색이다. 여성의 흰옷과 두건, 흰 흙으로 칠해진 얼굴로 Mende의 여성들은 진정으로 사랑스러워진다.

Mende인들은 아주 평범한 여성들이라 할지라도 적어도 한가지의 특징 있는 모습을 가지고 있다고 생각한다고 Boone A Mende의 속담은 말해주고 있다. 속담은 "질을 가지고 있는 이상 못생겼다고 할 수 없다" 라고 말하고 있다. 하지만 비록 여성이 Mende의 기준으로 보아 진정으로 아름다워도 그 여성은 특권, 독립, 권력을 가질 수 없었다.

Mende에서 여성으로 태어나면 이러한 행동들이 아름다움을 증가시킬 거라는 기대를 불러일으킨다. 매력적인 엉덩이를 만들기 위해 Mende의 산파와 어머니들은 간난 소녀의 몸체를 때리고 당긴다. 어린 소녀들은 종종 그들의 가슴을 앞으로 내밀고 걸어서, 그들의 후부를 강조하였다. Mende의 속담은 "가슴은 짧은 시간 가지만 아름다운 엉덩이는 영원히 이어진다" 고 말하고 있다.

Boone이 말하기를 엉덩이 형상 다음으로, Mende인들이 가장 점수를 주는 것은 머리모양이다. 섬세하게 특징지어진 두개골은 아름다움을 위해 엄격하게 요구되는 두개골 모양을 정의하고 있다. 산파와 어머니들은 아이들의 머리를 조종한다. 여성들은 두개골에 대고 그들의 긴 머리를 꽉 꼬아서 형태의 고상함을 강조한다.

생식기와 가슴 역시 아름다움의 기준에 맞아야 한다. 모든 Mende인들은 공개하는 머리를 멸시하여서 여성들과 남성들은 정기적으로 수입된 안전한 면도기로 털을 깎는다. 가슴은 풍만하고 단단해야하며, 완벽한 가슴은 식물 호리병박(calabash)의 조롱박을 닮아야한다. 하지만 다른 아프리카 문화에서 Mende의 여성들은 외적인 모습과 함께 좋은 성격이 합해져야만 한다. Mende 사회는 단기간의 관능적인 매력

보트 옆의 여인, 나이지리아

과 아름다움의 정의에 관한 품위를 위해서는 긴 기간을 요구하는 요소를 다 합쳤다.

많은 아프리카의 부족들은 선사시대부터 내려온 전통을 고수하며 상처로 그들의 몸을 장식한다. 물결이 치는 듯한 줄무늬의 흉터는 심리학적이고 사회적인 동일감이 된다. 그들은 그룹의 회원을 알리고 어른의 시작을 알리며 견디는 사람이 아름답다고 부족사회에 알리게 된다.

넓은 지역에 행해지는 난자법(scarification)은 아주 안전한 과정이라고 증명되었다. 하지만 감염이 일어난다면 이것은 파괴적일 것이다. 흉터는 돌, 껍질이나 유리로 피부를 잘라서 만들어진다.

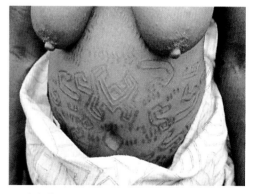

쿠바여인이 그녀 몸의 문신을 보여주고 있다.
자이르

243

Bororo 여인, Chadawanka 마을

입마개를 한 Nobera의 노인

몸을 뚫는 피어싱은 또 다른 아프리카인들의 아름다움을 만드는 행동이다. 어느 부족에서 어머니들은 그들의 여자아이가 태어나자마자 귀에 태어났다는 표시인 구멍을 낸다. 시간이 지나면서, 귓불은 귀걸이의 무게 때문에 늘어나게 되며, 사춘기 시절, 가장 아름다운 소녀는 가장 긴 귓불을 한 여성이 된다. 어떤 부족에서는 또한 입에 구멍을 뚫는다. 약혼자의 소유를 표시하기 위하여, 여성은 입술장식을 10인치 이상으로 하였다.

전통복을 입은 나이지리아의 모녀

서부의 방식은 전통적인 아프리카의 추세에 영향을 주었다. 텔레비전과 영화를 통해 아프리카인들은 세계의 다른 곳에서 행해지는 스타일과 행동을 관찰하였다. 그리고 모든 사회에서 그렇듯이, 전통적인 아프리카인들은 외국방식을 따라가기 시작했다.

예를 들어, 서방의 미인대회가 나이지리아에서 지금 보통의 것이 되었고, 미인 없이 완성되지 않는 이벤트가 거의 없을 정도가 되었다. 미스 Unilag, Miss Anambra State, Miss 나이지리아 같은 타이틀이 급격히 증가하였다. 담배회사, 술 회사처럼 커다란 회사들은 추장들이 여는 각종 대회를 후원하고 있다.

문화적 모순도 많이 있다. 대부분의 대회는 고정적인 백인의 환상, 즉 긴 다리, 흰 살결, 날씬함을 갖춘 유럽 스타일의 미인을 선택하였다. 예를 들어 아프리카 퀸 대회의 참가 여성들은 소위 "나체 상태의 아프리카 인" 이라고 불렸다. 대중 앞에서 보일 듯 말 듯한 수영복을 입기 때문에 참가자들은 다리를 노출시켜야하고 몸통 중앙부가 드러나 보이는 미드리프 수영복을 입어야 했다. 비록 서양의 기준으로 매력이 정해진다 하더라고 여전히 그들이 미인을 뽑는데는 아프리카 전통적 미인의 모습과 연관이 되어있다.

미인대회 퍼레이드, Monrovia,
라이베리아(Liveria)

245

미시시피 여인, 19세기 말-20세기 초

아프리카 어메리칸의 미(美)

아프리카 대륙의 아프리카인들이 서양의 문명에 영향을 받았듯이, 미국과 유럽의 흑인 역시 아프리카의 영향을 받았다. 언제나 문명의 병치현상과 융합현상은 있어왔다. 하지만 아프리카 전통의 강조는 정치적 사회적 상황의 변화에 따라 증대하기도 하고 약해지기도 해왔다.

1619년, 처음으로 배를 타고 미국으로 온 아프리카 노예는 버지니아에 도착하였다. 시민전쟁 전날의 240년 후, 미국 인구 조사국은 미국의 농장과 도시에 450만의 노예가 있다고 집계하였다. 그들이 노예시절, 흑인들은 그들 자신의 주체적인 문화를 유지할 수 없었다. 순수한 아프리카인에게도, 흑인 사이에도 아름다움의 기준은 애매하다.

시민전쟁부터 제 1차 세계대전까지, 흑인들은 적당한 아름다운 롤 모델을 가지고 있지 않았다. 당시에 주된 미인 이미지는 유럽의 빅토리아시대 사람들이나 에드워드 시대의 타입이었을 뿐, 추종할 만한 흑인 모델은 없었다. 마음에 드는 것처럼 보이지는 않지만, 흑인들은 유럽인처럼 보이고 싶어했다. 하지만 그들의 피부색, 몸매, 얼굴 모양은 너무도 틀렸다. 흑인이 유럽인처럼 매력 있게 보일 수 있도록 하기 위한 요소는 거의 없었고, 한가지 비슷하게 할 수 있는 것은 머리스타일이었다.

무명미인, c. 19세기 말

유색미인, 1878, 판화

246

C.J Walker부인으로 알려져 있는 Sarah Breedlove(1867~1919)는 유럽화를 위한 흑인 여성들의 동경심을 이용하였다. 그녀는 머리카락을 백인들의 머리처럼 곧게 펴는 방법을 고안하여, 부자가 되었다.

Walker는 작은 루이지애나 마을의 가난한 집안에서 태어났다. 가난에서 벗어나기 위해 그녀는 14살에 결혼했지만 20살에 남편을 잃었다. 그녀는 자신과 딸을 위해, 빨래도하고 다리미질도 하였다. 평평한 다리미를 다루는 그녀의 솜씨와 함께, 그녀는 이런 방법으로 머리카락을 펴는 것을 생각해냈다. 우선 머릿기름으로 머리카락을 부드럽게 한 후에, 열이 가해진 빗으로 곱슬머리에 압력을 준다. 이런 처리를 해준 여성은 더 이상 알칼리성 리렉서에 의지할 필요가 없었고, 라드와 함께 기름칠한 후 뜨거운 플란넬로 당길 필요도 없었다.

인디아나 폴리스를 기점으로, Walker는 자신의 사업을 시작하였다. Walker부인에 대하여 꼼꼼하게 조사된 에세이에서 Davis는 "만약 자력에 관한 Booker T. Washington의 철학의 이상적인 예를 들라고 한다면 확실히 Walker부인이 적당함 모범이라고 할 수 있다"라고 서술하였다. 그녀는 아무 것도 가진 것이 없는 노예의 딸로 시작했다. 그녀 자신의 근검 절약으로, 그녀는 스스로 자립하여, 비즈니스 여성을 이끄는 사람들 중 한 명으로 자리매김 하였다.

Walker는 흑인 교육을 돌보는 앨라배마 학교의 Tuskegee 협회와 관계를 형성하였다. Washington이 이 협회의 교장으로 있었다. 비록 그녀의 재정적 기여가 인정되었지만, 그녀의 일을 교육 커리큘럼에 포함시켜달라는 그녀의 요청은 거절되었다. Davis는 "Washington은 마지막 결정을 보관위원과 자문위원회에 맡겼고, 그들은 부정적인 입장이었다. Washington은 그녀의 일을 공개적으로 승인하기를 거절했다." 라고 말했다.

하지만 Walker는 성공하였다. 그녀는 교육 프로그램을 만들어서 머리카락을 개선하고 건강하게 하는데 일조 하였다. 그녀의 학교를 졸업하면 Walekr system 교육의 인증서로 자신들의 가게를 열 수 있었다. Walker는 그녀의 시스템을 증진시키기 위해 여러 지방을 돌아다녔다. 그녀는 그녀의 기술을 하는데 필요한 포메이드 기름이나 빗 등을 서신을 통해 판매하였고, 그녀의 사업은 번창하여 피츠버그와 인디아나 폴리스에 지점을 세웠으며, 메일을 통해 그녀의 1년간의 수입은 200,000$였다.

이제 부자가 된 Walker는 뉴욕으로 이사하였다. 그녀는 허드슨 강쪽에 큰 저택을 지었다. 하지만 그녀는 여전히 가난하게 기억되었다. 그녀는 가난한 사람들에게 돈을 제공하고 일자리를 제공하였다. 이 첫 번째 성공한 흑인 여성 기업가는 그녀와 같은 인종을 몇천 만명 도우면서 또 다른 아름다움의 모습을 만들어냈다.

C.J. Walker 부인, c. 1900

랜스턴 허쉬스(Langston Hushes)

제 1차 세계대전이 끝나고, 흑인들은 인종적 정체성을 위하여 그들의 필요를 인식하고 그들 스스로의 아름다움의 기준을 정의 내리기 시작했다. Orator Marcus Garvey(1887~1940)은 전 지역을 돌아다니면서 흑인들 사이의 단합을 강조하였다. 그의 유명한 Universal Negro 개선 협회는 국제적인 지역까지 성장하였다. 그는 "흑인은 아름답다" 라는 모토를 내걸고 인종의 단합을 주장하였다. 맨해튼의 흑인 이웃으로 이름지어진 여러 작가들은 미국 흑인들만의 예술 작품을 만들었다. 그들의 작품은 미국 흑인들의 새로 찾은 정체성을 축하하고 있다.

극장가이자 시인인 Langston Hughes(1902~1967)은 흑인들에게 그들의 고유의 아름다움을 알리기 위하여 길을 열어주었다. 그는 흑인들에게 앵무새처럼 백인들을 따라하려는 욕망을 밀어 넘어뜨리라고 하였다. Hughes는 이렇게 쓰고 있다.

우리 젊은 예술가들은 우리의 검은 피부가 두렵지도 부끄럽지도 않다.
만약 이점을 백인들이 좋게 받아들인다면 우리도 기쁘다.
하지만 그들이 그렇지 않다 해도 문제될 것은 없다.
우리는 우리가 아름답다는 것을 알고 있기 때문이다.

Harlem은 1920년 뉴욕의 엔터테인먼트 센터의 하나로 화려해졌다. Cotton 클럽과 Apollo 영화관 주위로 밤무대에서는 흑인과 백인이 무대 쇼를 보기 위해 몰려들었다. 이 무대에서 공연하는 여성들은 주의 깊게 선택되었다. 그들의 얼굴 모습과 체형은 인종적 정체성을 따지자면 흑인이었지만 그들의 매력을 인종의 경계를 뛰어넘어 백인에게까지 어필할 정도였다.

할렘의 코튼 클럽, 1930년대

라스터스와 뱅크스, c.1920

가수 Josephine Baker는 아름다움과 재능의 상징이 되었다. 이 시대의 초기에 잘 교육받고 밝은 피부 톤을 가지고 있던 여성은 노래를 하고, 춤을 추고 이국풍의 옷을 입고 브로드웨이와 할렘의 플렌테이션 클럽에서 "Chocolate Dandies" 쇼에서 공연을 하면서 명성을 쌓아갔다. 1925년, 그녀는 "La Revue Negre" 라는 공연으로 프랑스에서 이름난 미인이 되었다. 그녀는 남은 인생을 사랑을 베풀면서 박애정신을 펼치며 살았다. 세계에 퍼져있는 그녀의 사유지는 모든 나라에서 버려진 아이들을 위한 휴식처가 되었다.

조세핀 베이커, 1951

무명미인, 1932

밝은 색 피부 선호는 1950년대까지 지속되었다. 흑인 여성들은 쇼걸처럼 보이지 않아야만 했지만 흑인 여성들은 그녀의 피부가 창백하고 코가 곧고 얇은 것을 선호하였다. 미디어 역시 흑인의 아름다움을 알아주지 않았다. 광고자들은 흑인 여성들을 위한 물품을 광고할 때에도 백인 여성을 모델로 사용하였다.

중기까지, 출판물에서 흑인들의 이미지를 보기는 매우 어려웠다. 신문은 단순히 흑인들에 대한 이야기만을 다루었다. 1945년부터 출판되기 시작한 흑인 사회의 소개서 Ebony마저도 아프리칸보다는 유럽인쪽 아름다움에 초점을 맞추었다.

흑인들은 영화나 텔레비전에도 나오지 않았고 나온다해도 부정적인 스테레오타입으로 묘사되었다. 어느 누구도 만약 다른 사람처럼 보이는 것을 목적으로 한다면 진실로 스스로가 아름답다고 느낄 수 없을 것이다.

무명미인, c. 1950

무명미인, c. 1940

안젤라 데이비스 (Angela Davis) 1974

1960년대 삶이 바뀌기 시작하였다. 비록 흑인 정치 지도자가 직접적으로 외적 매력을 주제로 연설하지는 않았지만, 그럼에도 불구하고 그들은 흑인 고유적으로, 검은 피부의 아름다움을 백인, 흑인 모두 알도록 만들기 위한 의식을 높였다. Stokely Carmichael과 비폭력주의 학생 연합은 차별대우에 대해 저항하고, "흑인들의 힘"을 외치기 위해 동료를 불러모았다. Huey Newton과 Bobby Seale는 평화적 운동에서 이탈하였고, 그들의 Black Pathers는 힘으로 자존심을 얻기를 원하였다. Martin Luther King Jr.의 비폭력주의의 가르침들은 널리 존경받았다. 백인을 모방하는 것은 더 이상 만족스럽지 않았다. 흑인들은 이제 그들의 외모와 행동을 바꿀 필요가 더 이상 없다고 선언하였다.

스토켈리 카미챌(Stokely Carmichael) 1970

251

시드니 포이터(Sidney Poitier)

1960년 이래로, 흑인 남성과 여성은 그들 자신의 아름다움의 선례를 남기기 시작하였다. 거무스름한 피부가 매력적이라고 간주되었으며, 배우 Sidney Poitier과 Billy Dee Williams는 모든 인종 여성들의 우상이 될 수 있었다. Tina Turner는 꼭 맞는 가죽 스커트와 그물 스타킹을 입고 두 가지 장벽을 허물었다. 그것은 바로 40살 이상의 흑인 여성도 열정의 아이콘이 될 수 있다는 것이다. 오늘날의 흑인 배우들은 케이블 TV, 비디오,영화에서 위상이 높아지면서 모든 문화를 가로지르는 패션을 정착시켰다.

케이블 TV, 비디오, 영화를 통해 생생히 볼 수 있는 오늘날 흑인 연애인들은 모든 문화에 걸쳐 새로운 패션을 창조하고 있다. 록그룹 Salt N' Pepa가 입었던 찢어진 청바지는 수백만 명의 십대들이 입었다. 록그룹 Fat Boys가 번쩍거리는 7부 바지를 입고 나왔을 땐 가게에 재고가 바닥날 정도 였다. 모든 연령층의 여성들이 가수 Whitney Houston의 건강한 모습을 좋아해 흉내를 낸다. 가내수공업 조차도 흑인들의 유명세에 혜택을 볼 정도이다. Diahann Carroll과 Shari Belafonte의 허락 하에 제작된 텔레비전 쇼 Dynasty에서 입었던 복장들을 모방한 McCall의 패션 컬렉션은 다른 모든 디자인을 제치고 판매우위를 점하였었다.

티나 터너(Tina Turner), 1985

휘트니 휴스턴(Whitney Houston)

시실리 타이슨과 레나 호른(Cicely Tyson and Lena Horne), 1981

흑인들은 또한 머리스타일에 영향을 주었다. 가수 Little Richard는 이 기술이 많은 사람들에게 알려지기 전에 뜨거운 롤러로 머리를 부드럽게 하였다. 뉴욕시의 랩스타들로 둘러싸여진 1990년대의 힙합 문화는 남자들 사이에 천사, 분수령, 주름 등을 창조하는 스타일을 일으켰다. 텔레비전 블락버스터인 Roots 이후, 미국의 흑인여성들 머리를 땋는 유행이 붐을 일으켰다.

1980년대 머리를 땋은 흑인 여성들은 만약 그들이 회사로부터 전해져내려온 더 보수적인 머리스타일을 받아들이지 않으면 그들의 일터로부터 해고될 상황에 이르렀다. 심지어는 흑인이 우세한 협회인 워싱턴의 하워드 대학 병원과 애틀랜타 도시 리그는 흑인들의 머리스타일을 찬성하지 않은 항공사와 호텔 등에 지지하였다. 결국 변호사들이 중재하고 널리 미디어가 알려서 이 이슈는 해결되었다.

흑인들의 영향력은 오늘날 패션 디자이너 옷에 스며들었다. 뉴욕, 파리, 밀란 의 1991년 패션쇼는 아프리카의 직물로 만든 옷을 보여줬다. 오늘날 화장품 시장에서 흑인 여성을 대상으로 한 마케팅 시장은 번창하고 있다. 1960년 이래로 많은 흑인 여성들이 자신들의 흑인 적인 이미지를 바꾸려고 하기보다는 그들의 용모를 증진시키

랩스타 MC Hammer

패션 모델 이만(Iman)

려고 한다. 제작자와 광고 에이전시의 야망 있는 노력 덕분에 흑인과 백인은 "자연스러운"이라는 개념을 공유하면서, 아무런 화장도 하지 않는 것보다는 화장으로 고쳐야 한다는 것을 보여주었다.

오늘날 흑인여성을 염두에 두고 제작되고 판촉하는 화장품 시장은 성공적으로 번창하고 있다. 1960년대 이후 점점 더 많은 아프리카출신 여성들이 피부색을 변화시키기보다 피부를 관리하는 쪽으로 돌아섰다. 그러나 화장품 제조사와 홍보회사의 적극적 노력으로 흑인과 백인여성 모두 자연스럽다는 개념이 화장을 전혀 하지 않은 것이 아니라 제대로 한 것이라는 인식을 공유하게 되었다.

일부 회사는 흑인만을 위한 제품을 판촉하였다. 1973년 출판회사 사장 출신 사업가 존 존슨(John Johnson)은 백인여성의 불 호응을 이유로 흑인여성 시장에 뛰어들었다. 오늘날 화장품, 향수 그리고 머리손질 제품을 취급하는 Johnson's Fashion Fair는 전 세계적으로 2000여 판매점에서 판매되고 있다. Gazelle이라는 회사는 흑인여성 전용 프랑스산 피부치료제로 상류층만을 겨냥한 고급시장을 목표로 삼고있다. Revlon과 Avon 같은 타 회사들은 전 제품에 걸쳐 흑인용 제품을 내놓고 경쟁하고 있다.

본의 이상적인 아름다움은 그들 나라의 역사만큼이나 독특하다. 주로 역사적으로 대륙으로부터 오랫동안 고립되어왔고, 자연의 가혹함을 느끼고 있으며, 질서를 중히 여기고 규율을 중시한 일본인들은 번영하여왔다. 그들의 살아가는데 가이드가 된 엄격한 규칙은 아름다움의 개념에도 적용되었다. 오늘날에도, 일본이 미국과 유럽에 홀딱 빠져 있음에도 불구하고, 고대의 전통은 대부분의 급진적인 스타일에 가득차 있다.

1990년대 추정치에 의하면 아프리카 출신 미국인의 구매력은 2천억 달러에 달할 것이며 이중 약 30억 정도는 화장품에 소비될 예정이다. 연구에 의하면 흑인미국인은 백인 미국 소비자에 비해 3배에서 5배 가량 개인 신체치장에 돈을 더 쓴다고 한다.

필수생활품 구입 후 자유재량의 수입을 어디에 쓸 것인가에 대한 경쟁이 아무리 치열하다 하더라도 화장품 시장은 계속적으로 성장하고 있다. 전체 노동력 중 25세와 54세 사이의 전문 여성인력이 증가하여 화장품을 구입하는 소수인력 그룹이 점차 증가하고 있다. 또한 통계에 의하면 흑인여성의 약 40%가 19세 이하이거나 화장을 처음 시작하는 연령층이라고 한다. 흑인시장은 고로 장미빛 미래가 기다리고 있는 것이다.

1990년대의 미인

255

부채가 그려진 병풍,
c. 17세기, Sotatsu

일본의
아름다움 본의 이상적인 아름다움은 그들 나라의 역사만
큼이나 독특하다. 주로 역사적으로 대륙으로
부터 오랫동안 고립되어왔고, 자연의 가혹함을 느끼고 있으며, 질서를 중히 여기고
규율을 중시한 일본인들은 번영하여왔다. 그들의 살아가는데 가이드가 된 엄격한 규
칙은 아름다움의 개념에도 적용되었다. 오늘날에도, 일본이 미국과 유럽에 홀딱 빠져
있음에도 불구하고, 고대의 전통은 대부분의 급진적인 스타일에 가득차 있다. 일본의
역사는 석기시대와 함께 시작되었다. 거의 선사시대의 역사는 알려지지 않고 있으며
선사시대에 대한 정보가 있을지라도 그 당시 사람들의 매력에 관한 것은 아무 것도
남아있지 않는 상황이다. 일본의 500년동안의 고대시대에도 역시 외모에 대한 자료
는 거의 남아있지 않은 상황이다. 비록 중국 표의문자로 된 스크립트에 일본에 대한
기록이 남아있긴 하지만 사람들에 어떻게 생겼었나에 대한 내용은 찾아볼 수가 없다.

인간의 외모에 대한 문서는 문학작품과 헤이안 시대(794~1185)의 예술 작품에
서 발견된다. 일본 역사의 다른 여러 시대처럼 헤이안 시대는 황제가 수도로 정한 도
시의 이름을 따서 지어졌다. 불교가 넓게 퍼져있었지만 승려들은 나라의 일에 간섭할
수 없게 되어있었다. 도시와 시골 지방에서의 혼란이 표면에 나타나지 않게 일어나고
있었음에도 불구하고, 표면적인 정국은 부드럽게 돌아가는 것처럼 보였다.

10번째 왕국인 Imperial Court에서, 일본의 문학이 꽃피었다. 음악, 예술, 문학
작품이 발전하였다. 서체나 가나문자로 쓰여진 일본어가 만들어져서, 일본어는 쉽게
새겨질 수 있었다. 학자들은 더 이상 중국어에 의존할 필요가 없었고 그들의 것이 아
닌 문자와 더 이상 씨름할 필요도 없었다.

여성다움의 이상은 헤이안의 궁중으로부터 출현하였다. 여성들은 궁전 안의 사
회에는 제한적으로 참여하였음에도 불구하고 존경을 받았으며, 여성의 일상 생활은
제한적이었으며 그녀의 행동은 완고한 예법에 의해 규정되었다. 어린 나이에 계약 결
혼을 하고, 아버지와 남편을 제외한 남자를 거의 볼 수 없었고, 오직 종교적 행사에만
제한적으로 사회 생활에 참여하였다. 하지만 헤이안 시대의 여성의 위치는 상속과 딸
을 이용하여 권력 있는 가족으로 들어갈 수 있는 열쇠를 얻게 되는 시스템에 있었기
때문에 중요한 위치에 있었다.

여성은 뜨개질과, 바느질, 춤을 배우도록 되어있었다. 오락으로 그들은 향수 만들기와 그림 그리기 대회를 열었다. 그들의 교육의 한 부분으로, 그들은 읽고 쓰는 법을 배웠으며, 작가로서 그들은 이야기와 시를 쓰기도 하였다.

상류 계급의 여성 문학가 세이 쇼나곤은 그녀 자신에 대한 수필집인 The Pillow Book(1002)을 썼다. 불행히도 그녀는 거의 외모나 성적인 내용은 거의 기재하지 않고 있다. 하지만 그녀는 외모의 중요성에 관하여 한마디는 하고 있다. 냉소적으로 그녀는 청취자들이 못생긴 승려보다는 잘생긴 승려를 보고 있는 것이 더 쉽기 때문에 불교 승려마저도 외모가 좋아야한다고 쓰고 있다.

대영 제국의 왕궁에서 일한 여성 시키부 무라사키(978~1014)는 가장 오래된 것으로 알려진 소설을 썼다. 멋진 왕자와의 사랑을 쓴 이 The Tale of Genji(겐지의 이야기)라는 소설에서, 그녀는 상류층의 풍조를 보여주고 있다. 이 이야기의 많은 사건들은 자연의 아름다움과 이야기 속 등장인물의 감정들로 이루어져있다. 하지만 외형적 모습에 대한 작가의 묘사는 부족하다. 그녀는 대부분의 에피소드를 특히 못생긴 모습을 묘사하는데 바치고 있다. "The Saffron Flower"는 귀족 여성의 못생긴 코에 대해서 언급하고 있다. 왕자 겐지는 그가 그녀의 코를 싫어했기 때문에 그 귀족 여성에게 퇴짜를 놓았다. 이 불쾌한 외모는 코끝이 내려앉았을 뿐만 아니라 더 심한 것은 그 코끝은 핑크 색으로 되어있었다는 것이었다.

강이 내려다 보이는 정자에서
글을 쓰고 있는 젊은 여인
작가미상, Ukiyo-e 학교

겐지의 이이기, 17세기 초
Tosa Mitsunori, Edo 학교

257

말등에 탄 여인, 18세기,
중국 도기, 탕 왕조

일본의 역사상 여러 시대에, 중국의 문화는 일본에 큰 영향을 주었다. 중국 당나라의 화가와 작가는 헤이안 시대의 스타일에 큰 영향을 주었다. 헤이안 시대의 쓰여진 두루말이에서는 중국 화가에 의해 묘사된 풍만한 여성과 비슷함을 보여준다.

왕국의 화가들은 그들의 아름다운 주제를 두루말이에 담았다. 여성들의 얼굴은 둥글고 풍만하고, 반쯤 감은 눈으로 잘 분간할 수 없는 정서를 드러내놓고 있다. 입술은 아주 작으며 코는 곡선으로 되어있다. 모든 여성의 눈썹은 이마로부터 뽑아져있고, 원래의 눈썹이 있던 곳보다 윗부분에 검은 색 색소로 대체되어있다.

면도된 눈썹은 원래 소녀가 육체적으로 성숙했다는 것을 의미한다. 후에, 이 관습은 모든 사회계층에 의해 받아들여지고 이것은 여성이 결혼을 했는지 안했는지를 나타내주는 지표가 되었다. 이러한 관습은 19세기의 말까지 계속되었다.

헤이안의 여성들은 두껍게 화장을 하였다. 창백한 피부는 밖에 잘 나가지 않고 햇빛 아래에서 일하지 않았던 높은 신분의 특권을 상징하기 때문에 굉장히 높게 평가되었다. 여성들은 흰 흙과 쌀가루로 만든 분필처럼 흰 가루로 그들의 얼굴을 창백하게 만들었다. 아마도 성욕을 증진시키고 치아의 위생을 증진시키기 위해서 여성은 그들의 치아를 검게 하였다. 헤이안 시대가 끝날무렵, 남성도 역시 이러한 관습에 순응하였다. 헤이안 시대의 여성들은 이집트를 거쳐 중국으로부터 수입된 홍화 추출물로부터 만들어진 베니라는 것으로 그들의 볼을 칠하였다. 18세기쯤 이 식물이 일본에서도 재배되었지만, 수확량이 너무 적었기 때문에 값은 여전히 아주 높았다.

헤이안 시대의 여성들은 그녀의 머리에 큰 가치를 부여하였고 자연스럽게 자라나도록 그냥 두었다. 빛나는 검은머리를 유지하기 위하여 여성들은 노력하였다.

전통적인 패션은 헤이안 시대에 그 근원을 두고 있다. 체형이나 얼굴 모양보다는 옷이 아름다움의 메시지를 전달하였다. 여성들은 12개의 실크로 된 예복과 외출복을 입었다. 여성들은 어울리는 색과 패턴의 풍미를 보이기 위하여 소매가 겹치는 부분을 짧게 하여 여러 가지 색의 겹침을 보여주었다.

헤이안 시대의 여성들은 항상 여러 겹의 길고 헐거운 겉옷을 겹쳐 입었다. 아마도 이것이 이 시대에 인간의 몸에 대한 관심의 부족을 설명해 줄 수 있을지도 모른다. Murasaki라는 여성은 아무 것도 입지 않은 사람의 모습은 아주 끔찍하다고 극단적으로 표현하고 있다.

학자들은 전통적인 일본의 누드에 대한 혐오의 기원을 추측해왔다. 그들은 벗은 몸을 두렵게 여기는 종교에서 그것에 대한 해답을 찾는다. 중국 명나라의 관능적인 그림이 17세기에 일본에 소개되었을 때 이러한 그림들은 오직 약간의 관심을 불러일으켰을 뿐이다. 그들 자신들이 연출한 관능적인 그림을 그린 일본의 예술가들은 의학책에서 보여지는 일러스트같은 감정 없는 여성의 누드그림을 그리고 있다. 누드가 일본인들의 관능적인 문화에 초점이 되기 시작한 것은 세계 2차 세계대전 때였다.

헤이안 시대가 끝나가면서, 11세기의 황제들은 불교 승려들처럼 서약을 했다. 실제의 왕실 삶에서 은퇴하여, 그들은 수도원 뒤의 세계를 지배하였다. 일본 사람들은 늘어나는 부패와 비밀스러운 정치적 상황에 고통받았고 군부, 사무라이가 일어나면서 이러한 상황은 종결되었다.

사무라이는 처음으로 지방에까지 그들의 세력을 뻗치고 점차적으로 그들이 군

중국의 에로틱 예술, 19세기 초

사무라이, 1867
Beato

역할을 수행하는 수도까지 세력을 확장하였다. 일본의 역사적인 전환기는 12세기, 미나모토 가문이 군 정부를 창조하면서 시작되었다. 고대 군주 정치가 끝나고 새 시대가 시작되었고 일본은 쇼군에 의해 통제되는 사무라이에 의해 통치되었다.

남성은 이러한 시대를 지배하였다. 이상적인 남성은 강하고, 용감하고 완벽하게 규율이 갖추어진 사람이었다. 사회적 가치는 일본 토착 종교인 신토로부터 나왔고, 불교와 유교에서 정직, 성실함, 주요한 품행의 원리를 기초로 하였다. 지도자들은 과격한 전사뿐만 아니라 신사로서 자신들을 만들어갔다. 사무라이들이 통치하는 13세기에서 19세기동안의 이 긴 평화의 시간동안 문화는 거의 힘있는 것이 호평을 받았다.

이러한 남성의 통치에도 불구하고 중세 사회의 여성의 지위는 강하게 남아있었다. 여성은 명예롭게 여겨졌고, 소작인의 계급 사이에서도 상속의 권리를 가지고 있었으며, 세금을 내기 위하여 팔려지는 것이 허용되지 않았다. 전사들이 집에서 떠나갔을 때, 여성들은 주로 남성들을 대신하여 집안을 돌보았다. 그들은 자신들의 가정과 아이들을 지키기 위하여 무기를 사용하는 기술을 가지고 있었으며, 위험이 닥쳤을 때는 자살로서 가족의 명예를 지켰다.

시대가 바뀌면서 매력에 대한 이상도 바뀌었다. 풍만함 대신에 섬세한 여성이 헤이안 시대에는 선호되었고, 예술가들은 사무라이의 아내의 필수적인 특징인 강건하고, 더 크고, 날씬한 여성을 묘사하였다. 중세 유럽 여성들과는 다르게, 봉건 시대의 일본 여성들은 강건하였다. 이 시대의 일본 여성들은 강건할수록 쓸모 있게 여겨졌다.

　봉건 시대의 일본 전설 속의 여성은 아름다움뿐만 아니라 그들의 힘과 정직으로 명성을 떨치고 있다. 토키와는 예외적으로 12세기 국왕의 사랑스러움 첩이었다. 전쟁터에서 그가 죽은 뒤에 그녀는 그녀의 세 아들을 데리고 그녀의 집으로 도망쳤다. 적국의 장군이 그녀의 어머니를 인질로 잡았을 때 그녀는 그녀의 어머니가 살해되거나, 그 장군의 첩이 되는 것 중 하나를 선택해야 했다. 오랫동안 이어져 온 일본의 미덕인 자식다운 효심이 물론 어머니를 살렸다.

　이 시대에 칭송된 또 다른 여성은 아름다움뿐만 아니라 그녀의 용기로 유명한 토모에이다. 그녀의 사무라이 남편 대신에 전쟁터에서 싸우게 된 그녀를 적군 수장이 사로잡으려 하였다. 그녀의 기모노의 소매를 그가 찢자 격분한 그녀는 그녀의 칼로 그 수장의 머리를 베었다. 머리 모양과 옷은 사회적 역사동안 동시에 나아갔기 때문에, 몇 개의 스타일이 중세시대에 나타났다. 여성은 여전히 머리를 길게 했지만 머리를 풀어놓는 것 대신 머리를 고리로 묶어 귀 뒤로 넘기는 실용적인 패션이 받아들여졌다. 헬멧으로부터 받는 열을 줄이기 위해서 사무라이들은 싸움터에 나가기 전에 두 개골 위의 머리를 밀었다. 이러한 관습은 인기를 끌어서, 가장자리 양쪽에 긴 머리를 남겨두고 대머리를 하는 것이 유행을 하였다.

　일본은 12세기부터 16세기까지 잦은 소동을 겪었다. 잦은 전쟁은 무역의 발전에 장애를 가져왔고 나라의 힘을 고갈케 하였다. 분쟁이 여러 계층에서 터져 나왔다. 이러한 혼란스런 시대에 학자들과 사회적 지위가 높은 사람들은 하이쿠라고 알려진 운문을 썼고, 차 예식을 열었다.

16세기의 말에, 외국 문물이 일본에 침투하기 시작하였다. 카톨릭 예수회는 교회를 세우고 사람들을 개종시키면서 확고한 지위를 만들었다. 여성보다 남성이 더 외국의 옷을 받아들였고, 이 시대에 그려진 그림은 들뜬 시대의 당대의 분위기를 묘사하고 있다.

이런 국가의 분위기는 토쿠가와 가문이 통치권을 17세기 잡게 되면서 엄하게 변하였다. 그들은 그들의 수도를 에도로 정했고, 그렇기 때문에 그들이 통치하는 시대는 에도 시대라고 불려지게 되었다. 이 시대동안 도쿠가와는 기독교를 제거하고 외국인들을 추방하려는 모든 노력을 했기 때문에 외국의 영향력은 점점 감소하였다. 일본은 미국의 사령관 매튜 페리가 탐험대를 이끌고 일본을 강요하여 항구를 열게 하기 전인 1853년까지 세계의 나머지로부터 고립된 채로 남아있었다. 이제 봉건 시대는 막을 내리게 되었다.

2~3세기동안의 일본의 고립동안, 사회의 균형은 옮겨지게 되었다. 후에 도쿄라고 불리게 된 에도는 18세기 중반에는 세계의 가장 큰 도시가 되었다. 사회에서 저급층으로 여겨진 식객계층이었던 상인 계급은 지위가 상승하게 되었다. 사무라이들이 그들의 땅과 돈을 잃을 때, 상인들을 부를 쌓아갔다. 물질주의는 행복과 동등하게 생각되어졌다.

여성들은 도쿠가와의 통치동안 복종되어 살았으며 이러한 것이 미의 개념을 반영하였다. 기모노 허리 주위에 한 띠인 오비는 옛날에는 좁은 리본이었지만 지금은 겨드랑이 밑에서 엉덩이까지를 감싸기 충분하도록 넓어졌다. 머리 꾸미기는 도쿠가와 시대에 복잡함의 절정에 이르렀다. 여성은 어떠한 신체적 활동에 의해 그들의 머리 장식이 망가지는 것을 두려워하였기 때문에, 아주 조심스러운 걸음걸이조차 금지되었다. 여성들은 게다를 신고 무릎과 발끝으로 걷는 법을 받아들이게 되었고, 쪼리라는 평평한 샌달을 신었다.

베란다에서 머리감는 여인,
17-18세기
Katsukawa Shunsui, Ukiyo-e school

게타(Geta)-왼쪽, 쪼리(Zori)-오른쪽 샌달

261

도조 사무라이의 달빛 아래에서의 술잔치, 18-19세기

미학과 도덕의 개념인 이키와 수이는 에도 시대에 소개되었고 오늘날의 일본에서 이해되고 감상되어지고 있다. 수이는 좋은 풍미의 미덕으로 사람이 예민하고 융통성이 있어서 패션을 이끌게 된다는 것을 의미하고 있다. 이키는 수이한 사람보다 더 억제된 높은 정신의 사람의 상징이다. 이키라고 불리는 여성의 행동은 높게 칭송되었다. 이키한 것은 세련되었다는 것과 같은 말이다.

아름다운 여성은 에도 시대에 미술가들의 인기 있는 주제였다. 이 평화롭고 풍요로운 시대에 중요한 예술은 우키요에였다. 당대 문학에 적당한 메시지는 나무에 새겨서 전해졌다.

**화장대 앞에서의 젊은 여인; 그 옆에 서있는 여인,
18-19세기
Kiyonaga Torii, Ukiyo-e school**

262

고급창녀의 모습, 18세기,
작자미상, Ukiyo-e school

　우키요에에 나타난 여성들의 외모는 다 일률적이지 않다. 얼굴 모양과 체격은
다양했다. 어떤 예술가들은 가냘픈 여성을 그렸고 다른 사람들은 키가 크고 건장한
고급 매춘부인 여성들을 그리고 있다.
　키타가와 우타마로(1753~1806)은 탁월한 우키요에 미술가를 대표한다. 그의 주
된 주제는 아름다운 고급 매춘부였다. 하지만 나라 경제가 쇠퇴하기 시작하면서 그는
평범한 기모노를 입은 여성들을 그렸다.

에도 시대동안 패션과 외적 매력의 이상은 극장 예술형태인 가부끼에 의해 세워 졌다. 3세기 후인 지금도 여전히 인기 있는 공들여 복장을 하는 가부끼 연기자들은 사랑 이야기는 당대의 사건을 연기한다. 가부끼라는 단어는 전통을 무시하는 행동의 슬랭인 가부꾸라는 단어로부터 나왔다.

일본의 대중에게 가부끼를 소개하는 것은 여성 제단 춤꾼인 오쿠니까지 뻗어갔 다. 이 매력적인 여성은 불교 의식의 춤을 공연하였다. 그녀의 스타일은 빠르게 유명 해졌고, 남성과 여성들은 그녀의 댄스 회사에 참여하기 위해 소동이었다.

금방 널리 알려진 가부끼는 매춘 일을 하는 댄서로 이루어진 오나 가부끼라고 불리는 라이벌 연극단과 경쟁을 하게 되었다. 정부는 가부끼가 대중에게 끼치는 부정 적인 측면에 대해서 걱정하기 시작했고 1629년 일본의 쇼군은 가부끼에 여성의 출연 을 금지하였다.

와카수라고 불리는 양성의 남자가 여성 연기자를 대체하였다. 아이러니하게도 와카수 오네가타 불리는 여성 분장자는 당대의 여성의 외모의 기준을 세우게 되었다. 모든 계층의 여성들은 오네가타에 의해 착용되는 패션을 따라하기를 갈망하였다.

Bando ichi Kotobuli Soga 안에 서 공연하는 3명의 가부키 연극인, 17세기,
Torii Kiyonobu, Ukiyo-e school

우나에몬 나카무라(Utaemon Nakamura),
유명한 가부끼의 오네가타(onnegata)

당대 모델의 완벽함을 본뜨기 위하여 여성은 그들의 외모에 익숙해져야만 했다. 고급 매춘부의 이미지는 당대 미인들의 그림이 그려져 있는 스크린이나 두루말이를 통해서 얻을 수 있었다. 이러한 물건들은 상위 계층의 여성에 의해 구입되었고 반면에 보통 여성들은 비싸지 않은 패션 책을 구입하였다.

고급 매춘부는 당대에 굉장히 낭만화되었지만, 사실과 다르게 그녀들의 삶은 그렇게 매력적이지 못하였다. 16세기가 끝나가면서, 당국이 매춘에 대한 법적인 규제를 가하게 되면서 "게이 사회"는 에도나 교토같은 큰 도시에서는 점점 밀려나게 되었다. 이러한 이웃들이 증가하면서, 더 많은 여성들은 소님을 접대해야만 했다. 여성과 아이들을 판매하는 것이 역사적으로 어떤 시대를 제외하고는 금지되어지지 않았기 때문에, 어린이 유괴는 자주 일어났고 4~5세의 어린 여아들은 평생 예속되어 살기도 하였다.

매춘굴의 소녀들은 사춘기에 실제적인 돈버는 사람으로 변했다. 그녀의 치아는 검게 되고 그녀는 적절한 고유 의상을 입고 일하였다. 그녀의 서비스에 대한 대가를 클 수도 있었지만 그녀 개인적으로 얻는 이익은 매우 적었다. 그녀의 격렬하고, 위험한 삶의 스타일 때문에, 그녀의 삶은 성병이나 낙태로 목숨을 잃을 수도 있었다. 만약 이러한 삶을 견디지 못하는 소녀들은 자살을 선택했고, 이러한 여성들은 영혼이 없다고 생각되어졌기 때문에 개처럼 묻혀졌다. 만약 20세가 넘어서도 그녀를 보호해줄 남자없이 그녀가 생존하고 있으면, 그녀는 섹스를 하기에 너무 늙었기 때문에 나머지 인생을 노예처럼 잔심부름을 하면서 살아갔다.

에도시대 고급 창녀, Ukiyo-e school

게이샤, 20세기 초

진정한 게이샤 역시 에도 시대에 나타났다. 그들의 선조는 12세기 전사들 시대의 춤추는 첩에서 발견되어진다. 17세기 매우 짧은 시간동안 게이샤는 남성들이었지만, 여성들이 점차 이 직업에 종사하게 되었다. 비록 구별하기가 좀 불명료하지만, 게이샤는 섹스를 판다기보다는 즐거움을 팔아서 돈을 번다는 점에서 매춘부와는 달랐다. 노래하고 춤추고, 재치 있는 대화로서 그들은 사무라이와 상인들, 그리고 그들의 서비스를 받을 여유가 있는 사람들에게 우정을 제공하였다. 정교하게 차려입은 이 매력적인 여성들은 가정의 삶의 사회적 엄격함에서 벗어나고 경직된 사회의 긴장에서 벗어날 수 있었다.

게이샤는 미학과 문학의 기준을 세웠다. 에도 시대의 말에, 하오리 게이샤는 이키의 중재인으로서 인식되었다. 고의의 태연함을 전달하는 그들의 탁월한 능력은 잘 알려져 있었다. 그들의 삼가면서 말하는 우아함은 그 당시의 문학과 예술에 많은 영감을 제공하였다.

전문적인 매춘부와는 다르게 게이샤는 그녀의 "꽃과 버드나무 세계"에 평생동안 남아 있을 수 있었다. 젊음과 잘생긴 외모는 유용했지만, 중요한 것이 예술적인 재능과 말하는 기술이기 때문인 이상, 게이샤는 그러한 일을 못할 정도로 늙을 때까지 일할 수 있었다.

게이샤의 삶은 엄격하게 규제되었다. 그녀는 어떠한 단체에 소속이 되어있었다. 이상적으로 말하면 게이샤는 그녀가 재정적으로나 성적으로 연관되어있는 단나라고 하는 후원자를 가지고 있다. 하지만 그녀는 이러한 후원자를 찾기 위해 굉장한 운을 가지고 있지 않아도 되었다. 그렇다 하더라도, 그녀는 의지할만한 고객들인 고히키를 가지고 있었다.

과거에는 게이샤가 되기 위해서 몇 년동안 교육을 받았지만, 20세기의 의무적인 교육 법 때문에 오늘날의 도제기간은 다소 간략화 되었다. 게이샤는 세줄로된 긴 사미센을 연주하는 법을 배우고 몇 가지의 전통적 스타일의 노래를 하도록 배운다. 게이샤는 항상 정치적으로 연관이 되어있기 때문에 재치와 신중함에서 탁월하여야 하였다. 정치하는 사람들은 정치의 계획을 게이샤와의 파티에서 거리낌없이 말할 수 있었다. 왜냐하면 그들은 게이샤가 비밀을 지킬 것을 알기 때문이다.

전통적인 13줄로 된 악기인 koto를 켜는 여성

2세기 이상 쇄국정책 뒤에, 엄격한 도쿠가와의 규칙은 끝이 났고, 일본은 외국에 다시 문을 개방하였다. 뭇수히토라는 젊은 황제의 이름 뒤에 메이지 유산이라고 불리는 새 시대가 열렸다. 이 메이지 황제는 1912년 죽음을 맞이하였고 새로운 근대 산업 개발의 나라가 되기 시작하였다.

메이지 시대는 미국과 유럽에 문화적 교류를 하게 되었고 이것이 서부세계의 패션을 이끌게 되었다. 예를 들어 일본인들은 서구인들이 치아를 검게 하는 것을 경멸한다는 것을 알게 되었고, 이러한 관습은 점점 사라지게 되었다. 1870년 일본 과학자들은 납의 특성이 유해하다는 것을 알아내었고 화장품 제조업자들은 여성들이 얼굴에 바를 파우더의 안전한 생산을 위해 노력하게 되었다. 메이지 시대가 끝나가면서 일본의 여성들은 서구의 립스틱을 선호하게 되었고 전통적인 베니는 인기가 시들해졌다. 19세기말에서 현재까지 전통적인 화장은 오직 가부끼 배우와 게이샤에 의해 사용되어지고 있다.

비록 시골 지역의 여성에 의해서 대부분 이루어진 것이지만, 어떤 전통적인 미의식은 지속하였다. 깨끗한 얼굴 색을 유지하기 위해 여성들은 누카부쿠로라는 작은 쌀로 된 가루를 사용하였다. 인기 있는 얼굴 로션은 여전히 부서진 호리병박이나 오이로부터 만들어졌고, 시골 여인들은 젊은 피부를 보존하기 위하여 나이팅게일 새의 분비물을 얼굴에 바르기도 하였다.

여성들은 사회의 현대화에 아주 조금씩 참여하고 있었기 때문에 서서히 부분적으로 서구의 옷을 입기 시작하였다. 처음 일본 여성들은 그들의 전통의식에 서구의 액세서리인 리본, 파라솔이나 숄같은 것을 달고 걸쳤다. 제 1차 세계대전 후, 여성들은 서구의 옷을 일상 생활의 옷으로 받아들였다. 오늘날 많지는 않지만 약간의 여성들이 매일 아침 기모노를 입을 뿐, 전통적인 옷은 보통 특별한 날을 위해 준비되어질 뿐이다. 여성들과는 달리, 당대의 남성들은 그들의 조상이 입던 복장을 거의 입지 않았다.

잘 교육된 인구와 발전된 기술로 경제적 번영을 이룬 나라인 오늘날의 일본은 전통과 신식의 모자이크이다. 많은 사람들이 미는 행동과 떨어질 수 없다는 전통적인 생각을 고수한다. 현대의 일본 여성들은 전통적으로 여성스러움과 동등하게 여겨지는 자질을 발전시키는 것을 선택할 수 있다.

젊은 여성들은 그들의 어머니에 의해 적당한 행동을 가르침 받을 수 있도록 학교에 보내질 수도 있다. 이 여성은 품위 있게 교육받는다. 여성들은 불필요한 몸의 부분의 노출을 피하는 법을 배우게 된다. 식사시간동안 특히, 팔굼치는 식탁 위에 놓을 수 없다. 모든 몸의 움직임은 부드러워야하고, 하품을 하거나 웃을 때 손에 입을 가져가 입을 가려야만 한다.

급속도로 도시화된 어떤 현대 여성들은 꽃꽂이, 서예, 고전무용이나 고전 무영 수업에 참석하기도 한다. 여성들은 일상 생활에서 이러한 기술을 사용하지 않을지도 모른다. 하지만 그들의 목표는 적당한 행동을 내면화하는데 있다. 그들의 동기는 덜 규율적인 것일 수도 있다. 여성은 단순히 차 문화의 이론에 흥미를 찾을 수 있거나, 기모노를 입을 기회를 즐길 수도 있다. 오늘날, 과거 전통의 중요성이 강조되면서 전국의 양육 학교는 예절과 차 문화를 최신 교과과정의 하나로 가르치고 있다.

15세기 일본에서 유래된 꽃 정렬
방식 스타일인 Ikebana식으로
꽃을 다듬는 여인

차의식

Issey Miyake의 작품인 몸의 곡선, 봄, 1990

파리에서 선보인 디자이너 Issey Miyake 의 빛나는 비옷, 3월 ,1991

오늘날 패션 산업은 번창하고 서부의 영향을 받기도 하지만 독특한 일본색을 가지고 있다. 현재의 하내모리, 잇세이 미야키, 레이 바와부로같은 디자이너들은 몇 세기 전에 입던 옷에서 영감을 받았다. 남성과 여성을 위한 그들의 옷은 기모노처럼 크고, 긴소매를 하고 있으며 검은 색이나 어두운 회색의 소재를 쓰고 있다.

Shinjinrui, 30대 이하의 세대, 하라주꾸에서
옷을 사는, 세련된 도쿄의 쇼핑 지구

서양의 펑키스타일을 따라한
일본의 젊은이

　　중산층과 10대들은 전통의 영향을 거의 받지 않았다. 그들은 유럽과 미국의 옷
과 액세서리를 착용하기를 원한다. 10대들은 미국의 문화에 미쳐있고 영어가 써있는
것은 뜻이 무엇이든 간에 입고싶어한다. 골퍼 "아놀드 파마"의 이름이 써있는 스커
트는 최근 도쿄의 10대들에게 큰 유행이고 1950년대 미국에서 입었던 비슷한 디자인
의 스커트가 유행하고 있다.

　　전통은 일본 젊은 사람들의 패션에서는 거의 찾아보기 힘들다. 그들은 예상하
지 못한 패턴의 바지와 스커트를 입는다. 하지만 이러한 기대하지 못한 것들이 작용
하는 것처럼 보인다. 비록 여성스러움은 오늘날에도 칭송되오 있지만, 일본은 성별
사이의 차이점을 없애기 위해 노력해왔다. 가부끼의 오네가타는 전처럼 여전히 인기
있으며 일본의 Rock Star는 자웅양성의 이미지를 풍기고 있다. 백화점이나 옷가게에
서 살 수 있는 옷들은 여성이나 남성 모두 입을 수 있다. 유니섹스의 개념은 당대 아
름다움의 조화되었다.

몸의 형태에 대한 선호는 서구의 영향을 받았다. 심지어는 50대의 기혼녀들도 에어로빅을 수강한다. 비록 서구의 모델처럼 마른 것이 선호되기는 하지만 아시아의 원래의 체형이 이런 소망을 완전하게 이루어지지는 못하고 있다.

젊음에 대한 사람들의 열광은 서방세계처럼 일본에서도 우세하다. 서방의 남성들처럼 일본의 남성들도 젊은 아내를 원한다. 일본 여성들은 열광적으로 화장품을 사용한다. 화장품은 패키지로 제공되어진다. 일본의 큰 화장품 제조업자인 시세이도는 아름다운 용기를 생산하였고 이러한 용기의 미니어처를 만들어 제공하였다. 립스틱의 흰 얼굴 색과 반대되는 검고 강렬한 색이다.

현대 중학교 학생들이 배구를 즐기고 있다.

미주코 사카구이치(Mizuko Sakagjichi), 미스 일본, 1988

일본 매력의 이상형은 그들이 현대화된 만큼이나 고전적이다. 그들은 그들의 문화를 지배했던 규율을 지키고 있지만, 아름다운 놀라움과 함께 기대하지 못한 폭발을 일으키기도 한다. 일본의 미는 명료하게 단순하면서도 역설적인 면이 있다.

Jidai 페스티발에서 한 여성이 전통 화장을 하고 있다. 교토(Kyoto), 1989

CHAPTER Eleven

남성의 미(美)

이집트인에서 에드워드왕자까지

MALE BEAUTY
The Egyptians to the Edwardians

인간은 문서를 기록하기 시작한 옛날부터 외모에 관심을 가져왔다. 그러나 남자에게 "아름다움"이란 용어는 적게 사용되었다: 사회는 보통 "멋진", "매력적인"이라는 단어나 "잘생긴"이라는 단어를 선호하였다. 끝내 결과적으로 이것은 여성에게도 다를 바 없었다. 각 시대마다 서로 다른 지위를 가진 사람들은 패션과 체격과 얼굴에 관심을 가졌다.

이집트 **고**대 이집트 남자들은 매우 낭만적이었고 사막의 여자들이 그러하듯이 외모에 관심을 가졌다. 그들은 그들이 직접 그들의 옷을 골랐고, 노예들에게 호신 부와, 목장식과 팔찌로 자신을 장식하게 했다. 종교 기념일을 축복하기 위해 그들은 머리에 가발을 썼다. 아마도 허영심 때문이거나 햇빛의 눈부신 빛이 머리에 닿는 것을 제거하기 위해 남자들은 여자들처럼 눈꺼풀에 kohl(역자 주: 콜 먹. 회교국의 여성이 눈썹 따위를 검게 칠하는 데 쓰는 화장먹)검은 그림물감으로 아웃라인을 그렸을 것이다.

이집트 남자들은 패션 유행을 따라갔다. 왜냐하면 그들은 원시적인 종교를 믿었기 때문이다. 울로 만든 옷조차도 그들은 지저분하다고 간주했다. 남자들은 리넨으로 된 옷이나 섬유질로 짜여진 옷을 입는 것을 좋아하였다. 신성한 색깔인 흰색으로 된 리넨은 밝고 시원한 직물이었으며 쉽게 세탁되었다. 그것은 스첸티나 단순한 송아지 가죽의 한가운데서 나누어진 로인클로스(미개인등이 허리에 걸치는 간단한 옷)안에 재봉되었다.

이집트 문학은 파피리 위, 묘비에서 살아남아 돌 조각에 문자를 새겨 넣었다. 이집트인들은 길고 정열적인 사랑의 시를 썼다. 그 시는 성사이의 좋은 관계의 정절에 관한 시였다. 아름다움은 또한 상품으로 주어졌다. 기원전 1570년부터 1085년사이 새 왕조의 사랑 노래 안에 한 소녀가 사랑의 노래를 불렀다.

> 아무도 아직 갖지 못한 최고로 아름다운 젊은이여
> 나는 당신의 집에 아내로 들어가고 싶습니다.
> 우리는 팔짱을 끼었습니다.
> 그리고 당신의 사랑은 돌아 돌아갑니다.

최근 발견된 입상은 젊은 남자시인이었을 것이다. 흑단 안에 조각된 그의 눈과 눈썹은 색깔 있는 유리에 상감세공이 되어 있고, 흑갈색의 홍채가 흰색으로 둘러싸여 있다. 그의 얼굴은 타원형이며 그의 눈은 눈초리가 올라가져 있다. 그의 광대뼈는 높으며, 그의 입술은 도톰하다. 그의 신분은 미스터리로 남아있다. 그의 머리가 이발되어 있는 것으로 보아 그는 아마도 성직자였을 것이다. 독신생활을 요구하지 않는 직업으로써의 성직자 였을 것이다.

새 왕조 시대는 평화의 시대였으며 관념적이고 이상적인 이집트남자들은 군인이 될 필요성이 없었다. 지구상의 기쁨에 대하여 관심을 가진 남자들은 군인영웅을 존경의 대상으로 나타내었다. 위업을 이룩한 왕으로 알려진 아멘 호텝 3세는(기원전 1417~1379 통치) 남자들의 스타일을 정착시켰다. 그의 지도에 따르면, 이집트 남자들은 그들의 군주처럼 배를 크게 자라게 하기 위해 노력했다. 조상들이나 무덤벽화 등

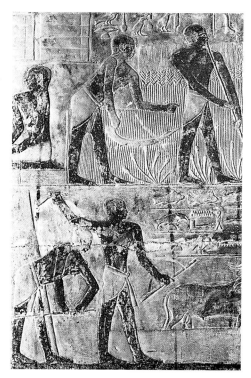

허리감개를 입고 있는 남자들, 수확하는 장면, 6번째 왕국, Saqqara, 이집트

은 중요한 남자들이 그들의 패셔너블한 올챙이배를 강조하기 위해 허리벤드를 스첸 티위에 뒤에서 높게 앞에선 낮게 내려 메는 모습을 보여준다.

Tell Asmar의 남성,
메소포타미아(Mesopotamia)

아시리아

재 이라크 지방에 위치한 아시리아는 북쪽 메 소포타미아 왕가로써 사나운 군인들이 있기로 유명했다. 아시리아는 기원전 14세기에서 멸망하는 기원전 612년까지 번영을 누렸 다. 왕과 평민들은 전쟁기간에는 그들의 남성다움을 과시하는 것을 좋아했고, 전쟁과 전쟁사이의 기간에는 사치의 입맛을 탐식 했다.

청동과 돌 조각들은 아시리안 사람들의 외모에 대하여 기록하고 있다. 어떤 동 상들은 매우 활동적인 초상이고, 다른 것은 일반적인 아시리안 사람들의 모습을 나타 낸다. 모든 상들은 롭(robe:길고 헐거운 겉옷, 긴 원피스형의 옷)이나 스커트를 입은 남자들을 보여준다. 그리고 높은 광대뼈와 굽은 코와 화려하게 장식된 머리 스타일과 턱수염 등에 의해 특징지어진다.

아시리아 인은 그들의 이발사를 "높은 손"이라는 뜻을 지닌 잘라부(jallabu)라고 부르며 우러러 공경하였다. 이발사는 그들의 고객의 머리를 땋거나 가끔 식은 롤빵모 양의 쪽진 머리를 만들이 위해서 밴드로 감싸기도 하였다. 혹은 그들은 가운데부분을 만들어서 어깨까지 내려오게끔 컬을 주기도 하였다. 달군 철을 허용하면서 이발사들 은 그들 고객의 턱수염을 작은 고리로 꼬기도 하였는데 이때 숱이 적으면 가짜모발을 사용하여 숱을 늘리기도 하였다. 머리 땋는 방법을 완벽히 하기 위해 이발사는 모발 을 향수나 기름에 흠뻑 적셨는데, 그 과정은 허영심에 만족을 주기도 하였지만 또한 그 안에 살고 있는 기생충이나 벼룩에게 독이 되게 하는 작용도 하였다.

아시리아 사람들은 이집트 사람들과 그들의 화장학(cosmetics)을 사랑하는 면 에서 경쟁하였다. 남자들은 그들의 눈과 눈썹을 검게 하고, 눈은 안티몬 파우더로 에 워쌌다. 그리고 다음엔 그들의 볼 앞에 하얗게 도포 하였다. 아시리아의 마지막 왕이 자 가장 타락한 왕인 애셔버니펄(기원전 668년부터 627년 통치)왕은 두꺼운 루즈를 바르고 짙은 향수를 썼다.

아시리아 사람들은 청결함을 존경하였다. 잘사는 사람들은 욕실을 가지고 있었 고 가난한 사람들은 운하의 제방에서 씻거나 성의 안뜰의 물탱크에서 씻었다. 비누는 골 풀의 기름이나 그것의 재로 만들어졌다. 비싼 것은 서다나 잿물이 안에 있었고 지 방과 진흙으로 연마된 덩어리로 모양을 만들었는데 이것은 오늘날의 거친 세탁소 세 제와 비슷하였다.

왕실사람들과 그들의 하인들은 페니키아(지금의 시리아, 레바논, 이스라엘 지방 에 있던 고대왕국)에서 보라색으로 우수하게 염색된 울과 리넨으로 된 값비싼 옷을 입었다. 값비싸게 수놓아진 아시리아의 직물은 얇은 돋을 새김(bas relief, low relief) 으로 쉽게 판별할 수 있다. 부유한 남자들은 손목길이의 소매가 달리고 낙낙한 망토 가 달린 긴 튜닉(고대 그리스 로마의 남녀가 입던 무릎까지 내려오는 낙낙한 가운 같 은 의복)을 입었다. 지위가 높을수록 더 긴 술 장식이 달려있었고 접히는 곳에 숱이 풍부하였다. 공예가나 노동자들은 짧은 튜닉을 입었고 모든 계급의 사람들이 그들의 발에 가죽샌들을 신고 머리에 큰 터번을 둘렀다.

성서시대 **신** 약성서나 구약성서 어디에도 미학이나 사물과 사람에 대한 사랑스러움에 대한 언급이 없다.

몇몇 인용문구는 매우 직설적이다. 해기쓰의 아들 아도니자는 "멋진"이라는 말이 달려졌다. 성서는 또한 매력의 비밀에 대해 나타낸다: 이스라엘 젊은이로써 바빌로니아 왕 네부차네짜르(기원전 630~532 통치)왕에게 포로로 잡힌 다니엘은 비싼 음식대신 야채를 먹고 날씬하고 호감 주는 몸으로 살았다. 이에 반해 다른 젊은이들은 복식을 하고 뚱뚱해졌다. 성서에서는 미의 과잉으로 인한 문제점을 나타내기까지 한다. 용모가 아름다운 이집트 왕실의 감독관 조셉은 그가 그의 군주의 아내의 유혹을 뿌리쳤기 때문에 고통받았다.

성서는 남성의 모발에 관한 지식으로 가득 차있다. 풍성하였던 이스라엘 사람들의 수염은 단 한번의 한센병 유행으로 잘리었다. 남자들은 머리나 얼굴에서 미치거나 죽은 사람을 애도할 때 그들의 모발을 뽑았단 것이다. 예언자는 깨끗이 면도한 남자를 죽음에 임박한 사람의 상징이라고 관망했다. 남자 유대인은 그들의 머리를 길게 하고 그들의 수염에 아시리아 사람처럼 향수를 뿌렸다. 구약 성서의 시대가 끝날 때 남자들은 머리에서 그들의 머리를 잘랐다. 그러나 그것을 길고 컬한 것은 신전에 남겼다. 이 스타일은 아직도 정통 예수교에 남아있다.

놀랍게도 성서의 '노래의 노래(song of song)'에 나오는 남성의 미에 관하여 꽤 명백하다. 노래는 기원전 20세기에 이스라엘 북쪽지방에서 씌어진 시들의 모음이다. 이 시에 절대로 연결되어지지 않은 남자들의 이후에는 아가(雅歌:구약성서중의 한편 song of salmon)라는 말로 불린 이 작자불명의 서정시는 남녀의 사랑을 경축하는 내용을 담고 있다. 성욕과 일부일처제의 강조를 찬양하는 이 노래의 소절들은 때때로 유대인의 결혼식에 연주되곤 한다.

자연의 색채이미지를 사용하며 사랑하는 사람들은 그들의 열정을 표현한다. 여자는 그녀의 사랑스런 남편을 이렇게 묘사한다.

당신은 빛나고 붉게 타는 전부이기 때문에
수천 가지의 것들 중에서도 구분할 수 있습니다.
그의 머리는 찬란한 금빛입니다.
그의 자물쇠는 물결 치고 까마귀처럼 검습니다.
거의 눈은 비둘기 같습니다.
게다가 봄의 물빛 같습니다.
우유에 목욕하여
적절히 어울립니다.
그의 뺨은 향신료의 침대 같습니다.
좋은 향기를 가져오니까요.
그의 입술은 백합입니다.
미뤄라(수지의 일종으로 향료. 약재로 사용)에서
정수를 뽑아낸 것 같으니까요.
그의 팔은 금빛으로 둘러져있습니다.
항아리처럼 말입니다.
그의 몸은 아이보리 빛인데
사파이어로 덮여있습니다.
그의 다리는 석고로 만든 기둥인데
금의 기반 위에 서있습니다.
그의 외모는 삼나무 중에서 골라진

원반던지는 사람

레바논 삼나무입니다.
그의 화술은 무엇보다도 달콤하고
그는 언제나 매력적입니다.
이것이 나의 사랑하는 남편이며 나의 친구이며
예루살렘의 자식입니다.

　노래의 노래는 성경에서 이상한 함유를 하고 있다. 그것은 기독교인과 유대교도들이 그들의 지역에 거주하고 있을 때이었음에도 불구하고 어떠한 명백하고 성스런 가르침과 레슨도 의미하고 있지 않다. 그것을 음탕한 노래로 취급한데 이의를 제기하며 1세기 이스라엘 입법 의회사람들인 토셉타 산헨드린의 랍비들은 시에 나타난 솔직한 성적 관심을 보호하기를 원했다. 그들은 그것의 종교적 자연스러움을 방어하며 이렇게 말했다 " 연회장에서 노래의 노래를 떨리는 목소리로 부르고 그것을 세속적인 노래로 다루는 남자는 세상에서 오는 모든 것들의 공유를 할 수 없다." 이와 마찬가지로 기독교인들은 그 시를 그리스도의 '아내(즉 교회)에 대한 사랑' 의 비유로써 해석하며 시의 정신적인 숭고함을 추켜 올렸다.

고대 그리스

 리스 사람들은 남성의 행동과 엄격한 외모의 기준을 면밀히 검사하였다. 미의 요소와 선함의 요소를 해부하며 그들은 그들의 신화와 예술 속에서 그들이 찾아낸 것을 제공하였다. 그리스 사람들은 남자에 강하게 초점을 맞추었다. 여성은 좀 더 적은 집중을 받았다.

　그리스 사람에게 있어서 육체와 영혼은 떨어질 수 없는 것이었다. 아름다운 남자의 영혼은 그의 멋진 체격만큼이나 존중받을 가치가 있었다. 비율로써의 사랑을 사용하여, 그리스 사람들은 육체를 수학적인 용어로 보았다. 육체가 존중받는 것을 자랑스러워하며 그들은 그것을 완벽한 포텐셜 함수로 발전시켰다.

　나체화는 그리스 사람들을 당황시키거나 난처하게 하는 것이 아니었다. 기원전 6세기부터 육상경기자들은 올림픽 게임에서 벗은 채로 경주하였고, 체육관과 스포츠 경기장에서 옷을 입지 않은 채로 운동하였다. 그렇게 하는 것이 대부분의 남자들을 민첩하게 한다거나 균형 잡히게 하는데 도움을 준 것 같긴 않으나 모든 운동은 억제나 금지명령 없이도 벗은채 진행되었다.

육상경기를 준비하는 젊은이,
c.440 BC

올림픽 게임의 장거리 선수들

이상적인 육체를 달성하는 것은 고된 노력을 필요로 한다. 아테네 사람들은 나이와 능력에 맞는 운동을 하였다. 젊은이들은 지구력을 향상시키기 위해서 달리기를 하였고 넓이 뛰기와 투창을 연습하였다. 심장과 관절이 나이 들어감에 따라 활동이 제약된 나이들은 사람들은 모래로 채워진 돼지가죽 공을 앞뒤로 던졌다. 그들의 기운찬 활동 후에는 모든 남자들이 리드미컬한 춤추는 듯한 동작을 형성한 뒤 목욕으로 이어졌다. 그 뒤 노예들이 그들의 주인의 몸에 오일을 발라주고 다음엔 금속 도구인 스터길을 사용하여 문질러 때를 제거했다. 노예들은 그 때 주인에게 찬물을 끼얹었다. 겁쟁이만이 더운물을 썼다.

그리스 사람들은 나약함을 멸시했다. 남자는 남자다운 특성이 있을 때 존중받았고 사랑 받는다고 생각되었다. 여자의 방식을 채택한 남자는 멸시를 받았다. 아리스토판(기원전 450~388년)이라는 동시대 아테네 사회에 타겟을 맞춘 풍자시인은 꼴사나운 행동을 하는 죽을 운명의 사람들과 신 모두를 경멸하였다. 그의 희곡에서 그는 시인 아가톤을 비판한다.

> 여자 혹은 남자 또는 이 둘은
> 화장예술로써 연합되어
> 남성적인 매춘부의 예복 속에서
> 무슨 젊음의 낙인을 배반하느냐?
> 물론 나는 서정시를 이해하진 못하지만
> 너희는 머리에 쓰는 그물로 무엇을 하고 있느냐?
> 그래, 한 병의 체육관 오일. 근데 거들은 또 뭐지?
> 손거울과 같은 시간에 있던 검은 뭐고?
> 너희들은 누구며 역설에 기대고 있느냐? 바로 사람인가?

스파르타인은 심지어는 아테네 사람보다 더 남성적인 행실과 운동을 가치 있게 여겼다. 실전연습은 믿음을 고무시키는데 필요하였다. 단지 몇 천명의 강한 스파르타인들 때부터 노예수가 그들의 수보다 15대1로 더 많았다. 그들은 통치자로써의 자신의 지위를 보호하기 위해서 충분히 터프 해야만 했다.

스파르타 사람들은 리쿠르구스의 전통을 따랐다. 만약 스파르타 남자아이가 약하게 태어나면 그는 산에서 죽게 내버려졌다. 만약 살게 허락되면 소년은 7살에 엄마와 떨어져 남자만 사는 사회에 들어가게 되었다. 여기서 그는 근육은 키우지만 상처는 피하도록 훈련받았다. 그래서 복싱은 금지되었다.

미를 정의하기 위해 그리스 사람들은 겸손과 이성을 존중하며 그에 맞는 사랑을 겸비하였다. 그의 심포지엄에서 역사학자 제노폰(기원전 431~350)은 젊은이 아우톨리코스를 당당한 제왕의 미로 묘사하였는데 외모뿐만이 아니라 그의 자기존중의 감각 때문이었다. 그리스 사람들은 그들의 신 아폴로가 완벽하게 수학적으로 아름답고 그의 외모는 정의의 신으로써의 역할로 인하여 항상 된다고 보았다.

초기 고대의 아폴로는 후기 고전 상들보다 이상적이지 못하였다. 딱딱한 기하학 상의 남자누드는 달콤하지만 강한 그러나 천연그대로의 동체를 지니고 있었다. 고전적인 남자의 누드는 기원전 5세기초에 나타났다. 잘 발달된 근육질의 가슴과 사실적이게 둥근 배로 이들의 모습은 서부세계에 결점 없는 미의 패턴을 공급하였고 오늘날까지도 숭상되고 있다.

아폴로의 젊은 시절 모습

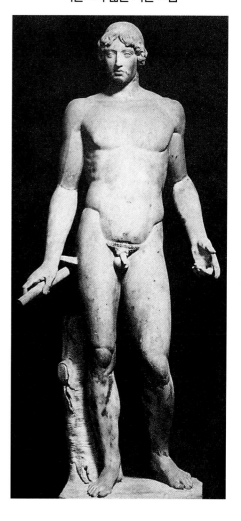

아폴로 벨베데레(Apollo Belvedere) c. BC 14세기

예술가 페이디아스(기원전490~430)는 페리클레스 시대의 미술가며 아테네 민주주의의 발전을 위한 명성이 높은 정치가로써 활동했다. 페이디아스는 파르테논신전의 디자인과 건설을 감독하는 과제를 할당받았다. 페이디아스는 후에 자신의 모습과 페리클레스의 그것을 파르테논신전의 아테네의 방패에 포함시켰다가 이단으로 고소 당해 추방당한 채로 죽었다.

복사 본으로만 작품이 알려진 조각가 폴리클레이토스(기원전 5세기 후반)는 운동선수의 벗은 육체를 그의 주제로 골랐다. 그는 육체 타입을 이상화시켰으며, 그의 운동선수를 완전하게 균형 잡히게 만들었다. 조상은 폴리클레이토스의 개인적인 비례 규범에 따라 이행되었다. 모든 육체는 몸의 7배반으로 재어졌다. 모든 선은 계산되었다. 심지어는 남자의 머리카락도 공식에 의해 배치되었다. 운동선수의 무거운 동체는 매우 공식화되어서 그들은 르네상스시대의 갑옷 디자인에 모델이 되었다.

도리포로스(Doryphoros),
조각, 로마 카피

아기 디오니소스를 안고 있는 헤르메스,
c. BC 350-330, Praxiteles

그리스 사람들은 세 가지 이상의 섬세한 남성의 미에 대한 보기를 가지고 있었다. 아테네의 조각가 프랙시텔레스(기원전 370~330)는 음악의 보호자인 제우스의 아들 헤르메스에게 잘 타고난 인간적인 특징을 부여하였다. 헤르메스의 몸과 얼굴은 젊은이의 그것이었고 힘없이 균형 잡혔지만 페이디아스의 아폴로와 폴리클레이토스의 운동선수와는 다른 모습이었다. 이 신은 강함보다는 고상함의 이미지를 자아내었다.

그릭 꽃병의 관능적인 이미지, BC 15세기

동성애는 이 시대에 유행하였다. 남자들은 공적으로 그들의 친절함에 감사를 표현하였다. 후원자들은 그림 그리는 사람에게 아름다운 연인을 기념하는 용기를 고안하도록 위탁시켰다. 선택된 소년을 맞이하기 위하여 화가는 자주 남성의 외관을 "칼로스(kalos)"라는 미를 뜻하는 형용사로 구체화시키기도 했다. 때때로 예술가들은 그들의 항아리를 그들이 사랑하는 사람인 이름이 남지 않은 소년들에게 헌납하기도 하였다.

늙은 사람들은 젊은 사람의 아름다움을 우러렀다. 신화에서 신들은 자주 젊은이들과 동료나 연인으로 지낸다. 판르테온 신전에 우두머리로 모셔지는 제우스신도 외모로 명성을 날린 가니메데라는 소년을 잡았다. 정열과 술의 신 디오니소스는 "젊음의 황금빛 꽃 속의 황금빛 소년"인 암펠로스와 사랑에 빠졌다. 암펠로스가 소의 뿔에 찔려 죽었을 때, 그는 디오니소스의 술의 후원에 고무되어 포도나무덩굴로 다시 태어났다.

가니메데(Ganymede)의 강탈, c. 1532.
Giovanni Desiderio Bernard

비록 사람간의 사랑의 육체적인 표현이 용서되긴 하였지만 그것은 심리적인 반대감정의 양립을 나타냈다. 그러나 그리스 사람들은 성이 어떻든 간에 사람이 그의 연인을 위해 성을 골랐다면 그는 사랑하는 명예 때문에 그가 사랑하는 사람의 마음보다 그의 육체의 미를 더 선호하였다. 철학자 플라톤(기원전 428~348)은 이 개념을 그의 심포지엄에서 정치가 알시비아데스(기원전 450~404)와 철학자 소크라테스(기원전 470~399)의 이야기로 예증하였다. 잘생기고 영리하지만 비양심적인 알시비아데스는 소크라테스의 호감을 받았다. 비록 알시비아데스의 잘생긴 외모에 감명을 받았다 할지라도 철학자는 유혹의 부추김을 참았다. 그는 좀 더 그에게 의미 있는 남성의 미가 올 때까지 기다리기로 하였다.

모든 남성간의 애정이 성욕으로 포함되었던 것은 아니었다. 우정과 충성심도 정신적인 미와 동등하게 생각되었다. 정신적인 미는 그리스 사람들에게 있어 육체적인 외모만큼이나 중요한 것이었다.

크레테 레테인들은 다른 고대 사람들과 마찬가지로 젊고 강한 남자를 존중하였다. 그러한 모습들은 예술가들에 의해서 크레테의 황소 경기에 재주넘기로 참여를 하는 모습으로 그려졌다. 이러한 그림에서 남자들은 유연하면서도 근육 질의 몸을 가지고 있었고 때때로 예술가들에 의해 황소의 머리를 공중에서 재주넘기하는 모습이 포착되기도 하였다.

미오스에서 전설적인 크레테의 통치자는 어린아이들을 반인 반소인 미노타우르(그리스 신화:사람 몸에 소의 머리를 가진 괴물)에게 먹이로 주었다고 하는데, 그는 젊은 남자의 벽돌부조로 그려져 남아있다. 그는 단지 샌들을 신고 로인클로스(미개인등이 허리에 두르는 간단한 옷)를 입고 왕관과 백합목걸이를 하였다. 머리카락은 그의 튼튼한 가슴과 어깨까지 흘려 내려왔다. 그의 팔과 다리와 허벅지는 단단히 근육 잡혔고, 허리는 날씬했다. 그의 굽이진 코와 엷은 웃음과 함께, 그는 명백하게 지중해연안사람 특유의 매력을 상징하였다.

크레테의 황소들의 점프,
크노소스의 프레스코화

Etruscan 무덤 벽 프레스코화의 춤추는 사람, c. BC 475

에트루스칸 **티** 베르강과 아르노강 사이의 이탈리아에 위치하여 발전된 농상문화를 가진 에트루스칸은 기원전 6세기에 절정을 이루었다. 그들의 언어가 번역된 것이 별로 없어서 에트루스칸의 견해들은 많이 남아있지 않다. 그러나 그들의 권력을 계승한 로마사람들이 자신들의 문화에 에트루스칸의 문화적 측면을 많이 채택하였다.

　　에트루스칸의 남자들은 고대 그리스 사람들과 닮은 모습으로 조각에 남아있다. 아폴로 동상은 이상적인 에트루스칸 남성의 모습을 전형적으로 보여준다. 그의 몸은 실질적이고 비례가 잘 맞는다. 그의 머리는 길게 땋아 꼬여진 채로 어깨까지 폭포처럼 흘러내린다. 그의 옆모습은 울퉁불퉁하고 그의 달콤하며 신비로운 웃음은 그를 에트루스칸 사람을 특징적으로 표명한다.

아폴로 모습,
BC 6세기

로마 리스와는 다르게 로마사람들은 벗은 남성의 몸을 미의 계발이라고 여기지 않았다. 심지어는 사회조차도 살인과 성적인 비틀림에 대하여 의문을 가졌다. 로마사람들은 놀랍게도 벌거벗고 하는 스포츠에 대하여 보수적인 시각을 가졌다. 로마사람들은 남성성의 향상을 부과하고 비틀었다. 그들은 매력을 느끼지 않았다. 로마사람들은 남성성의 강화에 가중치를 두는 것을 비틀고 들어올렸다. 그들이 느끼는 특질은 매력과는 관계없었다.

로마 사람들은 청결함을 좋아했다. 그리스 사람들과 같이 그들은 공중 목욕에 참석했다. 공중목욕에서 그들은 그들의 몸에 오일을 발랐고 증기가 나오는 방에서 땀을 흘리다 찬물에 몸을 담그는 의식으로 끝맺었다. 목욕 후에 그들은 조심스럽게 옷을 입었다. 처음에 넓게 주름이 잡혀 장식된 튜닉을 입고, 다른 것을 싸는 것을 도울 수 있을 만큼 충분히 넓은 의상인 반원형의 토가(고대 로마인들이 입던 헐거운 겉옷)를 입었다. 토가는 하얀 색이었으나 남성들의 정치적 지위에 따라서 붉은 색이나 보라색의 밴드로 생기를 돋울 수 있었다.

로마 사람들은 오랫동안 도제의 신분으로 훈련된 능력 있는 기술자인 그들의 이발사를 존경하였다. 이발사들은 그들의 귀족이나 부유한 고객의 집에 들어가 야외에서 가나난 사람 쪽을 바라보고 일을 하였다.

면도하는 것은 거의 종교적인 가치가 있는 활동이었다. 전쟁에서 한창 지고 있는 황제도 이발사의 서비스를 받는 것을 그만두지 않았다.

면도날은 천연그대로의 것을 사용하였다. 철로 만들어져 부패하기 쉬웠던 이 도구는 매장이후에 녹이 슬어 부서져 버려 고고학적인 유물로 남아있진 않다. 날카롭게 유지되기 어려워서 면도날은 남자의 볼에 거친 칼자국을 남겼다. 박물학자 플리니 엘더(23~79년)는 식초와 오일에 담금질한 거미줄을 사용하여 출혈을 막는 수렴선 지혈제를 조제하였다. 원시적인 면도날을 싫어하여 어떤 사람들은 탈모효과가 있는 송진을 쓰거나 족집게로 얼굴의 털을 뽑았지만 이러한 것은 남성답지 않아 많은 이의 눈살을 찌푸리게 하는 양상을 보였다.

이발도구는 면도용 도구보다 더 좋지 못하였다. 이발사의 철로 된 가위는 한계가 있었다. 가위 날에는 접합부분의 중추가 없었고 손잡이에는 이발사의 손가락이 들어가야 하는 고리가 없었다. 2세기가 되어서야 이발사들의 도구세트에 빗이 나타나기 시작했다.

이 시대에 이발사들은 폭군으로 변했다. 로마의 멋쟁이들은 젊은이이건 늙은이이건 이발사들의 값비싼 서비스에도 완전히 의존했다. 젊고 유행을 아는 남자들은 철로 된 칼집 안에서 뜨거운 석탄덩어리로 달궈져 컬링 해주는 철기구인 칼라니스트럼으로 그들의 머리를 웨이브지게 하기 위하여 이발사를 필요로 했다. 늙은 사람들은 그들의 대머리를 감추기 위해 이발사를 원하였다. 그들은 이발사에게 염색한 뒤 남아있는 머리에 컬을 주어 높이 쌓아 젊은이들의 머리처럼 머리카락이 꽉 찬 것처럼 보이게 만들었다. 이발사들은 화장술사의 역할도 하였다. 그들은 고객의 뺨에 루즈로 연하게 빛깔을 내거나 피부의 결점을 감추기 위해 동그란 색깔 있는 직물조각을 붙이기도 하였다. 이러한 '스플레니아 루나타' 라고 불리는 8세기의 남자와 여자에 의해 헝겊 조각을 댄 선구자들은 감탄보다는 혐오감을 자아냈다.

여자들에게 매력을 끌기 위해 마음껏 치장하는 로마남자들은 너그러이 보아졌

로마의 이발소 모습, AD 240
분필과 모레를 이용한 양각

으며 심지어는 박수 받기도 하였다. 반면 다른 남자의 집중을 받기 위하여 몸단장하는 남자들은 적당히 비판받았다. 몹시 두려운 황제의 통치아래 사는 삶을 풍자하는 시인들을 괴롭힌 유베날(55/60~127년)은 동성애자인 병사들을 바보 취급하였다.

> 싸우는 도구중의 하나에 거울이 있는 내란!
> 경쟁자를 깨끗이 닦아내어 너의 안색을 생그럽게 유지시키리
> 완벽한 통치자는 싸움터 한복판에서도
> 호화로운 화려함 속에서 동성애를 하고 화장 팩을 할 수 있어야 한다.
> 진실한 용기를 증명하라!

중세시대 로

마가 410년에 급격히 몰락함에 따라, 이른 중세의 유럽사람들은 외모에 대하여 더 적은 예민함을 가졌었다. 이 시대는 사회적인 불안과 문화적인 후퇴의 시대였다. 중앙 정부는 북쪽으로부터 온 사나운 독일인과 노르딕 침입자에 의해 공격받아 붕괴되었다. 샤를마뉴대제(768~814)의 통치 기간을 제외하고는 유럽 사람들은 정치적인 안정뿐만 아니라 사회적인 성장도 경험하지 못하였다.

중세 중반기 경

제와 사회적인 재생이 20세기 유럽을 휩쓸고 지나갔다. 봉건제도가 바야흐로 진행 중이었다. 농업이 향상되었는데 왜냐하면 쟁기와 삼경지 농법 때문이었다. 그리고 농부들이 말이 소보다 더 성취도가 높다는 것을 발견하였기 때문이기도 하였다. 미술과 건축이 꽃을 피웠다. 도시민들은 도시의 이점과 상인, 여행 그리고 의사소통의 새로운 수단 등을 즐기기 시작했다.

마침내 환경이 사람들이 그들의 외모에 충분히 신경 써도 될 정도로 완화되었다. 12세기에 도입된 기사도는 남성들의 허영심을 제공하였다. 남성들은 과부나 고아나 약자들을 악한으로부터 수호하도록 생각되어졌다. 그들은 개와 같이 매사냥을 하거나 곰과 싸우면서 전쟁에 대한 준비를 하였다. 십자군과 같이 교회는 그들의 신성함을 전쟁을 수여하는데 주었다. 젊은 병사들이 로맨스의 주제가 되었고 문학과 대중문화가 이 이상적인 모습에 둘러서 발전하였다.

완벽한 중세의 남자는 힘이 센 기사였다. 그 기사는 근육은 넓고 강하며 근육질의 두꺼운 팔과 다리를 가졌으며 단단한 허벅지를 가져야만 했다. 그들의 어깨와 가슴은 넓고 사각이었으며, 그들의 허리는 날씬하고 배는 평평했다. 그들의 이마는 널찍하였으며 그들의 얼굴은 길었다. 그들의 귀족적인 미는 상처를 입기 보단 오히려 향상되었다. 그들의 길고 컬을 진 머리카락은 어깨로 내려와 완벽한 금발을 띄었다.

중세 풍의 시인들은 남성의 입과 귀엔 무관심하였지만 눈만은 그들의 흥미를 끌었다. 푸른색이나 회색 빛의 눈이 대부분 매력적이었으나 빛깔은 표현하는데 있어서 두 번째에 불과하였다. 눈 속엔 반드시-어떤 시인이 말한 바와 같이-"매 사냥꾼을 언뜻 보며 자랑스러워하는 피앙세"를 가지고 있어야 했다.

청결함에 대한 관심은 그리 중요하지 않았다. 때때로 냉수욕이 남자답다고 생각되어졌다. 그러나 따뜻한 물로 하는 목욕과 부드러운 침대는 여성처럼 나약하다고 간주되

중세시대에 숭상받던 남성: 지오바니 2세 벤티볼글리오(Giovanni II Bentivoglio) 1443-1509/ Bartolommeo di Sperandio Savelli

었다. 덴마크가 남유럽을 침략하였을 때 유럽 사람들은 그들의 머리 빗는 관습과 토요일에 목욕하고 한 계절에 한번 이상으로 더 많은 옷을 갈아입는 관습을 받아들였다.

십자군은 동양으로부터의 패션을 가져왔다. 귀족들은 아플리케와 옷에 장식하는 일을 좋아하였고 기사들은 이 소트에 깃털 달린 모자를 썼다. 부유한 남자들은 그들의 사치스런 보석장식과 갑옷에 탐닉하였다. 옷에 대한 열광을 하던 시기와 같은 때에 흑사병이 발생하여 이 전염병은 1350년에 전 유럽인의 4분의 1이 넘는 사람을 죽였다. 남성들은 자신의 몸을 드러내는 것을 좋아했다. 그들의 다리를 긴 망토로 숨기는 대신 그들은 길고 피부에 딱 맞는 타이즈를 신었다. 물론 그들은 더블릿도 입었다. 스커트 같이 너울거리며 허리엔 벨트가 채져있는 재킷인 더블릿은 엉덩이와 코드피스(가랑이를 덮은 바지앞의 작은 샅주머니)까지 다 보일 만큼 충분히 짧았다. 젊은 남자들은 어디에서나 이 패션을 취하였다. 나이든 사람들은 날씬한 허리가 있지 않고 엉덩이가 불룩해서 어두운 색의 로브(헐거운 겉옷)로 이것을 감추어 그들의 권위를 유지하였다.

젊은 남성의 자화상
c.1430-1450

르네상스인 중세는 고풍스러움에 대한 흥미가 파도처럼 밀려옴으로써 끝이 났다. 15세기에 교육받은 평신도들과 성직자들이 고전적인 학문에 충분히 감명 받아 그들의 예술에 대한 관점을 자유롭게 하였다. 억제되지 않은 그리스의 전통을 따라서 예술가들은 이제 안전하게 나체의 남자를 그리고 조각할 수 있었다.

예술 학교들이 설립되어 정확한 제도를 가르쳤다. 전문가의 그림을 따라하거나, 만약 운이 좋다면 마스터의 스튜디오에 견습생으로 보내지기도 하는 식으로 예술가들은 공식적으로 모방하는 기술을 배웠다. 최초의 예술 학교는 이탈리아에 16세기에 세워졌다. 그리고 다른 학교들이 곧 뒤따라왔다. 그래서 예술가들은 그때 살아있는 남성의 모델을 그려서 연습할 수 있었다. 최초의 학원은 오직 남자학생들만 받았다. 성공적인 신고전주의의 화가 안젤리카 카우프만(1741~1807)이 영국의 로얄 예술학원에 들어가기 전까지는 18세기가 안되었다.

르네상스시대의 예술가들은 누드 남성화를 그렸지만 남성의 미에 관한 토의는 활자로 남아있지 않다. 르네상스시대의 작가들은 여성미의 표준길이에 관하여서는 숙고하였지만 아마도 같은 다른 사람들은 동성에 관한 미의 요소를 고려하는 것은 남자답지 못하였다고 생각하였나보다.

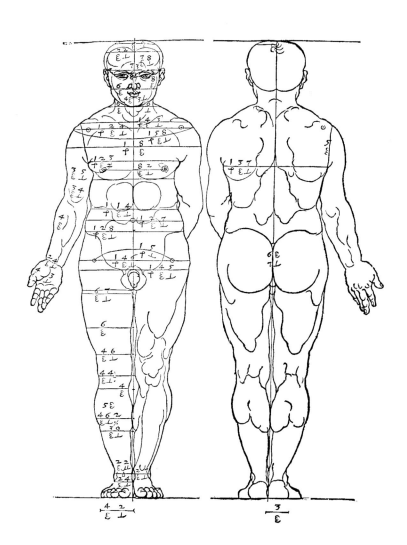

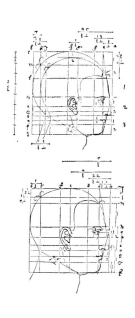

르네상스시대 이상적인 남성의 비율,
1557/ Alvrecht Durer

289

미켈란젤로 보나르티,
19세기 판화

미켈란젤로(1475~1564)는 남성미의 개념을 구체화하였으나 말로써 하지 않고 그림과 조각을 통하여 결정하였다. 그리스사람들의 관심에 영감을 얻어 그는 다비드 조상-성경에 나오는 용맹스런 남자로 그의 생각을 구체화하였다. 플로렌스의 대성당의 위임을 받아 다른 조각가들이 지난 40년 동안 완성하지 못하였던 대리석 덩어리로 조각되었다.

다비드의 자세는 전형적인 그리스인의 자세이다. 그는 어떤 몸짓도 하고 있지 않다. 그의 얼굴은 힘을 나타내는 모습을 지녔다. 미켈란젤로는 그에게 파워 풀한 그리스 운동선수의 몸을 주었으나 그의 생식기는 어울리지 않게 작았다. 다비드의 오른손은 컸는데 아마도 재산소유권 겸음(manners fortis)-강한 손이라는 중세 풍의 다비드의 이름-을 설명해주는 것 같다.

미켈란젤로는 열정적으로 남성미를 존경하였다. 그러나 그의 예술적인 편애는 그의 개인적인 성적 취향과 부합하지는 않았을 것 같다. 자신을 남성다움으로 에워싼 미켈란젤로는 양쪽성의 모습을 표현하는데 남성모델을 사용하였던 르네상스 예술가들의 문화와 함께 더불어 그것을 유지하였다. 그러나 53살에 미켈란젤로는 잘생긴 귀족 토마스 디 까비아리아리와 사랑에 빠진다. 비록 미켈란젤로가 에로틱한 소네트(시)에 젊음을 헌신하였다고 하여도 거기에는 그들의 관계가 완성되었다는 증거가 없다. 미켈란젤로는 연인이 없었다. 그는 완벽하게 그의 성적인 정력을 예술에로 승화시켰다.

미켈란젤로가 만든 다비드의 체격은 순식간이면 없어지는 이상적인 모습을 제공하였다. 그러나 실제 생활을 하는 르네상스 시대의 남자들은 더 많은 실제적인 모델을 찾았다. 그들은 이것을 카운트 발대쌔르 까스티그리오네의 조신의 책에서 발견하였다. 부유한 외교관이었던 까스티그리오네(1478~1529)는 완벽한 신사의 자질을 정의하였고 그 원형은 그가 일치하게 그 자신 스스로가 이후에 모범이 되었다.

까스티그리오네의 이상은 핸섬하게 되는 것이었다. 그는 훌륭하지만 섬세하지는 않아야만 했다. 완력은 중요하였지만 키는 무의미하였다. 폭력과 야비함을 갖추면서도 가문이 좋은 집안에서 태어난 시대인 르네상스 시대에 완벽한 남자들은 고민하여야만 하였다. 까스티그리오네의 신사들은 실질보다는 스타일위주인 남자들이었다. 그의 오로지 하나의 목적은 세상에서 완벽하게 되는 것이었고 이것은 그들 의사는 오직 하나의 이유로 외모를 만들어냈다. 르네상스시대의 남성들은 그들의 옷에 관하여 고민하였다. 가능한 모든 사치스러움을 찾으며 그들은 외국산의 직물과 보석을 해외로

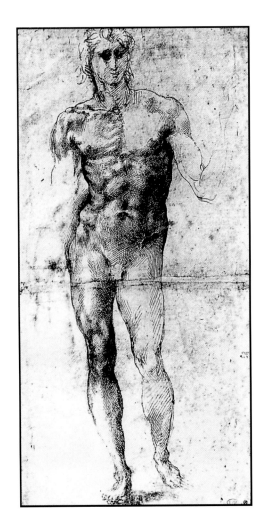

인간에 대한 연구
미켈란젤로

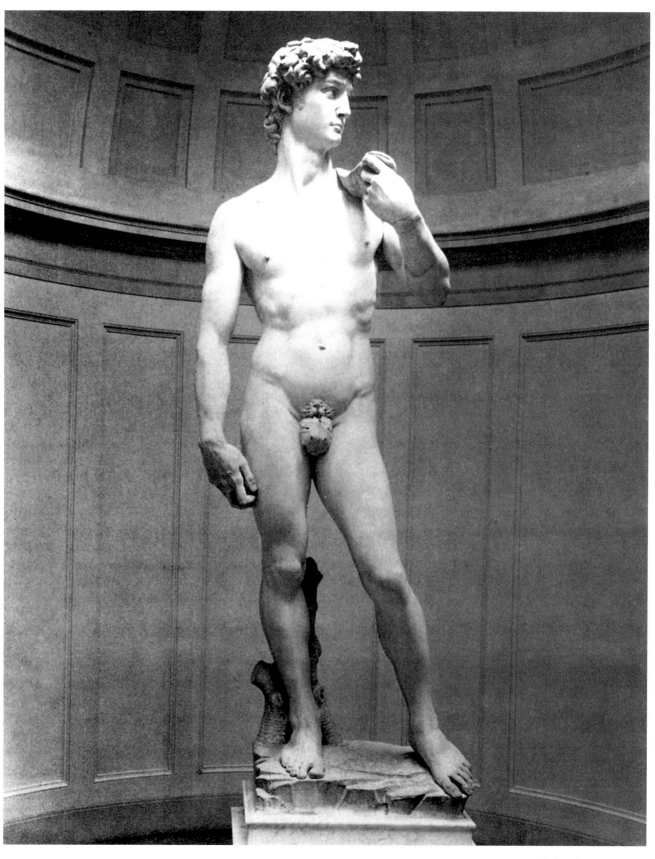

다비드상, 1501-1503
미켈란젤로

부터 가져오는 무역업자를 찾았다. 남성들은 그들의 지갑이 허락할 수 있는 만큼 최대한 장대한 의복을 만들 수 있는 재봉사를 찾았다. 유럽의 조신들은 화려한 것을 찾았고 사회가 번영하면서 상류층과 중산층이 호화스러운 드레스로 고결함에 대한 경쟁을 하였다. 마침내 당국은 서민에게 과다한 장식을 체제하는 법을 실행하였으나 실패하였다.

16세기에 유행은 일정한 남성해부술의 한 분야로 집중 받았다. 맵시 있는 다리는 밝고 타이트한 타이즈에 의해 강조되었고 더블릿은 작은 허리에 집중되게 끌어졌다. 양자택일로 어떤 남자들은 완두 꼬투리 같은 복부를 선택하였고 특별한 스타일은 스페인에서 주목받았다. 꼭 집힌 허리선에 호감을 갖는 대신 남자들은 그들의 더블릿에 패드를 집어넣어 올챙이배의 실루엣을 만들었다.

많은 남성들이 코드피스(아마도 독일에서 기원함직한 유행 아이템)를 입었다. 가방과 같은 모양을 한 코드피스는 처음에는 양말과 같은 직물로 만들어졌다. 그리고 허벅지를 덮을 정도로 짧게 부풀려 입혀졌다. 후에 코드피스는 더 정교하게 만들어지기 시작하였다. 재료와 반대되는 장식으로 만들어진 코드피스는 입는 사람의 복부 뒤에 튀어져 나오도록 패드가 덧대어졌다. 매력적일 만큼 기능적이었던 코드피스는 돈과 손수건을 저장하는 공간을 제공하여 주었다.

엘리자베스 시대 국의 법정에서 엘리자베스 1세 때(1558~1603)에는 외모는 중요하지 않았다. 남성들은 그들의 화려한 옷을 벗어 던지고 그들의 성격의 가장 자기 도취적인 면을 양성하였다. 조신(courtiers)들에 의해 채택된 행동과 옷의 일시적인 유행은 곧 모든 사회계층의 남성들에 의해 영국 전역에 걸쳐 모방되어졌다.

엘리자베스 시대의 남자들은 화려한 의상을 필요로 하였다. 그리고 그들의 의상은 에릭슨의 엘리자베스 1세에 섬세하게 묘사되어 있다. 부유 계층 사람들은 그들의 더블릿을 레이스와 보석과 같이 잘라버렸다. 그들의 무릎길이의 바지는 엉덩이를 넘어서 색깔 있는 실크 스타킹까지 부풀어졌으며 금색실로 술 달린 가터(훈장의 이름)에 의해 고정되었다. 신발은 부드러운 가죽이나 벨벳으로 만들어졌고 리본으로 장식되었다. 향수를 뿌린 장갑과 수놓아진 손수건이 색깔 있는 코디의 외형을 완성시켰다.

16세기 중반에 남자들은 막대한 매우 큰 론 천(얇은 면포)의 러프(주름 깃)나 나무나 뼛조각이 주름사이에 삽입되어 딱딱해진 아마포(고급의 흰 삼베)에 영향을 미쳤다. 비록 남자들이 빛나는 촛불 안에서 꽝하고 충돌하는 것을 피하고 비오는 바깥으로 나가지 않는다 하여도 러프는 한번 빨기만 하면 허름해졌다. 그것을 다시 생생히 하기 위하여 세탁소 주인은 세탁할 시간과 러프를 제 모양대로 만들기 위한 철이 필요하였다. 네덜란드여자들이 1564년 영국으로 녹말을 도입하였을 때엔 하인들도 멋있었다. 이 녹말은 가느다란 옥수수나 벼의 낱알로 되어있었는데 그것들은 젖은 직물에 스며들어 철로 옷감을 다루었을 때와 마찬가지로 빳빳했다. 녹말로 만든 러프는 지금도 한번 빨아 더 입을 때 멋진 모양을 남기게 하는데 쓰인다.

장미 사이에 있는 젊은이, c. 1588
니콜라스 힐리아드(Nicholas Hilliard)

로버트 데베레악스,
에식스(Essex)주의 두번째 남작,
c. 1596/1601

엘리자베스 시대 남자들은 그들의 얼굴을 몸에 바쳤던 열성만큼 열심히 치장하였다. 그들은 그들의 볼에 빨간 루즈를 바르고 구멍을 뚫은 귀에 진주 귀걸이를 하였다. 그들의 긴 턱수염과 콧수염은 호박색, 적갈색, 보라색이나 심지어는 아롱다롱한 노란 색으로 염색하였다. 수염은 잘리고 편편하게 빗질되었다. 그들은 그들의 매끄럽게 생긴 시중드는 사내아이의 머리를 자르고 차양이 넓은 깃털 달린 벨벳모자를 씌웠다.

동성애가 몇몇 엘리자베스 시대 문학가들에게서 나타났다. 작가들은 순수하고 젊은 소년들에게서 일종의 자웅동체적인 미를 확인하였다. 예를 들면 셰익스피어보다 앞서서 활동한 극작가 크리스토퍼 말로우(1564~1593)는 그의 공격적인 성향을 인식하였으나 육체적인 남성미가 그의 작품에서 발생했다는 것은 인식하지 못하였다. 한 연극에서 그는 그의 주인공 린더를 비록 그 주인공이 사랑하는 연인으로 한 여성이 있었음에도 불구하고 아이보리빛 만큼 하얀 어깨를 가지고 부드러운 가슴과 복부 그리고 매혹적인 동양스런 볼과 입을 가지고 있다고 묘사하였다.

윌리엄 셰익스피어는 자신을 남성미에 특별히 민감하게 만들만큼 동성애 적인 충동을 느꼈을까? 그의 소네트(짧은 길이의 시의 일종)는 열일 곱살 먹은 셰익스피어의 극단에서 여자역할을 한 Master W. H.에 대한 사랑에 영감을 받았을까? 그의 시에서 셰익스피어는 소년의 섬세한 미에 대하여 격찬하였다. 그리고 그의 꿈에 젖은 눈

윌리암 세익스피어
(William Shakespeare)

과 진홍색 입술이 여자아이들의 것과 같이 쉽게 지나칠 수 있다고 말하기도 하였다. 그 당시의 남자들은 그들의 여자동년배들이 나이가 들어감에 따라 추하게 변할 것이라는 데에 대한 두려움을 표현하였는데 그와 세익스피어 역시 그의 친구들의 미가 시간이 지남에 따라 흐려질 것을 걱정하였다.

세익스피어의 남성에 대한 선호관련 이론은 결코 완벽하게 입증되지는 않았으나 아일랜드 시인인 오스카 와일드(1854~1900)에 의해 발전되었으며 제임스 조이스(1882~1941)와 앙드레지드(1869~1951)와 같이 후에 저명한 문학작가들에 의해 지지되었다. 그것은 와일드의 그런 위선을 제공하는 믿음과 일치하였다. 그는 스스로를 동성애자라고 솔직히 말하였다. 동성애자는 남색으로 입증되어 고소 당하면 그것을 나타내는 범죄자의 옷을 입고 법률 피고인이 되었다.

17세기 미는 여성의 일생과정을 더 자주 남자의 운명보다 더 자주 바꾸었다. 그러나 17세기의 트리오 (음악 3중주)에서 남성들은 학자 아서 매르윅에 의해 그들의 외모가 그들의 운명을 감추었다고 정의 내려졌다. 이러한 남자들은 매력적인 얼굴과 가느다란 몸을 그들의 경력을 더 길게 하는데 사용하였고 이것은 외관에 배타적으로 의존하는 여성들에게 자주 일어났다. 그들에겐 모두 행복하지 않은 결말이 오곤 하였다.

조지 빌리어스(1592~1628) 1세는 제임스 1세의 통치기간에 런던에 도착하였다. 가난이 기회를 제한한다는 것을 알게된 그는 그 자신을 제임스의 법정에 쐐기 박도록 하였다. 여기에 그의 잘생긴 외모와 사람을 가리지 않는 행동은 57살 먹은 동성애자인 왕에게 즐거움을 주었다.

빌리어스는 곧 왕의 가장 애호하는 사람이 되었고 그에 따른 지위에서 오는 이익들을 즐기었다. 버킹햄의 귀족으로 만들어진 그는 결혼하여 두 아이를 가지고 나서 왕실의 음모에 중심세력이 되었다. 제임스가 죽고 그의 확고하게 동성애 적인 아들 찰스 1세가 왕이 된 이후까지도 빌리어스는 힘을 유지하였다. 그러나 그의 거만함은 그의 외모에 그림자를 씌웠다. 빌리어스는 군대와 정치적인 재난을 자극하였고 너무나 많은 적들을 만들었다. 폭군의 세상을 제거하려한 암살자가 빌리어스의 심장을 찌르면서 그의 일생을 마감시켰다.

칭크 마르스 군주와 헨리 코이피에르 데 루즈(1620~1642)는 두 번째의 남성미 트리오였다. 그의 아버지의 죽음으로 그는 프랑스 루이 13세의 첫 번째 장관인 리슐리에 추기경의 보호아래 들어갔다. 그가 그의 지위가 안전하다는 것을 알자마자 왕의 정부에 대한 약간의 칭크 마르스의 유혹은 그의 군주를 격분시켰다. 군주 리슐리에는 그의 왕에게 충성심이 있는 사람이었는데 이 행동에 신경을 곤두세웠다. 칭크 마르스는 이슐리에의 분노를 피하고 싶었다. 그래서 그는 장관의 살해음모를 계획하였다. 계획은 잘못되었고 칭크 마르스의 -그의 사랑스러움으로 사람을 매혹시키며 살던- 생은 버려져 22세의 나이에 반역죄로 선고받아 목이 베이었다.

마지막 삼두정치의 멤버이며 탐욕이 그의 아름다움을 감춘 사람은 제임스 스콧이라는 먼마우스의 군주였다. 그는 영국의 찰스2세의 비합법적인 아들이었다. 먼마우스는 성병으로 일찍 죽은 창녀였던 그의 어머니로부터 그의 외모를 물려받았다. 게

다가 핸섬하지까지 한 먼마우스는 용감하며 댄서의 길을 성취하여 성공적인 연애유
희자가 되었다. 모든 사람들이 그의 길고 갈색 빛나는 컬진 머리카락과 큰 눈을 칭찬
하였다. 그러나 그의 제한할 수 없는 깡패기질은 그를 소중히 하는 사람에게까지도
공포를 불러일으켰다.

먼마우스는 그의 아버지의 계승자 제임스 2세에 대한 반란을 실패로 이끌었다.
그가 잡히고 사형에 처하였을 때 그의 용감히 보이던 허울은 녹아버렸다. 비록 그가
그의 삶에 만족하였다 할지라도, 그는 그의 아내와 여섯 명의 자식을 남긴 채 목이 베
이어 죽었다.

카사노바
(Giacomo Casanova de Seingault)
왕자의 모험의 삽화

18세기 성 공이 언제나 미를 요구한 것은 아니었다. 추하
면서도 유명한 지아코모 카사노바(1725~1798)
은 여전히 모든 조건을 만족시켰다. 스캔들 내는 행동으로 신학교에서 제명된 후에
카사노바는 그의 작가와 스파이, 그리고 외교관으로써의 경력을 쌓기 시작하였다. 그
는 베니스에서 돈을 벌기 위해 바이올린을 연주하였다. 그 때 무엇인지 지금 알 수 없
는 어떤 범죄를 저질러서 오년 동안 감옥에서 복역하였다. 그의 석방이후에 그는 프
랑스에서의 복권을 도입하면서 그의 운명을 만들어냈다. 작가로써의 신용은 일리아
드의 번역인 시를 포함하였고 여섯 번째 판 자서전엔 그가 셀 수 없는 유혹을 하였음

마카로니(The Macaroni), 1773 / 필립 단베
Philip Danve

을 열거하였다. 비록 오직 하나의 파편만이 그의 이야기 중 사실일 지라도 아무도 외모 때문에 그의 숫기 없음을 비난할 수 없었다.

마카로니스 역시 멋쟁이라 불리며 외모를 강조함에 카사노바의 매력과 한 짝이 되었다. 1760년이 되면서 이것은 느슨하게 그들을 런던의 마카로니 클럽의 회원에 그룹이 되게 했다. 음식 먹는 것과 패션을 채택하는 데에 있어 모든 영국식을 꺼린 것으로 유명한 마카로니 클럽의 회원들은 대륙의 것을 선호하였다.

마카로니에서 활동하고 있는 사람들이 입는 옷은 어떠한 의상도 너무 저속하고 화려하였다. 허리를 가늘게 하기 위해 그는 코르셋을 입었다. 향수를 뿌리고 헝겊을 데어 그는 그의 손바닥과 볼을 붉게 하였다. 그리고 그의 손등은 희게 하였다. 그는 가발을 길게 쓰고 컬을 지게 하였다. 비록 그가 자신의 스타일의 개략을 보았다 할지라도 그는 여자와 소유하고 있는 의상들과 그의 트레이드마크인 회롱에 대한 강박관념으로 자연스레 웃어넘겼다.

예술에서 벗은 남자의 육체에 대한 흥미는 18세기 중엽에 시들었다. 유럽의 예술학교엔 적은 수의 학생만이 다니게 되었다. 로코코라고 알려진 스타일을 그리는 예술가들은 그들의 그림에 남성을 우선적인 주제가 아닌 부수적인 주제로 삽입하였다. 예술가들은 여성의 에로틱한 모습에 초점을 맞추었다.

18세기 중엽엔 고대 그리스와 로마에 대한 인식이 갱신되었다. 예술가와 이론가들과 신고전주의의 옹호자들은 요한 윈클먼(1717~1768)의 지도를 뒤따랐다. 이 독일 고고학자와 예술 역사가들은 유럽 사회를 매혹시킨 운동인 "레이즌 디트레"라는 남성의 형상에 그들의 개인적인 선호사상을 설계하였다.

고대의 맛에 영감을 얻어 윈클먼은 그들이 남성 속에서 찾은 미가 몇 백년 뒤인 나중에 나타나게 될 거라고 표명하였다. 그는 로마스타일의 누드 상의 유행을 재 유

아도니스, c. 1810
피에르 폴(Pierre Paul Prudhon)

행시키기까지 하였다. 볼태이르와 나폴레옹 보나파르트는-아무도 미미하게 조차 아름답게 조차 아름답다고 불려지지는 못했어도-나체의 포즈를 취하였다. 공공연한 동성애자인 윈클먼은 크리에스테를 여행 중에 미스테리한 상황에서 총에 맞아 죽었다. 세기가 끝나면서 나체의 남자를 보는 유행도 지나갔다.

조지 브라이언 부럼멜
(George Bryan Brummell)

19세기 비 록 그의 육체적인 외모가 언급되지는 않았지만 영국의 멋쟁이 조지 브라이언 브럼멜(1778 ~1840)은 한량이라는 닉네임을 가지며 19세기 남성들의 외모의 기준을 제시하였다. 그의 짧은 다리와 작고 창백한 눈과 가느다란 금발의 머리에도 불구하고 남자들은 그의 심술궂은 농담과 옷 입는 법을 따라하려고 애썼다. 브럼멜은 최고로 멋진 사람이었다. 완벽히 그 자신을 취하여 그의 목적은 우아함의 전형을 연기하는 것이었고 그의 개인적인 내역을 크게 말하고 다니는 사람들을 비판하였다.

런던의 한 푸줏간주인의 손자로 태어난 브럼멜은 이튼스쿨을 다닐 때 유행하는 옷을 잘 입는 사람으로 그의 명성을 얻게 되었다. 거기서 웨일즈의 왕자인 조지(1762~1830)를 만났는데 조지는 그의 장려자가 되었고 그와 함께 방탕한 친구가 되었다. 세기가 바뀌면서 브럼멜은 자주 사회당의 손님이 되었고 패션의 조정자가 되었다.

브럼멜은 완벽성에 대한 평판에 기초한 겉치레를 멀리하였다 그는 장식이 없는 단순한 옷을 선택하였고 그의 스타일은 그의 옷에서 잘라진 옷감의 재질에 의해 정의되었는데 어두운 파랑이나 검은 명주인 비단과 벨벳을 선호하였다. 브럼멜은 소형화를 도입하여 작은 의복의 디테일에 집중하였다.

브럼멜은 몇몇 유행의 경향을 바꾸었다. 칠칠치 못한 나이의 남자나 여자들 중에서 그는 목욕을 시키고 속옷을 매일 갈아 입힐 사람을 선출하였다. 그는 나쁜 냄새를 향수로 덮기 위해 물 속에 잠기는 것을 필요로 하지 않았다. 그는 남자는 옷 입는데는 몇 시간 보다 더 적게 시간이 걸려야 하지만 일분 내에 마친 것처럼 보이게 해야 한다고 믿었다. 브럼멜은 남성의 패션에 일률성을 제시하면서 신용을 얻었다. 모든 사회계급의 남자들은 어두운 옷을 입었고 옷들은 더 이상 부유하게 태어나거나 일을 해서 돈을 많이 번 사람들과 구분되지 않았다. 그 시대에 브럼멜은 구역질 나는 사람으로 성장하였다. 자신을 대좌에 올려놓고 자신의 모든 주위 사람들을 비웃었다. 그러나 너무 약삭빨라서 그의 희생양이 그의 적개심을 알아볼 때까지는 시간이 좀 걸렸다. 마침내 그는 왕자에게 뚱뚱하다고 말하는 용서받지 못할 실수를 하여서 그의 보호자마저 멀리하게 만들었다.

세련된 남성,
여름, 1845

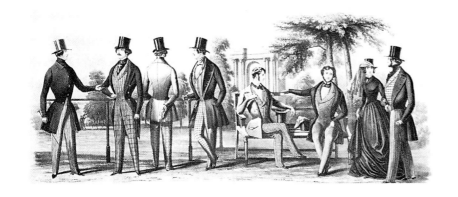

마침내 사회가 한때는 경외 받았던 남자에 반발하였다. 그의 도박과 방종한 사치의 결과로 브럼멜은 1835년 빚을 지어 감옥에 들어갔다. 다행스럽게도 그의 적게나마 남은 친구들이 그를 부양하기 위해 충분한 돈을 가지고 그를 구하러 왔다. 그의 화려한 인생스타일은 끝이 났다. 브럼멜은 그의 패션에 대한 열정을 잃었다. 후에 그는 단정치 못한 늙은이가 되어 프랑스의 자비로운 보호시설에서 죽었다.

숨막힐 정도로 답답한 신고전주의에 지쳐서 19세기초에 유행을 만드는 사람들은 자극을 갈망하였다. 조용하고 균형 잡힌 그림과 건물을 만드는데 지루함을 느낀 그들은 그들의 주제를 활기 띠게 할 만한 것들을 찾아 나섰다. 문학과 예술에서 새로운 움직임으로 낭만주의가 이 요구를 충족시켰다. 예술가들은 표현의 자유를 허락 받았고, 보는 이들은 어떠한 억압도 없이 보고 즐길 수 있는 분위기가 조성되었다.

낭만주의는 느낌에 집중하였다. 정치적인 이론가 진 재쿠스 로시우(1712~1778)도 감정을 가지고 사회에 대한 명상을 하는 것을 허락하였다. 낭만주의는 사실주의를 내포하고 있다. 영국의 화가 존 콘스터블(1776~1837)과 J.M.W. 터너(1775~1851)는 이것을 자연으로 돌아오는 의미라고 해석하여 정확한 땅과 하늘의 재생산을 연출하였다. 철학자들과 과학자들과 건축가들은 자유롭게 진실을 찾는 데 그들의 열정을 바쳤다. 정신적인 고통과 황홀감은 이제 희망적인 모습이 된 후로 작곡가 프란쯔 니쯔트(1811~1886)와 프란쯔 슈베르트(1797~1828)는 그들의 음악의 열정에 보조적인 구조를 고려하였다. 문학에 영향을 미친 운동 역시 강렬하였다. 시인들과 소설가들은 경험을 글로 썼고, 그들의 개인적인 성적 정치적 기호를 개방적으로 말하였다.

낭만적주의의 이상은 시인 로드 바이런 6세인 조지 고든이었다. 바이런은 전형적인 유명인사였다. 그는 여성들을 자석처럼 매혹시키는 사람이었다. 그리고 그의

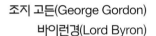
조지 고든(George Gordon)
바이런경(Lord Byron)

문학적인 기술과 성적인 힘에 명성을 얻어 그는 남성들에게도 질투를 받았다. 바이런은 평범한 젊음을 가지지 않았다. 그의 조상들은 귀족이었다. "미친 잭"이라는 그의 아버지는 무뢰한이었고 오입쟁이였는데 바이런이 세 살 때 죽었다. 어린 시절부터 뒤죽박죽이 된 바이런은 학교보다 여자에 더 큰 흥미를 보였다. 그러나 그의 공식적인 교육에 대한 혐오에도 불구하고 바리런은 많이 읽고 넓게 여행하는 사람이 되었다. 1811년 귀공자 해롤드의 순례여행에서 바이런은 쉽사리 시인의 분위기로 사랑스러운 영웅을 정의하였다.

바이런은 성적으로 지치지 않는 사람이었다. 그의 수많은 여자와의 관계는 새디즘으로 연결되었다. 그는 구속을 싫어하였지만 그가 여자를 지루하고 천하다고 생각할 때도 연애사건들을 끝내지 못하였다. 그의 첫 번째 부인은 그 때 그녀는 그의 동생과 그와의 정사사실을 알게 되었을 때 또 다른 굴욕감을 느끼며 그와 이혼하였다. 바이런의 나르시시즘과 잔인성에도 불구하고 만약에 그것 때문만 이었어도 여성들은 그가 사람을 녹인다는 것을 알았다.

바이런은 이국풍으로 고안된 이미지를 경작해냈다. 그의 길게 갈라진 아래턱이 있는 계란형의 하얀 얼굴과 꽉 찬 입술은 확실히 동시대의 "안을 밝게 비춰주는 석고로 만든 꽃병" 으로 비유되었다. 그의 회청색 눈은 검은 끈으로 둘러져 있었다. 그가 매일밤 잠자리에 들기 전에 그는 그의 흘러내리는 갈색 머리를 말아주는 종이 속에 말고 잤다. 5피트 7인치의 단신인 그는 비만과 평생 싸웠다. 그는 자주 살을 빼기 위해 활발한 노력을 되풀이하였다. 그것은 비스킷과 식초에 의한 다이어트와 운동으로 생각되어진다.

바이런은 충만한 삶을 사는 것에 대한 철학을 상세히 설명하였다. 그리고 그는 자신만의 충고를 따르기 위해 모든 노력을 아끼지 않았다. 대부분의 요소들이 맘에 들지 않긴 했지만 그는 성공의 비결을 알고 있었다. 그는 내반족(짧고 굽은 기형의 발)을 기지고 있어 발톱이 살을 파고드는 식의 어떠한 단점도 이점으로 만드는데 재주가 있었다. 그의 인생은 낭만적인 비극의 영혼 속에서 끝이 났다. 왜냐하면 그는 그리스인들이 터키와 싸우는 것을 도울 때 많은 돈과 에너지를 바쳤기 때문이었다. 그 당시 그리스인들은 그를 국가적인 영웅으로 공표 하였다.

대중적인 낭만주의 움직임에 고무되긴 하였지만 아직도 대중들은 웨일즈의 왕자 같은 모범의 표본이며 권위 중심적인 남자를 선택하였다. 그의 아버지 조지 3세가 미쳐서 죽은 후에 왕자는 1811년에서 1820년으로 알려진 섭정시대에 영국을 통치하였다. 적절히 "즐거움의 왕자" 라고 알려진 그는 젊은이들에게 섭정시대 풍의 멋쟁이로 불리며 용기를 북돋워 주었다.

극단적인 멋쟁이는 영국의 "초록 맨(Green Man)"인 헨리 코프처럼 괴벽스러운 멋쟁이가 될 수도 있다. 코프는 오직 푸른 과일과 야채만을 먹었고 그가 입는 모든 것은 초록색이었다. 그리고 그의 재산과 방도 마찬가지였다. 코프가 브라이튼의 절벽에서 자신을 던졌을 때 게임은 끝났다.

일반적인 다양한 멋쟁이들은 좀 더 어두운 색의 옷을 입고 행동하였다. 웨일즈의 왕자 비우 브럼멜의 지도에 따라 남자들은 어두운 색의 버튼이 달린 양복조끼와 딱 붙는 바지와 짧은 부츠를 신는 영향을 받았다. 모든 남자들이 유니폼을 입은 것처럼 보여서 그날 그날의 정기 간행물은 여성들의 치장에 좀 더 많은 페이지를 할당하는 흥미를 보이면서 거의 완전히 남성적인 패션을 무시하였다. 그러나 어두운 의상은 남성들이 자신의 외모에 대한 어마어마한 노력을 들이는데 용기를 잃게 하였다.

그러나 점잔빼는 멋쟁이들은 바이로닉의 본보기보다는 덜 흉내내어진 모델들이었다. 유럽과 미국에서 19세기의 젊은 남자들은 대학 강의실과 사무실에서 그들의 셔츠칼라를 정확히 그들의 영웅의 것과 같이 한 모습이었다. 정확한 이미지를 만들어내기 위하여 그것은 바이런의 머리스타일을 복사하듯 바이런의 사무적인 매너에 있어서 모방하는 것이 일반적이었다. 바이런과 같이 키가 작은 것은 봐줄 만 했다. 나폴레옹 보나파르트(1768~1821)와 빅토리아 여왕의 남편으로 사랑 받은 대 브리튼의 왕자인 알버트와 같은 나이또래에서의 우상들은 남자는 존경을 받기 위해 키가 필수조건이 아니라는 사실을 입증하였다. 역시 바이런과 마찬가지로 이 시대의 남성들은 날씬하지만 근육질지지 않은 것을 선호하였다. 이러한 특성은 남성 백화점 직원들에게 사뭇 분명하였는데 여성 고객들에게 잘 보이는 데 있어 잘 생겼다는 것은 딱 맞는 재산이었다.

서재에서의 나폴레옹, 1812
다비드(Jacques-Louis David)

앤드류 잭슨(Andrew Jackson),
1845 Thomas Sully

미국 국경의 모험에 관한 이야기에 촉진되어 새로운 이상이 중반기에 나타났다. 하얀 금욕주의적인 바이로닉의 연인들은 황무지에서 용감하게 인디안들과 싸울 준비가 되어있던 강한 변경 개척민으로 대신되었다. 강한 군대의 영웅으로 키가 컸던 앤드류 잭슨(1767~1785)은 대통령이 되었고 미개척지의 국회의원 데이비 크로켓(1786~1836)은 새로운 존경의 대상이 되었다.

배너는 육체적인 꼭 맞음이 미국인들 사이에서 높게 순위 메겨졌다고 단언한다. 북동부 지역에서 독일인과 아일랜드 이민자들은 복싱과 체육을 도입하였는데 이 경쟁적인 스포츠는 남자들의 흥미를 이끌고 여성들에게 경외감을 일으켰다. 남부에서는 많은 남자들이 군대사회에 동참하였고 영국의 귀족인 그들의 역할 모델과 야외에서 하는 스포츠에 똑같은 시간을 쏟았다.

데이비드 크록켓(David Crockett)
오스굿에 의한 판화 초상화

2차 세계대전이 끝난 후에도 배너는 아직 다른 이상-뚱뚱하고 중년의 비즈니스맨-을 인정하지 못하였다. 해결되지 않은 전쟁이 확실히 가슴에 새겨진 후에 남자와 여자들은 그들의 아버지다운 형상 속에서 위안감을 얻었다. 그는 마치 항상 먹는 것이 충분하고 성공의 전체적인 상징이 있는 것처럼 보였다. 그의 거대한 체구는 그럼으로 해서 그들의 부성성에 정당화되었다. 그들의 여성적인 반대 성향 역시 매우 넓었지만 결코 특별히 존경받지 못했다. 그러나 거구의 나이든 남자는 아직도 그들 아버지와 같은 지지로 보는 모든 나이의 여성 팬들에 의해 순위에 올라간다.

남자의 의복은 19세기에 기준 잡았었다. 주중의 옷은 거의 노동자들과 농부들을 제외하고는 쓰리 피스의 옷으로 자켓, 조끼, 그리고 바지를 입었다. 일요일이나 휴일에는 일하는 계급의 남성들도 그들의 거친 옷가지를 벗어 던지고 이러한 의상(쓰리 피스의 옷)을 채택하였다. 수트는 담갈색이어서 남자들의 그들의 개성을 시계 줄이나 커프스 단추나 넥타이로 나타내었다.

스타일은 거의 변하지 않았다. 1880년까지 프록코트나 테일코트가 공식적인 이브닝 웨어에 필수적이었다. 몬테 칼로라는 도박사는 연미복 자락을 밤에도 입어서 짧은 저녁식사용 재킷을 소개하였고 이는 좀 더 편한 옷의 품목이 되었다.

웨일즈의 왕자인 영국의 에드워드 알버트에 의하여 새로운 패션이 이행되었다. 이 우아하고 즐겁게 사랑스러운 남자는 어머니 빅토리아 여왕의 63년간의 통치가 끝날 때까지 기다려야 했다. 에드워드 4세가 60의 나이가 되기 전에 그는 왕좌에 오를 수 있었다. 버티라는 이름으로 알려진 에드워드는 승마에 열광적이었으며 음식과 마찬가지로 매력적인 여성에 열광적이었다. 그는 어려운 지경에 빠져있는 온천에 드물게 방문하였지만 그가 잃었던 것 보다 더 빨리 체중을 되찾기 위해 보통의 일상생활로 돌아왔다. 왜냐하면 그의 사회적 지위 때문에 에드워드는 몇몇 스타일에 착수하였기 때문이다. 그는 뒤에 벨트가 있는 노퍽(영국 동부의 주) 재킷을 유행시켰는데 그것은 그가 사냥하는 동안 입었던 것이다. 그리고 그의 조끼 밑에 있는 버튼을 푼 체로 놔두는 습관을 일으켰다. 이러한 유행은 사실을 그의 큰배에 의해 필수적이었기 때문에 태어났다.

패션이 옷을 입는데 있어 억제를 말한다 할 지라도 19세기의 남자들은 형형의 머리스타일을 통해 자유로운 표현을 찾아냈다. 파우더를 뿌린 가발을 벗고 아틀랜틱 양쪽모두의 남자들은 그들의 자연스런 머리를 자르는 방법을 탐구하였고 귀족적인 표현으로 턱수염과 콧수염을 더함으로써 효과를 증진시켰다.

고전적인 스타일이 소생하는 단계에 이르면서 남자들은 로마와 그리스 시대의 머리장식을 모방하였다. 그들은 그들의 머리를 앞으로 빗어 컬을 해주었으며 자연적인 것이나 인위적인 것이나 모두 컬링하는 철에 의해 만들어져서 그들의 이마 앞에 흘러내렸다. 스타일이 점점 길어지고 직선형이 됨에 따라 남자들은 그들의 머리를 고정시키는데 오일을 사용하여 빛나게 하였다. 가장 대중적인 브랜드는 매커서(Macassar) 오일이었는데, 이는 주부들에게 남편의 기름진 머리를 피하기 위해 현관 안락의자의 머리받침에 "반(反)매커서(Antimacassar)" 인 레이스를 덮게 하는 동기가 되었다.

기록 역사학자 리차드 콜슨은 머리카락의 패션에서 대부분의 남자들은 얼굴 털을 선호한다고 말하였다. 깨끗이 짧게 깎은 머리에 대해 (하지 말라고)설득시키기 위해 종교의 대표적 수도사들은 예수가 항상 수염이 있는 모습으로 그림에 묘사되었다는 사실을 지적하였다. 그들은 테르툴리언(기원전 155/160~220)이라는 서부 기독교

알버트 에드워드, 웨일즈의 왕자

닥터 제임스 홀, c. 1856
다니엘 헌팅턴(Daniel Huntington)

인의 생각대로 면도해주는 신학자들의 도구를 인용하며 면도는 "일반적으로 얼굴에
대항하는 것"이라고 말하였다. 구레나룻의 양도인은 턱수염처럼 공작의 깃털과 사자
의 갈기로 비유되었다. 대중적인 잡지들은 턱수염 문화의 발달에 관한 기사를 싫었
다.

　　남자들은 얼굴 쪽 앞머리 스타일을 만들어내는데 영리해 보였다. 콧수염, 양옆
의 구레나룻, 그리고 턱수염의 어떠한 조합도 가능하였다. 입 위의 털은 길게 자라서
귀나 눈으로 말아 올려졌는데 이런 스타일은 멋쟁이나 비즈니스맨이나 농부들에게
호의를 얻었다. 머튼샵(Muttonchop:양의 옆구리고기 토막)이름이 내포하듯이 생겼
는데 귀에서 시작되어 입 쪽으로 말아 올려졌으며 턱 끝을 맨 살이 보이도록 남기었
다. 턱수염을 황제의 것과 같은 모양으로 만들면서 헬쑥해진 나폴레옹 3세
(1808~1873)와 밴딕은 그것을 내과의사의 트레이드마크로 채택하여 그 해에 대 유행
을 시켰다. 내전에서 실패한 장군 사이드번은 구레나룻으로 이름을 날렸고 다른 업적
들 가운데에서도 "번사이드 대 실패"로 기억되는 앰브로즈 번사이드(1824~1881)는
남부동맹의 군대아래서 성공적으로 폭발하였다. 그러나 적군보다 번사이드의 군대
가 더 많은 사상자를 낳았다. 세기말에 구레나룻의 범위는 많은 남자들이 작은 콧수

장군 Ambrose Everett Burnside

염을 기르고 늙은 남자들이 턱수염을 기르는 방향으로 되어갔다.

　　남자들의 후기 19세기 유행은 남성적인 정체성을 부족함 없이 창조하는 방향으로 순조롭게 움직였다. 그러나 남성사회의 요소가 발전함에 따라 남자들은 그들 자신의 성에 만족하기 위해 행동하고 옷을 입었다. 남성 동성애자들은 빅토리아시대 영국에서 번영을 누렸다. 오스카 와일드의 재판과 그것의 불행한 결과는 행동이나 관습에 그리 많이 사기를 꺾지 못하였다. 아마도 빅토리아가 여자가장으로 있는 그 때 상황에 동성애가 제압되어 그녀의 자식들의 성적욕망을 금지시키고 그들의 행동을 받아적게 하는 식으로 그것(동성애)은 길러졌을 것이다. 그리고 중산층이 번영하였기 때문에 그들의 자식들은 이제 상류층의 아이들과 같은 학교를 다닐 수 있게 되었기 때문일 것이다. 이러한 상황에서 전에 없이 늘어난 수많은 소년들이 그들의 성에 대한 즐거운 실천과 이론을 내놓았다.

오스카 윌데(Oscar Wilde)

CHAPTER Twelve

오늘날의 미(美)

20세기의 잘생긴 남성

BEAUTY TODAY
The Twentieth Century's Beautiful Men

세기가 바뀌면서 미국의 이상적인 남성은 전적으로 이성애를 나타내는 사람이었다. 이 남성상은 미술가 Charles Dana Gibson(1867~1944)에 의해 그려졌다. 그는 이 남성을 준엄한 얼굴표정, 깨끗하게 면도한, 운동가의 모습으로 그렸다. Gibson의 모델은 그의 친구 Richard Harding Davis(1864~1916)로 남성적이고 에너지가 넘치는 모습으로 특히 대학생 남성들에게 사랑과 인기를 얻었다. Davis는 운동가에서 신문 리포터로 변신했고 후에는 연극과 소설작가가 되었다. 저널리스트로서의 Davis는 카우보이나 사업가처럼 로맨틱한 삶을 살았다. 저널리스트들은 적극적이고 가차없이 그들의 이야기를 추구한다.

20세기 초에 영화배우들은 쉽게 스타가 되었다. 여성들의 상상력을 사로잡은 첫번째 남성은 Rudolph Valentino(1895~1926)이었다. 그의 검은 색 눈동자와 따뜻해 보이는 인상은 에로틱한 느낌을 주었다. 그의 윤기 나는 머리와 어두워 보이는 듯한 표정은 남성들에게는 전혀 어필하지 않았지만, 모든 여성들의 환상을 사로잡기에는 충분하였다.

다감한 독신자의 이야기에 삽입된 삽화, 1903
찰스 다나 깁슨(Charles Dana Gibson)

Valentino는 갑자기 큰 성공을 거두었다. 그의 짧은 경력은 1913년에 시작되었다. 그는 이탈리아인들의 미국으로의 이민물결을 타고 미국에 도착하였다. 그는 정원사로 일하였지만, 그의 관능적인 솜씨로 더 돈을 벌 수 있다는 것을 알았다. 그는 영화 엑스트라와 댄스 홀의 직업댄서로 먹고살았다. 그러던 그가 The Four Horsemen of the Apocalypse(1921)의 영화에 나왔을 때 그의 수입은 상당히 증가하였다.

Valentino는 14개의 영화를 만들었다. 초기의 작품들은 폭력과 마조히즘의 분위기를 가미한 그의 관능미를 강조한 영화였다. 개인으로서의 그는 전혀 스크린 이미지를 닮지 않았다. 그의 첫 번째 부인은 그가 섹시스타라는 이유로 그를 떠났다. 그의 두 번째 부인 Winifred OShaughnessy 는 Natacha Rambova로 이름을 바꾸고는 Valentino의 영화제작소를 이용하여, 점성술적 예언에 따라 스케줄을 맞추었다.

Valentino의 성공은 유성영화가 도입된 이후에도 꾸준히 사랑을 받을 것 같지 않았다. 그의 목소리는 매력 있지 않았기 때문만 아니라 그 동안 쌓아온 이미지하고도 맞지 않았다. 그가 동성애자라는 힌트는 그가 31살의 나이로 죽을 때쯤 언론계에 나타났다. 그의 시절동안 그의 인기가 떨어지기 전에 그는 죽고 말았다. 그의 장례식에는 100,000 애도자가 모여들었다. 후에 여성들은 그의 무덤 앞에서 쓰러지기도 하였다. 주역이 사라져도, Valentino의 신화는 영원하였다.

Valentino와는 다르게, 영화 스타 Douglas Fairbanks(1883~1939)는 남성적인 굳센 이미지로 어필하였다. 제 1차 세계대전을 잊고 일상으로 돌아가려고 노력했던 시절의 남성들이 운동가이며 용기 있는 Fairbank처럼 발코니에서 뛰어내리는 꿈을 어

더글라스 페어뱅크

떻게 꾸지 않을 수 있겠는가? 그의 영화대사 중 행복은 얻어져야만 한다. 뭉개버리는 진실은 자네가 그것을 떠오르게 한다는 노력만 하면 다시 떠오를 거네? 같은 판에 박은 문구들은 1920년대의 남성들에게 계속 남아있었다.

근육이 있고 검은 머리칼과 콧수염을 가지고있던 Fairbank는 남성들뿐만 아니라 여성들의 마음도 사로잡았다. 그는 그러한 많은 여성들 중 무성영화의 여왕이었던 Mary Pickford를 선택했다. 배우로서 뿐만 아니라, 그들은 성공적으로 기업가적인 수완을 발휘하여 그들의 집은 할리우드의 부유하고 유명한 사람들을 위한 미팅장소가 되었다.

Fairbank는 나이 먹는 것을 소름 끼칠 정도로 싫어하였다. 젊었을 때, 그의 몸은 마사지와 운동으로 완벽에 가까웠다. 그는 완전히 자기 만족에 빠졌고, 그의 아내조차도 그가 자신의 엉덩이의 곡선에 감탄하곤 했다는 말을 하였다. 하지만 1920년, Fairbank의 얼굴은 이젠 더 이상 로맨틱하지 않게 둥그래졌다. 그가 무성영화에서 유성영화로 변신하려 했을 때 그의 운동은 놀림감이 되었다.

Fairbank의 유명세는 그의 전성기와 함께 사라져갔다. 부유한 영화제작사로서의 그의 역할을 기품 있게 받아들이기보다 그는 그의 아내와 할리우드를 버리고 유럽에서 살찌고 난봉꾼으로 살았다. 그의 이미지를 무시하고 선택한 영화에서의 역할과 함께 그는 호색 적인 연애사건으로 스캔들을 일으키고, 동정과 난처함을 일으켰다. 특히 그가 한 영화 중 선택이 잘못되었던 영화는 The Private Life of Don Juan(1934)였다. 이 영화는 늙은 완고한 구식사람으로서 여자 꽁무니를 따라 다니는 사람에 대한 재미없는 코미디영화 였다.

나이든 더글라스 페어뱅크와 그의 아내 메리 픽포드, 1926

티론 파워

클라크 케이블

　대부분 영화스타들은 두꺼운 머리와 잘 정제된 얼굴모양을 한 거친 남성이어 왔다. Gregory Peck, Tyrone Power, Clark Gable, Cary Grant는 이러한 남성 이미지를 반영하는 스타들이다. 오늘날의 영화 스타들은 하나 또는 두개의 영화 이후에 잊혀지기도 한다. 하지만 건장하고 자유스러운 Robert Redford같은 배우는 거의 보편적인 이상형으로 바뀌지 않고 남아있다.

게리 그란트

마르셀로 마스트로이아니

이러한 이미지와 함께 상처받기 쉬운 취약성이 더해졌고, 그 결과로 Marcello Mastroianni 같은 이미지의 사람이 인기를 얻기 시작하였다. 그는 검고 슬픈 눈을 한 이탈리아인으로 그의 여성 팬들의 모성애를 자극하였다. 그의 매력은 불완전함에 있었다. 그는 부드러움과 수동적인 이미지를 보여주었고 이러한 이미지로 영화에 출연하였다.

성공과 마찬가지로 스타덤은 아름다움의 필수조건이 아니다. 우디알렌을 보라. 그는 똑똑한 카리스마로 충분히 스타덤에 올랐다. 여성과 연관하여 남성들의 어려움을 프로젝트한 Allen은 영화에서 유대인 어머니에게서 태어났다는 감정적인 상처를 자신의 이점으로 사용하였다. 우디알렌이 어떤 기준에서건 잘생겼다고 하는 사람은 없지만, 대부분은 그의 매력을 부정하지 않았다.

우디 엘런

20세기까지, 정치적 무대는 거의 미인 경연대회 장소가 아니었다. 19세기 중반에 어느 누구도 아브라함 링컨이 그의 외모를 이용한다고 해서 비난할 수 없었다. 하지만 20세기 중반 워싱턴의 광고들은 미래의 유행을 예측하고 있었다. 광고 뒤에 있는 회사들은 정치가들에게 유권자를 끌어들이기 위한 계획으로 그들 지역구 사람들에게 보여주기 위한 프로모션 영화를 제작해달라고 주문 받았다. 이 특이한 시책은 당시에는 주목받지 못했지만, 그것은 오늘날 정치가와 기업가의 만들어지는 이미지를 이미 예견하고 있었던 것이나 마찬가지다.

전체적인 매력의 하나인 외적인 매력에 의존한 첫 번째 정치인은 Franklin Delano Roosevelt이다. 잘생긴 외모는 도움이 되었다. 하지만 감화를 주는 가족, 그의 지성과 정치적 기지는 그를 미국을 경제 공황으로부터 구출한 그의 이미지를 강화해 주었다.

1920년대까지 언론에서는 정치인들의 외모를 직접적으로 논할 수 없게 되어있었다. 그들은 루즈벨트가 즐겨하던 색의 넥타이와 옷을 입혀놓은 암시적인 것을 만들기도 하였다. 그의 캠페인 매니저는 루즈벨트에게 사진 찍을 때는 안경을 벗게 지도함으로써 솜씨 좋게 잘생긴 대통령 후보라는 것으로 주의를 끌었다. Marwick에 따르면 루즈벨트의 턱수염이 강렬했기 때문에 그가 보도될 사진을 찍기 전에는 그의 턱의 검은 부분을 보통 밝게 하였다.

플랭클린 루즈벨트

찰스 퍼시

Marwick은 그들의 정치적 매력을 부각시켜 그래서 사람들의 주의를 끌었다. 존 F 케네디의 매력과 남자다움은 대머리고 체중이 많이 나가는 상대였던 Hubert H. Humphrey는 적수가 되질 못하였다. 후에 케네디는 텔레비전 중계된 닉슨과의 토론회에서 깨끗하게 승리하였다. 그 무대는 텔레비전 세대를 위해 이루어진 것이다.

1965년 5월 Life지는 뉴욕 시장후보 John V. Lindsay를 커버모델로 하였다. 그를 숨막힐 듯한 경이의 대상으로 묘사하면서 기사에서는 그를 긴 다리의 영웅으로 불렀다. 리포터들은 그의 숨막힐 듯한 웃음과 놀랄만한 젊음에 대해서 썼다. 다음해 공화당 Charles H. Percy는 떠오르는 젊은 사람으로 Harper에 나왔다. 그의 빛나게 잘생긴 외모와 신중하게 조절되는 바리톤은 텔레비전 세대에 그를 완벽한 모델로 만들었다.

로날드 레이건

질레트, 현대 레이저 면도기의 창시자

수염을 제거하는 데 있어서의 20세기의 기술은 몸차림하는 것을 단순화하였다. 그 당시 남성들은 고대 이집트인들이 쓰던 동 면도기와 별로 다를 바 없는 면도칼로 면도를 한다. 단지 철과 동을 바꾼 것뿐이다. 1800년대쯤 안전 면도기의 날이 시장에 나왔다. 하지만 여전히 면도는 남성이라면 계속 해야하는 일이었다.

아마추어 발명가 King C. Gillette는 면도 기구에 변혁을 몰고 왔다. 코르크와 철물을 파는 판매원으로 일하면서 돌아다니는 도중에 그는 면도날을 항상 날카롭게 해두는 것이 불가능하다는 것을 알았다. 그래서 그는 면도날을 대체할 수 있는 만드는 것에 대해 생각하였다. 1901년쯤, 그는 그의 "안전 면도날"을 완성하였다. 이 면도날은 얇고, 두 개의 날로 되어있으며, 비용이 많이 들지 않는 철로 만든 것이었다. 스폰서를 구할 수 없었던 그는 친구에게 5,000$를 빌려서 사업을 시작하였다. 1903년도 처음 판매는 168개였다. 1년 뒤 그의 회사는 1250만개를 판매하였다. Gillette는 죽기 전에 공상적 이상주의에 빠졌지만 여전히 그가 죽었을 때 그는 백만장자였다.

새로운 면도기구는 빠른 성공을 보여주었다. 첫 번째 전기 면도기는 1931년 은퇴한 군인 대령 Jacob Schick에 의해 처음으로 팔렸다. 오소리 빗과 그것과 같이 나온 비누는 Schick의 기구와 면도 거품 때문에 이젠 안 쓰이는 것이 되었다. 두 개의 날로 된, 번쩍이는 스테인리스 면도날이 시장에 1960년에 나왔을 때 물건을 팔기 위해 거의 광고를 할 필요도 없었다. 테플론이나 비슷한 플라스틱으로 코팅하여, 얼굴 위로 부드럽게 미끄러졌으며 얼굴에 상처도 덜 나게 하였다. 두 개의 날로 된 면도기는 20번 사용할 수 있었으며, 전의 것보다 4배나 더 오래 사용할 수 있었다. 면도와 관련된 상품들, 일회용 면도기, 로션, 거품, 크림 등이 거대한 시장을 이루었다.

시크 면도기

율브린너

머리 모양의 유행은 생겨나고 사라져갔다. 대머리가 항상 남성을 잘생겨 보이게 하는 것은 아니지만 Yul Brynner와 Telly Savalas는 이것을 매력의 하나로 이용하였다. 하지만 어떤 남성들은 숱이 적은 머리를 위장하기 위하여 굉장한 노력을 한다. 그들은 수술을 받기도 하고, 약을 먹으며, 마사지도 시도해보고, 스프레이를 뿌리고 머리 없는 부분을 머리로 가리려고 노력도 한다. 또는 가발을 쓰기도 한다.

18세기의 남성들은 가발을 종종 썼다. 그들은 때때로 가발을 썼고, 어색함 없이 머리가 없는 부분을 가리기 위해서 부분 가발이 나왔다. 어떤 집들은 모자를 걸어두는 것처럼 방문자들을 위해서 가발걸이를 가지고 있기도 하였다. 높은 위치의 남성들은 도가 지나친 가발을 쓰기도 하였다.

비록 성직자, 영국 법관들은 될수록 오랫동안 가발을 썼지만, 19세기에 가발은 유행에서 사라졌다. 가짜 머리에 대한 관심은 1913년의 Cecil B. DeMille의 The Squaw Man에서 할리우드의 미용 전문가 Max Factor가 만들어낸 멋진 남성의 가발에 의하여 다시 재연되었다.

공공연하게 또는 비밀스럽게 남자용 부분가발은 대중화되었다. 1958년 Sears, Roebuck사는 "직업에서 성공하는 부분가발"을 30,000의 남성들에게 평범한 하얀 색 봉투를 보내는 편지광고를 하였다. 오늘날 남성들은 부분가발이던 전체가발이던 자신들의 머리에 20억이라는 돈을 매년 소비하고 있다.

값이 많이 나가는 부분 가발일수록 더 설득력을 얻었다. 비싼 가발은 사람의 진짜 머리로 만들어졌다. 하지만 최고의 가발은 인조 섬유로 만든 강하고 오래가게 만들어지기도 한다. 만약 남성이 하얀 색 부분가발을 원하면 yak 소재로 완벽하게 만들어졌다. 이 yak 는 인간의 머리와 다르게 노랗지 않았다. 가장 싼 기계로 만든 가발은 가로 그물을 기초로 하여 짜여졌다. 값이 높게 나가는 가발은 손으로 직접 짜여졌다. 가장 비싼 것은 거의 이어지는 부분을 알아볼 수 없을 정도로 정교하였다. 좋은 가발은 가발 쓰는 사람의 외관에 기초하여 단단한 재질로 만들어진다. 실제적으로 가발은 가발 쓰는 사람의 두개골에 맞추어서 제작되기 때문에 떨어질 염려가 없다.

텔리 사발라스

20세기 중반에, 남자들은 대담하게도 화장품 사용을 시작하였다. 상품은 남성의 향기를 풍기고, 이름과 포장이 남성스러운 방향으로 하는 한 받아들여졌다. 부끄러움을 타는 남성들도 가죽이나 담배 냄새가 나는 면도 용품이나 비누제품은 어색함 없이 구입하였다. 제 1차 세계 대전중 군인들에게 필요한 유용한 선물인 값이 비싸지 않은 "남자를 위한" 비누, 면도크림, 면도 후에 바르는 것을 세트로 한 물품을 제조업자들은 만들기 시작했다.

남성을 위한 향 Canoe는 전후의 화장품 산업에 여세를 가져왔다. 미국에서는 구할 수 없었던 콜론을 대학생들이 외국 여행에서 돌아오면서 구입해왔다. 1959년 Dana라는 회사는 몇 천 가지의 병을 수입하였다. 이것은 한달 만에 다 팔리고 1963년 Dana사는 53톤을 팔면서 Canoe는 성공을 하였다.

같은 해 보석을 주력상품으로 했던 회사인 Swank는 이국적인 향을 풍기는 Jade East라는 콜론을 출시했다. 광고는 관능적인 중국 여성을 모델로 메시지를 전달하였다. 메시지는 명백하였다. 한 여성이 Jade East를 뿌린 남성에 의해 성적인 매력을 느꼈다는 것이다. 다른 업체들도 Swank를 선두로 이러한 볼론을 만들기 시작하였고, 곧 백화점, 약국, 심지어 식품점도 남성의 화장도구를 판매하기 시작하였다. White Knight, Big Shot 등 브랜드 이름도 남성다움을 암시하였고, 라벨은 검과 말이 그려져 있었으며 광고문구는 "robust(건장한)", "penetrating(꿰뚫는)" 등과 같은 단어로 이루어졌다. 이젠 화장품은 더 이상 여성의 전유물이 아니었다.

Jade East, 남성드에게 가장 인기 있던
콜롱중의 하나

기업가들은 면도 아이템으로 서서히 시장에 진입하기 시작하였다. 제조업자들은 빠르게 생산품의 영역을 넓혀갔다. Clinique는 현재 "알레르기 테스트를 거친" 면도 크림을 시장에 내놓고 있으며 다른 회사들은 면도날이 부드럽게 얼굴 표면을 미끄러질 수 있도록 테플론을 포함한 크림을 강화하였다.

보통 면도 용품을 사용하는 사람들은 쉽게 다른 스킨 케어 용품을 사기 시작하였다. 매출 전략은 남성들의 피부를 깨끗하게 하고 수분을 주며, 태양과 나이 먹는 것으로부터 보호해주는 쪽으로 나아갔다. 털구멍을 좁혀주는 마스크나 샤워 젤은 자연스러운 향기와 자연적인 요소로 만들어져서 거부감을 일으키지 않았다.

시장 조사자들은 호모섹슈얼 이미지를 피하는 것이 판매를 증가시킨다는 것을 알았다. 화장품 라인은 속임수나 색을 높여주는 메이크업을 포함하게 되었다. 하지만 이런 상품은 스킨 케어 제품만큼 인기를 얻지는 못하였다. 광고는 남성적인 이미지를 강하게 풍기는 전 미식축구 라인배커같은 배서인을 선택하여 운동하고 있는 모습을 배경으로 클렌저, 토너를 광고함으로써 현재의 이미지를 고안하였다.

이 상품의 대부분의 구매자들은 전문직업인으로 20~45살의 나이였다. 하지만 몇몇 구매자들은 예측하지 않았던 곳에서 나왔다. 워싱턴 포스트의 인터뷰에서, 미국 군인들은 바깥 훈련 전에 적어도 선크림, 아스트린젠트, 수분을 주는 비누중 하나를 사용한다고 보여주었다.

오늘날의 남성들은 손으로 해주는 치료를 제공하는 살롱을 단골로 삼고 있다. 1970년대의 미용전문가 Georgette Klinger에 따르면 남성의 얼굴에 사용하는 것은 수요가 있다. Erno Laszlo 협회는 고급 백화점에 값비싼 제품을 팔기 시작하였고 현재는 20,000개의 남성 고객을 자랑하고 있다. 여성 화장품만을 취급했던 엘리자베스 아덴같은 뷰티 회사들은 남성 고객들을 위한 독자적인 제품을 생산하기 시작하였다.

남성들을 위한 헤어 트리트먼트제는 여성들에게 판매되는 것과 대등하게 되었다. 남성들은 여성들처럼 자주 살롱을 찾게 되었다. 대부분의 남성들은 그들의 머리카락을 고쳤는지 말하지 않았다. 그들은 변화로부터의 관심을 딴 데로 돌리고 싶어했지만 여전히 증진된 자존심의 이점을 추구하였다.

남성들은 또한 현대의 복잡한 화학적으로 하는 교묘한 처리를 즐겼다. 회색 머리를 감추기 위해 머리카락은 더 이상 적갈색이나 초콜릿 브라운으로 물들일 필요가 없었다. 만약 남자들이 오랫동안 앉아서 머리를 플라스틱으로 감싸고 드라이로 뜨겁게 하는 것을 견딜 수만 있으면 그의 머리색은 자연스럽게 바뀔 것이다. 머리는 생기를 주기 위해 강조될 수 있었고, 웨이브를 줄 수도 있었다.

오늘날 남성들을 둘러싼 미의 수단은 돈, 힘, 정력을 포함한다. 완벽한 그림은 또한 자신 주위로 세계가 돌고 있다는 식의 자기과신이 포함되어야만 한다. 기본형은 강인함의 등급에서 선택되어졌다. 스포츠 옷을 입고 운동하는 운동선수, 마약 왕의 의표를 찌르는 거친 수사대원을 묘사하는 배우, 부동산을 엄청나게 가지고 아리따운 여성을 애인으로 둔 정계의 거물들이 모델이 되었다.

전문직업을 광고하기 위한 잡지의 최근 이슈는 "Real Men"이라는 기사를 실었다. 저자는 소비자의 눈길을 끄는 캠페인을 할 때 예쁘장한 남자보다는 거친 이미지의 남성을 쓰는 것이 이점이 있다고 얘기하고 있다. 이러한 주장이 정당함을 보여주기 위하여 그는 주간지 People이 배우 Raymond Burr을 어떻게 보여주고 있는지 밝히고 있다. 그는 말보로 맨에서 나오는 거칠고 억센 카우보이, 펜탁스 카메라를 위해 포즈를 잡고 있으며 비자카드의 취득을 장려하는 사람, Learjet의 경영간부를 성공적으로 광고에서 나타내어주고 있다.

레이몬드 버

오늘날, 무용수의 근육질 몸매는 우아함
과 남성다움을 상징한다.

비슷하게 Francesco Scavullo라는 사진작가는 오늘날 매력을 대표하는 내용으
로 남성을 선택하였다. 그의 책 Scabullo on Men에서 그는 건강한 활력의 분위기를
보여주는 남성을 찍고 있다. 그는 그가 정돈되고 건강한 체형을 존경하기 때문에 운
동가 Bruce Jenner와 무용가 Peter Martin이 자연스러운 선택이었다고 말한다. 그는
또한 비록 정돈된 몸과는 거리가 있지만 커다란 웃음과 매력 있는 남성미를 가지고
있는 오페라가수 Luciano Pavarotti의 사진도 싣고 있다. 어느 누구도 화장을 하지 않
았다. Scabullo는 남자가 화장을 하여 기교를 부리는 것에 반감을 가지고 있었다.

1990년 여름 People지는 특별한 기사인 "세계에서 가장 아름다운 50인"을 선정했다. 잡지의 고용인의 11명이 독자들, 모델 에이전트, 캐스팅 감독, 사진가로부터 제안된 후보들로부터 그들이 가장 좋아하는 사람을 선택하였다. 승자는 모두 멋지게 차려입고 사진을 잘 찍혀진 유명인사들의 순위로부터 선발되어졌다.

25명의 남자들의 사진이 담배, 건강기구, 방취제의 광고와 번갈아 실려졌다. 팝 그룹 New Kids on the Block의 Jordan Knight의 가슴을 드러낸 사진 아래로 13살 팬의 글이 적혀있었다. "그는 마치 나의 세대를 위해 하나님이 보내주신 사람이다". 배우 Paul Newman은 65세에 가장 나이 많은 미남자가 되었다. 모든 승자는 대머리와 수염을 기르는 사람은 한 명도 없었고 4명은 명백한 소수민족이었고 나머지는 백인이었으며, 어느 누구도 지나치게 비만한 사람은 없었다.

이 이슈가 끝날 때쯤, 편집자는 매일 매일의 미남자를 실었다. 플로리다, 테네시, 워싱턴주로부터의 신인 발굴 계로부터 선택된 그들은 낚시하는 사람, 청소부, 카톨릭 신부를 포함시켰다. 대머리가 아니라는 것과 뚱뚱하지 않다는 것을 빼고는 그들 사이에는 거의 공통점이 없었다.

이 이슈는 백화점의 디스플레이를 위해 완벽한 남자를 만드는 것으로 기사를 끝내고 있다. 예술가 Lowell Nesbitt가 크고 힘있는 남성모습을 조각하였다. 마네킹은 산업계 기준인 6피트보다 훨씬 컸지만 모델이 된 흑인이나 히스패닉 남성들은 거의 완성품만큼 크지 않았다.

좋은 옷, 빠른 자동차, 항상 바뀌는 여자친구 등의 멋쟁이들의 꿈이 업데이트된 버전이 잡지에 소개되었다. 가능성을 가진 플레이보이는 어떻게 하면 그의 목적을 이루는가에 대해 연구하였다. 그러려면 그는 섹시한 힘을 가지고 있어야하며, 완벽하게 단정해야하고, 서약 등을 잘 빠져나오는 데 익숙해야한다. 말쑥하고 비길 데 없는 그는 정신상태를 강화해야하고 하찮은 것도 위하는 센스를 키워야한다.

잡지 모델은 플레이보이의 특징들을 약간 수정하였다. 자기만족과 축복 받은 잘생긴 외모와 좋은 옷들로 그들은 포장되었다. 모델들은 잡지를 읽는 독자들을 놀래키려는게 아니라 그들이 파는 물건을 남들이 구입하도록 유혹하였다.

가장 성공한 모델들은 명성 있는 패션잡지인 GQ, Esquire, M등의 잡지에 나온다. 자동차, 시계, 위스키 등과 함께 나오는 그들은 일정한 외모를 가지고 그들이 광고하는 값비싼 물건들을 사람들이 사도록 유도한다. 이러한 모델들은 대부분 젊고 모두 말랐으며 모두 두꺼운 머리카락을 가지고 있어 거의 회색머리는 없으며 거의 머리를 헝클어트리지 않았으며 그들의 넓고 부드러운 용모를 강조하기 위하여 깔끔하게 빗질을 한 모습이다. 모두 깨끗하게 면도를 했으며 윤곽이 분명하고, 주름이 없으며, 균형잡힌 긴 얼굴과 곧고 완벽한 코를 가지고 있다. 그들은 긴 다리를 가지고 있으며 키카 크고 알맞은 몸을 하고 있었지만 발달된 근육이 있지는 않았다.

1990년도의 잘생긴 남성, 민감하고, 초연하고, 이목구비가 뚜렷한 생김새

오늘날의 이상은 제한된 마네킹이 아니다. 선호되는 대상은 사회, 경제, 문화적 열망에 따라 달라진다. 모토싸이클 갱들은 정교한 문신을 소중히 하고, 비만한 것을 당연하게 받아들인다. 여피족 여인들은 설거지를 도와주고 느낌이 통하는 친구 같은 우락부락한 외모의 남성을 선호한다. 히피족들도 그 나름대로의 기준을 가지고 있다. 샌들을 신지 않고, 긴 스커트를 입는 히피족 여성들은 손으로 자신의 애인의 흐르는 머리카락을 쓰다듬어주기를 원한다.

남성들은 그들의 외모에 대해서 여성처럼 드러내놓고 얘기하지 않을지도 모른다. 하지만 일반 법칙은 무시되지 않는다. 연구자들은 유명한 심리학 잡지에서 62,000의 남성독자들에게 그들의 외모에 대해서 질문을 했다. 오직 15%만이 자신의 외모에 불만족하고 있다고 나타났다. 남성들이 싫어하는 외형은 대부분 못생긴 치아나 살이 많은 엉덩이나 복부인 것으로 나타났다. 오직 몇몇 이성애를 하는 남성들만이 그들의 생식기의 크기와 모양에 대해 불만의 목소리를 냈다.

연구자들은 또한 자존심과 체형이미지 사이의 연결관계에 대해 조사하였다. 그들이 발견한 것에 의하면 결혼한 남성은 미혼자보다 자신의 몸에 대해 좀더 밝은 쪽으로 보고있었다. 기대하지 않았던 결과는, 어렸을 적 놀림을 받았던 남성들은 어린이 된 자기 자신을 좋아하는데 굉장한 어려움을 가지고 있다는 것을 알아낸 것이다.

또 다른 조사에서, 사회 과학자들은 여성의 선호도에 대해 조사하였다. 그들은 여자 대학생들에게 다리길이, 가슴 엉덩이 사이즈를 다르게 한 15명의 남성 프로파일을 보여주었다. 조사자들은 여성이 좀더 건장하고 고등교육을 받은 남성들을 선호한다는 것을 알아내었다. 집과 가족에 관심이 더 있는 여성들은 적당한 사이즈의 남자를 선호하였다. 부유한 가족의 여성들은 마른 남자를 좋아하였다. 여성들의 위치가 어떠하던 간에 그들은 한결같이 큰 엉덩이를 가진 남자들은 싫어하였다.

또 다른 연구는 남성의 얼굴에서 어떤 것에 여성이 끌리나에 초점을 맞추었다. 조사자들은 20명의 백인남자들의 대학 사진을 여성들에게 보여주었다. 가장 매력 있다고 생각되어진 남성의 얼굴은 대부분 크고 동그란 눈, 작은 턱, 높은 눈썹 등 어려 보이는 모습이었다. 여성은 얼굴을 선택할 때의 기준을 "따뜻하고 친절한" "정직한" 이라는 어린아이들과 주로 연관되는 특징 있는 단어로 표현하였다.

"귀엽다" 라는 단어는 여성들이 아주 자주 쓰는 단어로 10대 소년들뿐만 아니라 늙은 남성에게도 폭넓게 사용된다. 귀엽다는 것은 단순하고 매력적인 것 이상을 의미한다. 이 단어는 애완 동물이나 아이들에게서 찾을 수 있는 성질인 안전성, 미완성의 의미를 가지고 있으며, 귀엽다는 것은 힘이나 섹시함과는 다른 의미이다. 정말 귀여운 남자는 털 많은 동물보다는 더 관능적이지만 남성들이 왜 다른 이름으로 불리고 싶어하는지를 이해하는 것은 쉽다.

사회 심리학자는 잘생긴 남성은 명확한 이점이라고 했다. 좋은 외모는 직업적으로 성장하는데 방해가 될 수도 있는 여성과 달리 보통 또는 특별히 잘생긴 남성은 사회적으로나 일에서 더 성공하는 경향을 보여준다. 외모가 좋은 남자는 매력 있는 아이들과 마찬가지로 그렇지 않은 남성들보다는 실수를 쉽사리 용서받는다.

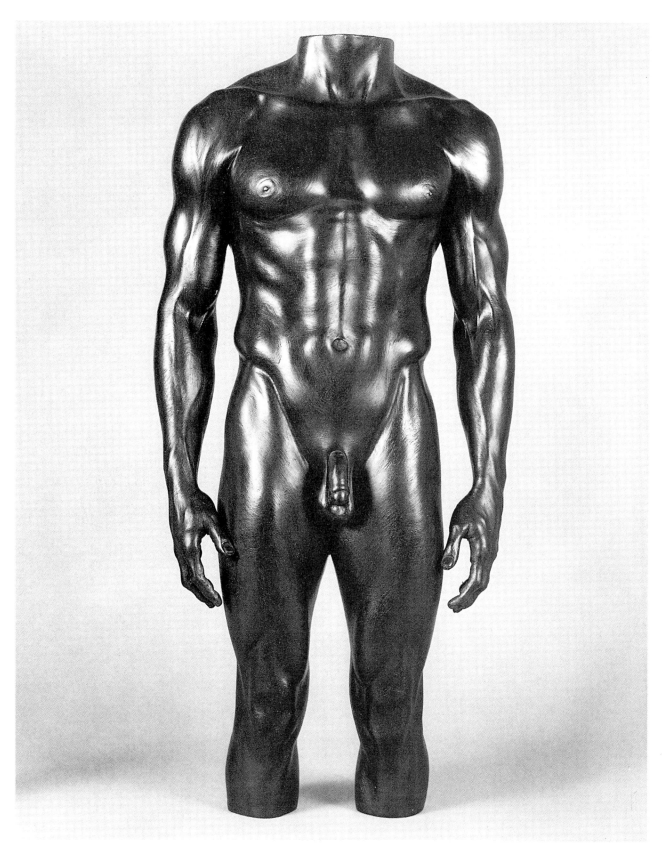

올림픽 토르소, 1983
로버트 그라함(Robert Graham)

1990년대의 잘생긴 남성,
게이거나 아니거나,
건강해 보이고, 근육이 있으며,
머리카락 숱이 많은 모습

하지만 여성에게서와 마찬가지로 미(美)는 남성에게도 같은 문제를 가져온다. 모델을 하는 남성들은 이름과 얼굴이 알려지는 이점을 즐기지만 이같은 명성은 불확실한 위험을 가지고 있다. 외적인 면에 의존하여 성공한 남성은 그들이 잘생겼기 때문에 여성들이 그를 원하는가에 대한 질문을 할지도 모른다. 또는 우회적으로 남성들은 그의 외모가 위협적으로 보이는지 궁금해할지도 모른다. 잘생긴 남성들은 다른 사람들의 부러움을 산다는 것을 알고 있을지도 모른다. 그는 그의 친구들이 잘생긴 그와 어울림으로써 자신들의 자존심을 올리려고 한다는 느낌을 받을지도 모른다. 자기보호를 위해 모델은 방어적으로 자기 자신과 그의 직업에 불찬성할지도 모른다.

계속적으로 전시되는 것은 남성 모델의 희생을 필요로 한다. 몸단장을 위한 충동은 견디기 어렵지만, 만약 남성이 치장을 하는 것이 여성스럽다고 생각한다면 이런 죄책감은 그의 자기 도취적인 행동을 계속 비밀스럽게 유지하도록 할지도 모른다.

남성 모델들은 대중에게 rock 스타들이나 정치가처럼 변덕스럽게 취급되었다. 그들을 둘러싼 근거 없는 통념들은 종종 상반되었다. 예를 들어 섹시하면 아마 게이일 것이다. 아름다운데 재능이 떨어진다 등이다. 남성들은 질문을 받으면 모델만큼 잘생겨지고 싶어하는 덧없는 꿈을 가지고 있다는 것을 부정할 것이다.

잘생긴 남자와의 로맨틱한 관계는 문제다. 많은 여성들은 자신들보다 더 뛰어난 외모를 한 남성과 오랫동안의 관계를 유지하지 못한다. 그녀가 요구하는 안심은 그녀의 남자친구가 할 수 있는 것 이상인 것 같다.

외모를 기초로 하면, 여성들은 잘생긴 남성이 실제로 느끼는 것보다 더 그들을 섹시하다고 생각한다. 어떤 여성들은 드러내놓고 길거리의 잘생긴 남성들을 곁눈질하거나 그들에게 야유를 한다.

비록 잘생긴 남성들은 여기저기 사진이 찍혀있지만, 같은 남성의 누드를 보는 요구는 덜하다. 사진이나 그림에서 르네상스후의 누드들은 주로 여성들이었다. 옷을 입지 않은 남자의 이미지는 음란하게 여겨지는 경우가 많았고 반면 여성의 누드는 보통 명성 있는 예술로 취급되었다. 여성을 위한 잡지는 남성의 핀업 사진이나 나이트클럽에서 남성 스트리퍼의 모습을 싣기도 하였다.

조장자들은 미남대회를 열었지만 여성들 사이에서 그들을 운동을 많이 해서 기이하게 알통을 키운 사람들로 여겨졌다. 서구사회는 스포츠와 정치에서 경쟁하는 남성들을 선호하였다. 예전에 미스 아메리카 대회의 회장이던 Bert Parks가 18에서 56살 사이의 미남대회의 사회를 주최했을 때 인기를 끌기보다는 놀림감이 되었다. 다른 대회인 올해의 U.S. Man은 경건한 분위기를 보존하는 것을 시도하였다. 이 대회의 주최측은 대회를 위해서 잘 꾸며지고 자신만만한 남성 후보들을 선전하였다. 인터뷰 시, 매니저 측은 모든 참가자들은 플레이보이 잡지를 읽곤 했지만 현재는 GQ를 구독하고 있다고 밝혔다.

20세기가 끝날 때쯤 호모들에게 결부되어 있는 불명예와 오욕은 어떤 방면에서는 흩어졌다. 게이 문학의 늘어나고 미디어도 게이들을 다루었을 뿐만 아니라 남성은 외모에 있어서 그들이 선호하는 대상을 솔직히 나타내었다. 오직 극단적인 게이 폐지론 자들은 외모에 대해 언급하는 것을 거절했다. 그들은 잘생긴 사람에 대하여 쓰는 것은 그렇지 않은 사람들에게 압박을 주는 미의 기준을 강화시킬 뿐이라고 주장하였다.

게이 남성들은 전통적으로 근육이 강건한 것을 선호하였다. 제 2차 세계대전 다음해에 근육질의 달라붙는 옷을 입은 남성들이 실린 잡지들이 호모들 사이에 은밀하게 유통되었다. 섹스를 억제하는 분위기는 1950년대에 사라지고, 같은 출판물들은 이제 뉴스스탠드의 코너에 내놓고 팔리게 되었을 뿐만 아니라, 근육의 남성들은 호모들뿐만 아니라 여성에게도 어필하였다.

창문옆의 누드, 1981
수잔 애보트(Susan Abbott)

호모들은 고대 그리스를 암시하게 하는 젊음을 소중하게 여겼다. Thomas Mann 의 단편소설 Deanth in Venice에 묘사된 소년은 1912년 작품이 쓰여졌을 때 아름답게 여겨지고 있다. 죽음과 사랑을 주제로 쓰여진 이야기는 늙은 작가가 14살의 폴란드 소년에게 홀딱 빠진 것에 대해 쓰고 있다.

그의 얼굴은 그리스 조각의 가장 고귀한 순간을 회상케 한다. 달콤한 수줍음을 가진 창백함, 흘러내리는 꿀 빛을 한 고수머리, 곧게 뻗어있는 코, 자신감 있는 입, 순수하고 신이 좋아하실 만한 평온함...... 아름다움은...... 어른인 남성과 연관된 독특함에서 자유롭다. 그의 겨드랑이 밑은 조각처럼 부드럽다......사상의 세심함은 이 유형의 젊음이 넘치는 완벽함을 표현하고 있다.

젊음을 유지하는데 몰두하는 것은 남성과 여성을 괴롭게 한다. 성공한 게이들과의 인터뷰를 다룬 최근의 책에서 "잘생긴 사람이 되는 것"을 그의 성공요인을 고백하였다. 외모에 너무 열중한 그의 삶은 아름다움을 지키기 위해 스케줄을 만들었다. 체육관에서 운동하면서 몇 년간 그가 만들어온 몸을 그는 자랑스럽게 여기고 있었으며, 그는 자그마한 주름 하나에도 두려움을 느꼈다고 한다. 확실한 자기 도취자로서, 그의 아파트는 모든 면에 거울을 놓고 있으며 벽을 그 자신의 사진으로 도배를 하였다.

게이 남자들은 매력적으로 되기 위한 지침서를 쓴다. 온화하고, 부드러운 태도를 보여주고 사춘기 직전의 소녀들을 위해서는 명랑한 조언을 하고 있으며, 작가는 잘생겨 보이기 위해 그가 가지고 있는 비밀을 쓰고 있다. 그는 몸치장, 태도, 좋은 자세, 깨끗함을 강조한다. 정돈되고 삼가면서 말하는 것은 멋지게 보이기 위한 보편적인 열쇠처럼 보인다.

작가에 따르면 화장보다는 최고급의 헤어스타일과 적당한 의상류는 못생긴 코나 우묵 들어간 볼로부터 주의를 끌어올 수 있다고 한다. 머리는 자연스러워야하며 방금 자른 것처럼 보이지 않아야 하고, 허세를 부리지 않는 스타일의 옷을 입어야한다. 남성은 극단적으로 보이는 것을 피하기 위해 최선을 다해야한다고 그가 경고한다. 바지는 엉덩이가 끼지 않도록 충분히 안락해야하며, 패드는 외음부를 크게 보이게 하기 위해 첨가될 수 있지만 너무 꽉 끼는 옷은 좋지 않다고 그가 경고했다.

게이건 아니건, 남성들은 항상 아름다움의 개념에 대해 고심해왔다. 어떤 시대에, 외모는 다른 때보다 더 조명을 받기도 하였다. 비록 Dark Age에는 그렇지 않았지만 완전히 이 개념이 무시된 적은 없다. 이제 20세기, 남성들은 그들의 이미지에 대하여 걱정하는 것을 자연스럽게 받아들이고 있다. 기업가들과 미디어가 이러한 걱정을 자본화하고 있기 때문에, 남성의 아름다움에 대한 이슈는 단순히 결정되지 않을 것이고 오늘날 더더욱 복잡해지고 있다.

20세기 말의 잘생긴 남성은 회색빛의 머리를 할 수는 있지만, 균형이 잡혀있어야 한다.

후기

아름다움을 추구하는 것은 일반적이다. 매력에 대한 원시시대의 충동은 늙은 나이, 정신병, 심지어는 성공과 돈을 능가하였다. 아름답게 보이고 싶어하는 열망은 건강한 것이다. 엄마나 아빠가 "예쁜 내 아이, 너무 잘생긴 내 아이"라고 외치는 특별한 순간 아름다움을 개선하려는 것은 인식되는 것이고 아이들은 부모의 사랑 속에서 안심하게 된다.

하지만 아름다움을 추구하는 것은 자신감을 강하게 하기 위한 필요 이상으로 중요하다. 역사를 통해, 남성과 여성은 아름다움이 유용한 것이라는 것을 알았다. 잘생긴 외모는 사랑, 돈, 권력을 위한 좋은 교역 품을 만들었다. 하지만 단지 외모만으로 충분하지 않다. 체형적 매력은 일시적이지만, 영리함과 복합되면 매력은 평생을 지속할 수 있다. 단순히 아름답거나 덜 똑똑한 여성들이 순간적으로 잊혀지는 반면 왕들의 똑똑한 첩들은 정치적인 대성공을 지속하였고 적출의 부인들의 분노를 사기도 하였다.

아름다움을 추구하는 것은 미국인들에게 거의 놀랄만한 일이 아니다. 뉴욕의 엄마가 자신의 어린아이를 귀여운 모자와 신발로 꾸미는가 하면, Lagos의 여성은 그녀의 아이의 발목과 손목 주위에 구슬걸이를 사랑스럽게 걸어준다. 미국의 10대들은 머리에 스프레이를 뿌리고 입술에 칠을 하고, 미니스커트를 입고 프롬에 가는데 요청받기 위해 높은 학교의 계단에 서 있다. 아프리카 소녀는 강가에서 누드로 목욕을 해서 그녀의 건강한 몸과 빛나고 장식적인 상처로 그녀의 아름다움을 소년에게 보여준다.

하지만 여기서 같은 방향이 멈추게 된다. 전통적인 아프리카 여성이 중년에 이르면 그녀는 그녀 자신에 만족하고 살게 된다. 사우나에서 땀을 빼서 젊었을 때 주름이 없던 시간을 놓치지 않으려 하고, 비싼 수술을 하고 죽기 전까지 에어로빅을 하는 미국 주부들의 외침은 무엇인가?

우리 문화에서 아름다움은 종종 실제의 우리모습이랑 동등하게 취급된다. 날씬함을 위한 무리한 다이어트로 나이든 사람들은 젊음을 가지고 싶어한다. 오랫동안, 흑인들은 두꺼운 입술을 얇게 하는 방법을 찾아왔고, 영화 스타들은 두꺼운 입술이 글래머가 되기 위한 열쇠라고 여기고 입술을 크게 하는 주사로 고통받았다. 그들이 자연스럽게 보이지 않는다고 느끼는 10대들은 그들이 자신의 어느 부분을 바꿔야 할 경우가 있다는 것도 거의 모른 채로 화장을 하기 위해 잡지와 화장품에 그들의 용돈을 쓰고 있다. 머리가 없는 남성들은 가발을 쓴다.

최근 아름다움의 기준이 바뀌고 있다. 건강함과 참신함이 크게 유행하고 있다. 전에 아름답게 여겨지지 않던 사람들이 이제는 아름답다는 주장을 하고 있다. 이젠 검은 색 피부, 회색의 머리칼이나 보그의 커버에 나오는 마네킹보다 풍채가 당당한 것이 더 이상 부끄러워할 것이 아니다. 많은 여성들이 현재 일을 하고 있기 때문에 그들은 남성의 자선에 의존하여 살아갈 필요가 없다. 독립적인 여성은 남성의 환상에 동의하면서 살아가지 않아도 된다.

미에 대한 의문은 좋은 이야기를 만든다. 어느 누가 유명한 미인의 과거사를 듣고 싶어하지 않겠는가? 어떻게 그들이 악명을 얻게 되었고 왜 우리가 이 남성과 여성을 이상향이라고 부르는가? 모든 사회에 미에 대한 관심이 뿌리 박혀 있었다는 것을 어느 누구도 부정하지 않는다. 어느 누가 춤 상대로 뽑힐 만큼 아름답지 않기를 원하겠는가?

이런 책들의 조사의 대부분이 이루어지는 의회 도서관 옆의 인도에서 집 없는 소녀가 웅크리고 있다. 그녀는 수북히 쌓여있는 신문 사이에 앉는다. 회색이라기보다는 노란 색에 가까운 그녀의 더러운 머리에는 먼지가 가득 쌓여있다. 내가 2년 전 일을 시작했을 때 그녀는 리복을 신고 있지만 지금은 누더기로 그녀의 발을 감싸고 있다. 매일 아침 나는 그녀에게 1달러를 주었다. 아마도 자비심이거나, 내 자신의 삶에서 나 자신을 확인하기 위한 것일지도 모르겠다.

하지만 한 따뜻한 날 이 소녀는 삶이 항상 쓰레기통 봉투와 자선품만이 아니라는 것을 나타냈다. 그녀는 얼마 안 되는 몫을 얻기 전에 나에게 신호를 했다. 그녀의 손에는 니코틴과 함께 호박(湖泊)이 있었다. 그녀는 이 귀걸이를 그녀의 귓불에 있는 구멍에 재빨리 끼웠다. 귀걸이를 하고서 그녀는 가방에서 거울을 꺼내어 웃으면서 달랑거리는 보석을 바라보았다. 내가 생각하기에 이 순간만큼은 나는 워싱턴, 정신이상, 빈곤을 잊고 있었다. 아마도 이 순간만큼 그녀도 깨끗하고 정상이고 아름다웠던 시간에서 다시 살았는지도 모르겠다.

인덱스(Index)